Max von der Grün
Zwei Briefe an Pospischiel
Roman

Luchterhand

Sammlung Luchterhand, Januar 1976
Umschlagkonzeption von Hannes Jähn
3. Auflage Mai 1982

© 1968 by Hermann Luchterhand Verlag GmbH & Co KG,
Darmstadt und Neuwied
Lektorat: Klaus Roehler
Umschlaggestaltung: Kalle Giese
Herstellung: Martin Faust
Gesamtherstellung bei der
Druck- und Verlags-Gesellschaft mbH, Darmstadt
ISBN 3-472-61155-3

In Waldsassen, einer kleinen Stadt in der Oberpfalz, unweit der tschechischen Grenze, gegenüber Eger (heute Cheb), schlurft eine alte Frau über den Marktplatz.

Es ist heiß.

Der Marktplatz ist leer. Die alte Frau ist ganz allein.

Sie wirft in den gelben Postkasten an der Johannisstraße gegenüber der Feuerwache einen Brief, klopft, nachdem sie ihn eingeworfen hat, mit der Faust dreimal an die Wand des Kastens, damit der Brief auch bestimmt fällt. Die alte Frau geht die Straße hinunter, in Richtung Stiftskirche, die Glokken auf dem Turm beginnen zu läuten. Es ist Mittag.

Die alte Frau bleibt stehen, sie bindet ihr blau-weiß kariertes Kopftuch fester unter dem Kinn.

Die alte Frau geht in eine Seitenstraße, in ein altes Haus.

Es ist Juli 67.

Es ist sehr heiß.

I

Er überquerte den Platz, lief auf das Portierhaus zu. Die Schultern stießen nach vorn, als ziehe er einen schweren Wagen hinter sich her, die Arme schlenkerten um seinen Körper, als gehörten sie ihm nicht, das rechte Bein schleppte er, dabei hob sich seine Schulter etwas, der Kopf kippte nach links, und von weitem konnte man glauben, er hüpfe.

Im Werk hieß er schlicht: Das Känguruh.

Er hob den rechten Arm, der ihm nicht zu gehören schien, und winkte. Ich wartete. Känguruh sah mich nicht an, sondern spähte über den Parkplatz: Paul, sie sind hinter mir her. Ich habe es ja immer gewußt, sie sind hinter mir her. Du wolltest es ja nie glauben.

Unsinn, sagte ich, seit zehn Jahren bildest du dir das ein.

Er sah mich an, schief, unter buschigen Brauen schief. Fred hatte einen Schnurrbart, und die Haare, graue dazwischen, sträubten sich über seiner Oberlippe. Mir fiel ein, ich hatte einmal meine Frau gefragt: Sag mal, hatte der Glöckner von Notre-Dame in dem Film einen Schnurrbart?

Aber auch Gerda erinnerte sich nicht.

Känguruh, mit bürgerlichem Namen Wördemann, Fred, 58 Jahre alt, von Beruf Toiletten- und Baderäumereiniger, so die Bezeichnung in der Betriebskartei für Lohnstreifen und Betriebskrankenkasse in unserem Werk, verdeckte mit dem Schnurrbart seine gespaltene Lippe, die ihm 1939 im Lager Buchenwald zerschlagen worden war. Es gab Zeugen dafür. Auch Zähne verlor er damals, seit Jahren aber trägt Fred Wördemann schon ein gut eingepaßtes Gebiß.

Er selbst sagt dazu nur: Der Oberkiefer hielt den genagelten Absätzen nicht stand.

Wenn er lächelte – richtig lachen hörte ich ihn nie –, war sein Gesicht zum Indiefresseschlagen.

Sein rechtes Bein war damals auch unter die Absätze geraten, aber Känguruh konnte vor Gericht nicht beeiden, es sei derselbe Absatz gewesen, der ihm die Lippe zertrat. So wurden zwei Absätze mangels Beweises freigesprochen. Für das rechte Bein, das steif blieb, bekam er, nach wiederholten

Eingaben, eine Rente von monatlich 175 Mark, weil man ihn für bedingt arbeitsfähig erklärte.

Es waren zwei Männer bei der Direktion. Das hat mir der Damberg erzählt. Sie haben gefragt, ob ich vielleicht Flugblätter verteile, ob ich Hetzreden halte, ob ich gegen Bonn bin oder ob ich ruhig meine Arbeit verrichte.

Damberg ist ein Quatschkopf, sagte ich, das weißt du am besten. Der hört sich gern reden und macht sich wichtig, wo er nur kann.

Die beiden Männer waren auch beim Betriebsrat, hat Damberg gesagt. Haben auch ihn gefragt, ob ich versuche, die Belegschaft aufzuwiegeln.

Aufwiegeln, fragte ich. Du machst Witze. Gegen wen? Gegen was?

Paul, das hat nicht nur der Damberg erzählt. Innerhalb einer Stunde wußte es der ganze Betrieb. Nur du weißt nie, was ist, Paul. Döst auf deiner Warte, dann fährst du nach Haus und spielst mit deinem Hund.

Fred, sagte ich und zog ihn leicht am Arm neben mir her, du warst einmal in einer Partei, die seit über zehn Jahren verboten ist, also können sie dir nichts. Die Partei ist verboten, du aber nicht.

Da bist du aber im Irrtum, Paul. Eben weil sie verboten ist, können sie mir was. Wenn die mal was verbieten, sind sie gründlich, das haben sie von den Nazis gelernt.

Wir waren am Portierhaus angekommen, wir blieben stehen, ich ließ Freds Arm fallen. Der fiel an seinen Körper, pendelte, wie ein Dreschflegel.

Fred, du hast dir nie etwas zuschulden kommen lassen, sagte ich, also brauchst du keine Angst zu haben, es verfolgt dich keiner, du bist ein ruhiger und zuverlässiger Arbeiter, du verfolgst dich höchstens selbst.

Er sah mich schief an.

Es werden welche von K 14 gewesen sein.

K 14, fragte ich. Was ist denn das für ein Verein? Ich hörte den Ausdruck zum ersten Mal.

Känguruh lächelte. Das sind die, sagte er, die die alten und neuen Nazis schützen, die alten und neuen Kommunisten jagen oder überwachen, damit die alten und neuen Nazis nicht gestört werden. K 14 erkundigt sich nach jedem, der nicht ein alter oder neuer Nazi ist. Verstehst du?

Fred wollte an mir vorbei. Ich hielt ihn an der Jacke zurück, riß ihn zu mir herum.

Fred, du mißtrauischer alter Querkopf, sag doch endlich, was wirklich war. Was ist K 14?

Ich habe es dir doch gesagt, keuchte er. Unser Direktor, hat mir Damberg erzählt, hat sich lobend über mich geäußert, weil ich keine Arbeiter aufwiegle, weil ich keine Flugblätter verteile, weil ich in der Gewerkschaft die Klappe halte; er hat mit mir seit zehn Jahren keinen Ärger gehabt, hat er gesagt. Und der Betriebsrat, erzählt Damberg, hat zu den beiden, die sich nach mir erkundigt haben, gesagt, ich sei ein zuverlässiger Arbeiter, zurückhaltend, wenn es um politische Fragen geht, und konstruktiv, hat er gesagt, wenn es um betriebliche Fragen geht. Nein, sie haben mit mir keinen Ärger, noch nie welchen gehabt, haben sie gesagt, der Betriebsrat hat gesagt, ich sei kein Element, und der Damberg hat gesagt, die meisten haben erst durch die beiden erfahren, daß ich früher in der KPD gewesen bin.

Na, du alter Uhu, dann ist ja alles in Ordnung. Komm, ich hab Hunger.

Fred sah mich schief an.

Wir gingen nebeneinander durch das Portierhaus, stachen unsere Karten – wir hatten uns um genau 10 Minuten verspätet – und blieben vor dem Werkstor stehen.

Paul, sag mal, wie alt bist du jetzt eigentlich?

Wie alt? Vierzig war ich.

Soso, vierzig. Na dann. Vielleicht fängst du mit einundvierzig zu denken an.

Er ging, ich sah ihm kopfschüttelnd nach. Ich mochte Fred, wenn auch seine verquere Figur mich immer wieder erschreckte, ich konnte mich nicht daran gewöhnen. Vor allem meine Frau mochte ihn.

Fred sah oft bei uns vorbei. Er hatte auf dem Schnee, im Süden der Stadt, nach Witten zu, ein kleines Häuschen, Wochenendhaus, selbst gebaut in 20 Jahren. Das Material dazu hatte er sich nach und nach zusammengesucht, mitgenommen irgendwo, aber das meiste war gekauft, belegbar gekauft.

Ich mochte Fred.

Ich schloß die Wagentür auf, im Innern des Wagens summte eine Fliege. Daß diese Biester nicht kaputt gehen bei der Hitze, ich öffnete die andere Tür, ließ erst Luft durchziehen, bevor ich einstieg und abfuhr.

Fred sah ich nicht mehr, auch nicht am Borsigplatz. Fred läuft gern zu Fuß, Fred muß die Stadt schmecken, muß nach der Arbeit Menschen begegnen, ihnen in die Augen sehen, sie riechen, sprechen, keuchen hören. Er sieht die Menschen an, unter buschigen Brauen schief, erschnuppert Menschen wie ein Hund seine Markierungen, ich sah ihn einmal die Nase hochziehen, hin- und herbewegen, er erinnerte mich an meinen Hund.

Am Hauptbahnhof staute sich der Verkehr, am Westentor fuhr ich schon bei Gelb los, in der Lindemannstraße schnitt mich ein Taxi, und auf der Möllerbrücke war es dann soweit. Dasselbe Taxi schnitt einen Lastwagen, die Straßenbahn hielt, das Taxi konnte nicht weiter. Der Lastwagenfahrer stieg aus, nackter Oberkörper, verbrannte Haut, er ging ruhig und breitbeinig auf das Taxi zu. Ich stieg aus, hinter mir stieg einer aus, dahinter noch einer, wahrscheinlich wollten auch sie sehen, wie der Lastwagenfahrer den Taxifahrer aus seiner Kiste herausholte, ihm eine klebte, ihn wieder ins Taxi warf.

Nichts.

Der Lastwagenfahrer trat ans Taxi, sagte ruhig: Du, das eine will ich dir sagen, von eurer Sorte haben sie noch viel zu wenig umgebracht. Der Lastwagenfahrer ging, kehrte noch einmal um, sagte in das Taxi hinein: Meinetwegen kann von eurer Sorte jeden Tag einer kaputt gemacht werden. Ihr seid keine Menschen, ihr seid eine Seuche.

Ich sah das Gesicht des Taxifahrers nicht, aber das des Lastwagenfahrers: es war ausdruckslos; unbeteiligt stieg er wieder in seinen verschmutzten Karren, fuhr hinter dem Taxi her, als die Straßenbahn losfuhr. Der Lastwagenfahrer war so unbeteiligt, als hätte er eine Ladung Sand gekippt. Ich fand, er hätte dem Taxifahrer doch eins in die Schnauze hauen sollen, aber da war ich schon am Mercedeshaus vorbei, den Krückenweg hinuntergefahren; kurz vor Barop wollte mich ein Volkswagen überholen, aber in Hombruch war starker Gegenverkehr, er mußte hinter mir einscheren, ich fuhr dreißig, er konnte nicht überholen, ich sah ihn im Rückspiegel. Sein Gesicht wurde blau vor Wut und doppelt so breit; ich fuhr zwanzig, ließ an der Kreuzung alle Fußgänger über die Straße, ich hatte Zeit; der hinter mir hupte; ich holte sie mit höflicher Handbewegung von den Bürgersteigen, von links und rechts, dann fuhr ich schnell an, und da in Hombruch fast alles rechts vor links geht, trat ich vor jeder Querstraße scharf auf die Bremse, ich sah in den Rückspiegel, das Gesicht meines Hintermannes verzerrte sich, und jetzt bog ich, ohne Winker zu geben, in die Löttringhauser Straße ein, mein Hintermann war darauf nicht gefaßt, ich hängte ihn damit um zehn Meter ab, gab Gas, bremste vor dem Vorfahrtschild scharf, ich hätte mich gefreut, wäre er hintenauf gefahren, aber er paßte auf, das Spiel war für ihn wie für mich zum Manöver geworden, er hatte sich auf mich, seinen Gegner, eingestellt. Ich fuhr über die Kreuzung, er hinter mir her, am Lebensmittelladen hielt ich nach meiner Tochter Ausschau, die um diese Zeit aus der Schule kommt, aber ich sah sie nicht, wahrscheinlich war sie im Schwimmbad, mein Verfolger zog an mir vorbei, ich war verblüfft, fuhr hinter ihm her, merkte, daß er dasselbe Spielchen, das ich mit ihm getrieben hatte, nun mit mir treiben wollte, aber ich bog bei der erstbesten Straße rechts ab, kurvte durch einige Gassen, war wieder auf der Hauptstraße nach Löttringhausen, hielt an, sah mich um. Der vw war nicht mehr zu sehen.

Ich fuhr geradewegs nach Hause.

Lissi lag im Garten im Liegestuhl, sie kaute ein Stück Brot, auf dem dick Butter lag, sie bestrich ihre Brote nicht, sie schnitt die Butter in Scheiben auf das Brot. Der Hund lief mit einem Stöckchen in der Schnauze auf mich zu, er sprang mich an, ohne das Stöckchen abzuwerfen. Lissi winkte mir zu, blätterte weiter im »Stern«, ließ sich durch mich nicht stören, nahm mich nur zur Kenntnis, blätterte weiter. Als ich schon an der Haustür war, sagte sie: Mutti kommt heute früher nach Hause.

Ich weiß, sagte ich. Lissi trug ihren gelben Bikini, den ich ihr letzten Geburtstag geschenkt hatte.

Ich habe dir ein paar Schnitten gemacht, rief sie hinter mir her, liegen auf dem Küchentisch. Mit Käse, Wurst war nicht mehr da.

Ist schon gut, sagte ich.

Ich holte mir eine Flasche Bier aus dem Kühlschrank, das Bier ist zu kalt, Gerda sollte sich endlich angewöhnen, das Bier in den Keller zu stellen. Der Keller ist kühl genug für das Bier.

Ich esse, lese die Zeitung.

Aber es ist nicht viel, der Nahe Osten kocht weiter auf Sparflamme. Sie sind alle im Recht, links und rechts des Kanals. Wie bei uns im Betrieb. Da hat auch jeder von seinem Standpunkt aus recht. Jeder: die Gewerkschaft, die Unternehmer, warum sich aufregen. Vielleicht muß das so sein, damit das Leben nicht langweilig wird. Lissi wird, hat sie ihren »Stern« durchgelesen, mich schon in Atem halten. Ich kann nichts gegen diese Illustrierte sagen, sie kauft sich das Blatt von ihrem Taschengeld. Und meine Frau sagt: Sei zufrieden; besser, sie liest den »Stern« als die »Bildzeitung«. Abonniert aber haben wir die »Westfälische Rundschau«, sie sympathisiert mit der SPD, aber das steht nicht in der Zeitung, und manchmal lese ich im Werk die »Ruhrnachrichten«, sie sympathisieren mit der CDU, und wenn ich beide Zeitungen hintereinander gelesen habe, weiß ich nicht mehr, wer mit wem sympathisiert und wo rechts und wo links ist.

Gerda sagt dann, ich soll mich nicht aufregen, das weiß heute in unserem Staat sowieso keiner mehr, unser Staat ist wie ein Kuchenteig, Mehl und Hefe werden eins, die Bäcker haben nur das Salz vergessen. Der Käse auf den Brotscheiben stank, das Brot war ausgetrocknet, Lissi hatte die Scheiben auch zu dick geschnitten, sie behauptet, dünne Scheiben schaden den Zähnen.

Ich setzte mich in den Garten neben meine Tochter, sie las, wie ich mit einem kurzen Blick sah, den Bericht über die ägyptischen Flüchtlinge von der Sinai-Halbinsel. Ich setzte mich im Schneidersitz auf den Rasen, spielte mit dem Hund, nach ein paar Minuten war er es leid. Der Hund ist eine Hündin. Hündinnen sind anhänglicher. Lissi wollte unbedingt einen Hund, also kauften wir einen, mit Stammbaum, Pudel, schwarz, Zwergrasse. Ein intelligentes Tier. Nur nachts will es in mein Bett. Gerda protestiert Abend für

Abend, faselt etwas von Hygiene, aber der Hund wartet, bis Gerda gleichmäßig atmet, dann springt er auf mein Kopfkissen. Manchmal habe ich morgens Kopfschmerzen, Schmerzen im Nacken, aber das macht dem Hund nichts aus.

Gibt's was Neues, fragte ich Lissi.

Meine Sympathien sind jetzt bei den Arabern, sagte sie, ohne vom »Stern« hochzusehen.

Bist du plötzlich Antisemit geworden?

Nein. Aber die verdammten Juden lassen die Araber in der Wüste verdursten, und die Juden haben Napalm geworfen.

Das ist allerdings ein Grund, sagte ich und spürte, daß meine Antwort sie ärgerte.

Gibt es sonst noch was, fragte ich Lissi wieder.

Meine Tochter war noch bei den Flüchtlingen aus Sinai, sie hörte nicht oder wollte nicht hören, sie lag in ihrem gelben Bikini lang im Liegestuhl. Lissi ist attraktiv, sie bringt es mit ihren fünfzehn Jahren fertig, sämtliche Jungen der Nachbarschaft in Aufruhr zu versetzen, und abends zählt sie manchmal ihre Opfer wie der Gasmann seine Groschen. Wenn ihre Kasse stimmt, schläft sie mit ihrer zehn Jahre alten Puppe Cornelia im Arm ein.

Ich wollte an diesem Nachmittag, das hatte ich mir im Werk vorgenommen, eigentlich den Rasen schneiden, aber es war zu heiß. Ich wartete auf den Abend, vielleicht brachte der Abend Kühlung. Seit ich die Arbeit auf der Warte im Elektrizitätswerk habe, wird mir jede Arbeit außerhalb des Werks zuwider.

Ich bin für eine Arbeit außerhalb des Werks einfach zu müde. Aber wie sollte ich Gerda meine doppelte Schlappheit erklären. Sie hatte ja recht, wenn sie spöttelte: Du tust den ganzen Tag nichts im Werk, du bist doch nur da, daß du da bist. Sitzt und döst vor dich hin, acht Stunden am Tag. Guck mich an, ich muß im Kaufhaus dauernd auf den Beinen sein und zu Hause wieder. Was war dagegen zu sagen? Nichts.

Manchmal spreche ich mit Arbeitskollegen darüber, denn auch sie sind schlapp, lustlos wenn sie das Werk verlassen; aber die wenigsten machen sich darüber Gedanken; es ist halt so, jede Arbeit hat ihre Vor- und Nachteile. Nur Franz schrie einmal: Verdammt noch mal, früher, als ich auf der Zeche gearbeitet habe, täglich zwei Liter Schweiß verlor, konnte ich hinterher noch drei Weiber stemmen! Und jetzt? Mensch, hör auf, meine Frau sagt, ich bin ein schlapper Sack geworden.

Seit einem Jahr vielleicht beginne ich nachzudenken. Warum ich müde bin, ohne etwas getan zu haben, was man gemeinhin Arbeit nennt. Acht Stunden sitze ich hier in einem Glaskasten, mit fünf anderen, drei an jedem Schaltpult. Wir sitzen alle sechs und passen auf. Aber Aufpassen allein kann doch nicht müde machen.

Gibt's was Neues, Pappi, fragt mich plötzlich meine Tochter.

Was soll es schon geben. Ich mache Strom, Lissi, das weißt du doch.

Lissi stand auf, reckte ihren Körper. Gähnend sagte sie: Ich geh ins Schwimmbad. Kommst du mit?

Nein, ich schneide noch den Rasen. Mama muß auch gleich kommen.

Lissi ging. Sie warf sich den Bademantel über und stieg aufs Rad. Das Schwimmbad, Froschloch, wie es hier genannt wird, ist nur etwa tausend Meter entfernt.

Weiß der Kuckuck, was mit mir los ist. Ich bin vierzig und Gerda denkt seit einem Jahr nicht mehr daran, mich beim Zubettgehen zu mahnen, läßt mich auch morgens in Ruhe, wenn wir uns noch ein Viertelstündchen im Bett räkeln, die Nacht verlängern. Nur so alle drei Wochen überkommt es mich, mit einer Wildheit, die Gerda erschreckt. Aber sie läßt sich gern erschrecken, fragt dann nur: Was ist? Hast du Okasa geschluckt?

Das ist es nicht; mich überkommt es einfach. Und das Verwunderliche ist, ich bin danach wie umgewandelt, könnte Bäume ausreißen. Vielleicht ist es meine Arbeit – aber der Arzt meinte letzthin: Mann, Sie sind kerngesund. Ich wünschte, jeder wäre so gesund wie Sie! Und als ich ihm das mit Gerda erzählte, lächelte er und sagte, für Mittelchen sei ich wohl noch zu jung. Aber: Sie haben eine vernünftige Frau. Jaja, sagte er noch, als er mich an der Tür des Ordinationszimmers verabschiedete, man muß sich schon Mühe geben in dem Alter. Vierzig sind keine zwanzig, da machen sich so gewisse Verschleißerscheinungen bemerkbar. Und dann die Gewohnheiten.

Die sind das Schlimme.

Und schließlich fragte er mich, ob ich beim Anblick anderer Frauen oder Mädchen denn nichts spüre. Ich zuckte die Schultern, hätte ihm sagen können, daß ich natürlich manchmal Lust empfand, mit der einen oder anderen, die ich sah, zu schlafen, nur so ein Verlangen, nicht etwa, weil ich Gerda nicht mehr mochte, und ich weiß nicht, ob ich es überhaupt täte, wenn ich in die Lage käme, und ich hätte ihm auch erzählen können, daß selbst die raffiniertesten Nachthemden und die aufreizendste Wäsche, die sich Gerda im letzten halben Jahr so nach und nach zulegte – im Kaufhaus bekommt sie alles billiger –, mich nicht aufmöbeln; es überkommt mich mit und ohne Unterwäsche, mit und ohne Hemden, ich hätte ihm auch sagen können, daß die dreiwöchige Massage, der Gerda vor einiger Zeit ihre Brust unterzog, die allmählich schwabbelig zu werden begann – Gerda war schließlich 35 –, keinen Einfluß auf meine Zustände hat. Ich zuckte nur die Schultern.

In den Wochen dazwischen kann mich nichts aufregen, nicht der Minirock einer Fremden, nicht die feinsten Nylons, die Gerda trägt, nicht ihre wieder strammen Brüste, nichts, absolut nichts regt mich auf, und ich höre mit Staunen im Betrieb, daß es Kollegen gibt, die sich jeden Abend ihr Essen im Bett verdienen müssen. Da lobe ich mir Gerda: sie sagt nichts, fragt nicht, sie wartet. Wartet, bis es über mich kommt. Hernach läuft sie einige Tage mit glücklichem Gesicht herum, der Kühlschrank ist voller Wurst und Käse, und der Kasten Bier wird nicht leer, weil sie jeden Tag neue Flaschen aus der Stadt mitbringt, in den Kasten stellt.

Ich stand auf, sah auf die Straße.

Mein Nachbar Brundert wusch seinen Ford. Er hatte beide Wagentüren offen stehen, das Radio angeschaltet. Ich beobachtete Brundert ein paar Minuten. Unbegreiflich, wie hingebungsvoll so Menschen ihre Autos waschen, wienern, polieren können. Wenn sich nicht Lissi über unseren Opel erbarmt, wäre unser Wagen die längste Zeit nicht grün, sondern grau. Ein Auto, denke ich, ist kein Mensch, der sich jeden Tag zu waschen hat.

Brundert bemerkte mich, winkte mir. Ich ging zu ihm.

Immer noch Urlaub, fragte ich.

Morgen fange ich wieder an. Heiß heute. Der Urlaubsdreck muß runter. Er wies auf das staubige Auto und auf einen Eimer zu seinen Füßen. Schaum quoll aus dem Eimer.

Wo warst du denn, fragte ich, um etwas zu fragen. Brundert würde mir sowieso nicht die Wahrheit sagen, dafür kannte ich ihn zu gut. Auch wenn er drei Wochen bei seiner Schwiegermutter in Castrop-Rauxel verbracht hatte, würde er stolz behaupten, er sei drei Wochen an der Costa Brava gewesen, in Rimini oder Jugoslawien, wenn er überhaupt weiß, wo Jugoslawien liegt.

Brundert sagte: Am Königs-See. Hatten prima Pension. Billig, Essen reichlich, hast gar nicht alles aufbekommen. Auf der Rückfahrt sind wir noch beim Schlesiertreffen in München gewesen. Mensch, Paul, waren da Menschen, und heiß war es, einige sind in Ohnmacht gefallen. Aber das Rote Kreuz war auf Draht.

Ach ja, sagte ich, du bist ja aus Schlesien. Dabei sprach er wie ein waschechter Dortmunder.

Hab ich dir doch gesagt, bin aus Hirschberg gebürtig.

Ach ja, aus Hirschberg, sagte ich, um etwas zu sagen.

Du fährst ja jedes Jahr zum Schlesiertreffen, sagte ich. Machen dir denn solche Treffen Spaß? Ich meine, ist doch auch immer mit Unkosten verbunden.

Jaja, hast schon recht, sagte er und lederte mit Inbrunst seinen Wagen. Hast ja recht, keuchte er, aber bis jetzt konnte ich das immer mit meinem Urlaub verbinden. Und dann, Paul, sehen lassen muß man sich, das ist man als Schlesier seiner Heimat schuldig.

Was haben denn die Herren Minister wieder gesagt?

Waren dieses Jahr nur zwei da, keuchte er. Er lederte mit Hingabe die Windschutzscheibe.

Na und, dürft ihr bald wieder zurück nach Kattowitz und Hirschberg?

Er sah mich an, hörte zu ledern auf: Weiß ich gar nicht mehr. Wir treffen uns da nämlich immer mit alten Bekannten, weiß du, und dann haben wir uns abgesondert und einen gekippt. Übrigens. Die Polizei. Was die immer gegen die Polizei haben, sind wirklich höfliche Leute, haben sich um die alten Leute gekümmert, ist doch überhaupt nicht ihre Aufgabe. Was die immer zu schimpfen haben. Weißt du, ich war bisher jedes Jahr da, aber wie die Polizei sich diesmal verhalten hat, muß schon sagen, wirklich Freund und Helfer.

Er lederte jetzt die Seitenfenster.

Jedes Jahr hab ich die Treffen mitgemacht, nur damals nicht, weißt, wo ich mir den Mittelfußknochen gebrochen habe und ein Vierteljahr im Krankenhaus lag. Kann wirklich nichts sagen, immer korrekt waren die, und was kommen da für Tausende, glaubst es nicht, wenn du es nicht siehst. Naja, einmal, da haben sie mich verwarnt, war aber selber schuld, seh es ja ein.

Verwarnt? Dich? Warum denn? Ich fragte, um etwas zu fragen.

Ach, weißt du, ich hab mal gepfiffen, hat einer gesprochen, weiß nicht, war's der Strauß oder der Brandt, aber das ist nicht so wichtig, irgendeiner redet ja immer, vor drei oder vier Jahren war das.

Er schaute prüfend über das Heckfenster.

Ich sah Gerda am Ende der Straße aus dem Bus steigen. Sie ist gut beieinander, anderen Männern reißt es den Kopf herum. Langbeinig, die Haare hängen ihr lose bis auf die Schultern, ihre Bluse spannt, vorn und hinten. Ein Gedicht von einem Rock, sie sitzt im Kaufhaus an der Quelle, sie hat die erste Auswahl, sie bekommt alles billiger.

Gerda winkt mir, ich winke zurück.

Man trifft halt auf so Treffen immer Bekannte. Unsere wohnen in Stuttgart, er ist bei Mercedes, verdient nicht schlecht. Die kommen jetzt vorbei, fahren in Urlaub. An die Nordsee. Nach Cuxhaven.

Fängst also morgen wieder an, fragte ich. Mittagsschicht?

Brundert hält im Ledern inne, nickt, schaut über das Dach des Wagens auf sein Haus, ledert dann weiter. Beiläufig fragt er: Im Werk alles beim Alten?

Was soll es schon Neues geben. Täglich 160 000 Kilowatt Strom. Auch ohne dich.

Brundert sah erschrocken auf, lachte dann: gequält, lederte verbissen weiter, trocknete Stellen, die längst trocken waren, rieb an Seitenfenstern, die er längst abgerieben hatte. Ich sah Gerda entgegen. Sie blieb einen Moment stehen, schüttelte kaum wahrnehmbar den Kopf, ging dann ins Haus. Ich hörte den Hund kläffen, freudig, er hatte sich allein im Garten beschäftigt oder lag im Schatten irgendeines Strauches. Der Hund mochte Brundert nicht, wahrscheinlich riecht Brundert anders.

Willst du denn wieder nach Schlesien zurück, fragte ich und war über meine Frage selbst erschrocken: ich wollte ihn das nicht fragen.

Brundert hob das Fensterleder mit beiden Händen hoch, ließ es auf das Wagendach klatschen.

Dumme Sau, schrie er mich an. Fragst wie diese Scheißkommunisten da drüben.

Brundert machte eine unbestimmte Handbewegung, es mochte Dortmunds Norden sein oder Berlin oder wer weiß.

Fragst wie diese Trottel, die hinter jedem Treffen Nazis wittern, empörte er sich, aber er lederte nicht mehr an seinem Wagen herum.

Mensch, Brundert, ich hab doch nur gefragt, weil du zu jedem Treffen fährst. Und die fahren doch alle, weil sie wieder zurück wollen. Ich zum Beispiel will nicht mehr nach Bayern zurück.

Brundert gab keine Ruhe: Warum fährst du eigentlich nicht zu den Treffen der Sudetendeutschen? Du kommst doch aus Eger? Mir sind bei solchen Treffen zu viele Menschen auf einem Haufen, sagte ich, ich mag nun mal nicht so viele Menschen auf einem Haufen.

Er ließ mich stehen, ging auf das Haus zu. An der Haustür drehte er sich um und rief mir zu: Man kann sich doch schließlich einmal im Jahr treffen, oder? Andere gehen jede Woche einmal Kegeln oder Skat spielen. Aber das mit deinen Ansichten, Paul, das wollte ich dir schon immer mal sagen, das kommt davon, wenn man seine Kinder auf eine höhere Schule schickt.

Ich nickte vor mich hin. Ich verstand seine Aufregung nicht; er stichelte zwar immer, weil wir unsere Lissi auf die höhere Schule geschickt hatten, während sein Klaus in eine Schlosserlehre ging, aber mein Gott, Lissi hatte nun mal das Zeug dazu, sein Klaus nicht, warum dann die Aufregung. Brundert ließ seinen Wagen einfach im Stich, ohne ihn fertig zu ledern, sogar die Türen ließ er offen. Ich schloß die Tür zur Straßenseite.

Vor der Küchentür spürte ich schon das Knistern, das Gerda ausstrahlte, wenn sie auf irgendwas oder irgendwen wütend ist. In der Küche wollte ich ihr sagen, wie aufregend sie heute wieder aussah, aber ich schwieg besser, als ich sah, wie Gerda die Päckchen aus ihrer Einkaufstasche – sie kauft nach der Arbeit immer ein – auf Tisch und Anrichte warf, die Stühle herumschob, als hätten sie nichts gekostet.

Ich setzte mich an den Tisch, griff die Zeitung, tat, als ob ich darin las. In der Brückenstraße wird ein Film gespielt: »Sein Gebetbuch war der Colt«, den sollte man sich einmal ansehen. Aber wir haben Fernsehen. Das ist zwar nicht so aufregend wie Kino, aber billiger.

Ich sagte: Es war keine Wurst mehr da. Hab Käse gegessen, ziemlich scharf. Lissi ist in die Badeanstalt.

Gerda nahm die Päckchen mit Wurst, wickelte die Wurst aus dem Papier, klatschte mir die Wurst auf die Zeitung, die Zeitung platzte, einige Scheiben fielen auf den Fußboden. Ich wollte die Scheiben aufheben.

Laß liegen, schrie sie.

Ich sah Gerda an, hob, ohne den Blick von ihr zu lassen, die Wurstscheiben vom Fußboden auf.

Dieser Brundert, sagte sie unvermittelt, dieser Brundert, dieser ... dieser Schleimscheißer ... dieser ... und bei dem stehst du.

Das also war es.

Ich war beruhigt.

In einem anderen Kino spielten sie »Das älteste Gewerbe der Welt«. Ein verdammt gut aussehendes Weib liegt da, leider nur schwarz auf weiß, nicht fleischfarben.

Hol den Hund, sagte Gerda ruhiger. Sie schälte Kartoffeln, auf der Anrichte lagen Eier und ein Päckchen Tiefgefrorenes. Es wird Kartoffeln geben, Eier und Spinat. Nicht schlecht, Spinat hebt die Verdauung, Gerda richtet den Spinat mit sehr viel Zwiebeln an, sie achtet streng darauf, daß ich in Form bleibe.

Laß doch den Hund.

Er wird bald heiß. Meinst du, ich will junge Hunde haben, vielleicht noch eine Promenadenmischung?

Noch ist er nicht heiß, geht noch wie verrückt auf andere Hunde los, sagte ich.

Sie setzte Wasser auf, wusch die geschälten Kartoffeln unter dem Wasserhahn, und ich bin immer wieder erstaunt darüber, wie schnell Gerda ein gutes Essen zubereitet, gut und billig. Wenn ich an Brunderts Frau denke – für Gerda ist sie nur die Schlampe: die kocht am Montag Linseneintopf, der geht Mittwoch zu Ende, am Donnerstag kocht sie Erbseneintopf, der geht am Samstag zu Ende, am Sonntag gibt es dann Fleisch, zu dieser Jahreszeit mit Salat, im Herbst und Winter mit Pudding. Gerda hatte mal gesagt: Glaubst du, sonst könnten die sich den Ford leisten und jedes Jahr drei Wochen Urlaub? Du solltest mal rechnen lernen, er verdient schließlich nicht mehr wie du, und die Alte liegt den ganzen Tag auf der faulen Haut und kaut Erdnüsse.

Ich stand auf, um nach dem Hund zu sehen. Bleib hier, sagte sie. Ich trat neben sie, wollte ihr bei der Arbeit helfen: sie schob mich beiseite, dabei platzte ihr ein Ei in der Hand. Sie nahm ein zweites und ließ es mutwillig platzen, das Eiweiß troff über die Kühlschranktür.

Es war wirklich schlimm mit Gerda, nur weil ich bei Brundert gestanden, mit ihm geredet habe.

Manchmal überfallen einen idiotische Gedanken, man kann nichts dafür, aber der Gedanke war da, ließ sich nicht wegwischen.

Sollte Gerda bei Brundert einmal abgeblitzt sein? Aber ich kann mir nicht vorstellen, daß Gerda auf einen Mann wie Brundert hereinfällt. Wir verkehrten zwar über ein Jahr eng miteinander, waren jeden zweiten Abend zusammen, aber Gerda stritt sich dauernd mit Brundert, was ich nie verstand; denn er war stets zuvorkommend, ja sogar herzlich, und er war hilfsbereit. Einmal blieb ich auf der Autobahn hinter dem Kamener Kreuz liegen, Getriebeschaden. Brundert schleppte mich in die Werkstatt nach Hörde, und als ich mich bedanken wollte, war er richtig beleidigt. Das gehört zur Kameradschaft, hatte er damals gesagt. Ich sah, wie Gerda den Spinat auftaute, Zwiebeln schnitt, weinte, da fiel mir das Abschleppen wieder ein. Die Reparatur hatte siebenhundert Mark gekostet, wir mußten uns damals vier Wochen ganz schön einschränken, es gab kein Bier, keinen

Wochenendausflug, sogar am Strom wurde gespart, am Essen, ich weiß es jetzt, seit der Zeit kann ihn Gerda nicht leiden.

Wir saßen damals nach dem Abschleppen abends beim Romméspiel in Brunderts Wohnung.

Ich sehe es, als ob es jetzt wäre, wo Gerda die Zwiebeln in den Spinat kippt, umrührt, salzt, pfeffert, eine Muskatnuß darüber reibt, sie weinte noch immer, ich sehe es wie damals, sie hatte das Glas Eierlikör an den Lippen, die beiden Frauen tranken immer Eierlikör, wir Männer natürlich Bier, das waren wir Dortmund schuldig, da fiel das Wort von Kameradschaft. Brundert lachte, laut, lachte überzeugend, lachte umfassend, auch ein bißchen selbstgefällig.

Gerda setzte das Glas ab, trank nicht. Ihr war plötzlich übel. Ich erinnerte mich auch, wie ich mich damals geärgert hatte, vier Asse hatte ich auf der Hand, wollte sie triumphierend auslegen, nachdem ich zwei Stunden hintereinander verloren hatte, und ausgerechnet in diesem Augenblick wurde Gerda übel. Als ob sie in anderen Umständen wäre. Dabei nahm Gerda seit zwei Jahren Antibabypillen. Aber bei einer Frau weiß man nie genau, ob sie die Pille nimmt. Wenn sie wollen, dann wollen sie. Gerda ist eine Frau, die von heute auf morgen will, und wenn sie will, dann will sie.

Wir gingen, wir mußten gehen. Brundert sagte, seine Kameradschaft gebiete es, sie nach Hause zu begleiten, aber da wurde Gerda noch übler. Gerda hatte tags zuvor im Kaufhaus eine Jubilarfeier mitgemacht, aber ich weiß, daß Gerda außerhalb ihrer Wohnung nie über den Durst trinkt, lieber kippt sie den Schnaps unbemerkt unter den Tisch.

Nachdem Brundert sich an der Haustür schulterklopfend verabschiedet hatte, war Gerda plötzlich wieder wohler, sie legte den Arm um mich und sagte: Gott sei Dank, den wären wir los.

Ich war nicht wenig erstaunt.

Im Wohnzimmer war sie wie verwandelt, guter Laune, fast ausgelassen. Sie schnappte mir zwischen die Beine und lachte, fragte lachend, was ich davon hielte. Der Griff, nicht besonders schmerzhaft, nicht besonders zärtlich, hatte doch Wirkung.

Ich hatte meinen wilden Tag.

Anderntags, als sie wie verkatert aufwachte, sagte sie zu mir: Wenn er wenigstens Nachbarschaft gesagt hätte, aber nein, er sagt Kameradschaft. Das Wort hat ihn verraten. Ein kalter Krieger ist er.

Gerda deckte den Tisch, flink, jeder Handgriff sitzt. Wir aßen schweigend, es schmeckte, bei Gerda schmeckt alles, selbst das aus der Dose. Gerda kocht selten aus der Dose, es ist ihr zu teuer.

Wie du mit dem stehen kannst, der ist doch . . . ein ganz alter neuer Nazi ist der.

Woher willst du das wissen?

Sie stocherte in einem Eidotter, dann rührte sie im Spinat.

Fährt er zu Flüchtlingstreffen oder fährt er nicht, gab sie endlich zur Antwort.

Was hat denn das nun wieder damit zu tun, fragte ich.

Ich dachte immer, ich hätte einen vernünftigen Mann geheiratet. Aber in solchen Dingen bist du einfach nicht von der Welt.

Wir aßen, sie sah an mir vorbei, sie pfiff einmal dem Hund, der kam aber nicht, dann zog sie die Zeitung heran, las, aß umblätternd weiter, schob die Zeitung von sich, setzte die rechte Hand auf den Tisch, umschloß die Gabel, Zinken nach oben, sah mich an: Und was tun die auf solchen Treffen?

Was wohl, sagte ich unwillig. Reden halten.

Eben. Reden halten.

Laß sie reden, sagte ich.

Deine Dummheit, giftete sie, deine Dummheit ist schon kriminell.

Gott, laß mich in Ruhe. Für die Brunderts und ihresgleichen ist so ein Treffen einmal im Jahr doch etwas wie ein Familienausflug. Tante Berta trifft Onkel Franz.

Eben, antwortete Gerda, ein Familienausflug. Damit fängt es an.

Ach komm, sagte ich, du hast heute deinen kritischen Tag, da laß ich dich lieber allein.

Tu was du willst.

Sie räumte den Tisch ab. Ich ging auf den Flur, suchte an der Garderobe eine alte Hose, da sah ich es weiß aus dem Briefkasten schimmern.

Ich bückte mich, es war kein Irrtum. Im Briefkasten lag ein Brief, Reklamepapier liegt anders, zerknittert, farbig, über den Spalt hängend oder weiß der Kuckuck wie. Ein Brief liegt ordentlich im Kasten.

Ich ging in die Küche zurück, sagte es Gerda. Sie sah mich fragend an:

Ein Brief? Ja, von wem denn?

Ja, von wem denn. Weiß nicht.

Dann hol den Brief doch raus.

Ja, sagte ich und nahm den Brief aus dem Kasten.

Auf dem Umschlag erkannte ich die Handschrift meiner Mutter.

Ach, die alte Dame, sagte Gerda, nahm den Brief und warf ihn auf die Anrichte. Ich überlegte, ob ich ihn öffnen sollte, aber wir kannten die Briefe meiner Mutter auswendig. Sie schrieb, regelmäßig, zweimal im Jahr, kurz vor Weihnachten und eine Woche vor Lissis Geburtstag. Lissis Geburtstag war in acht Tagen.

Es wird nichts Aufregendes drin stehen: daß die Katze der Nachbarin wieder Junge geworfen hat, die Preiselbeeren dieses Jahr schlecht geblüht haben und es wenig Pilze geben wird, daß ich nicht so viel rauchen, das Trinken einschränken soll, Gerda sich nicht übernehmen darf und Lissi von uns nicht so verwöhnt werden sollte. Das schreibt sie regelmäßig, ein Brief ähnelt bis auf das Komma dem andern. Wenn ich Mutters Briefe vorlese, spricht Gerda oft weiter, sie kann dabei aus dem Fenster sehen und doch Wort für Wort wiederholen, was ich vom Blatt lese.

Warum läßt deine Mutter ihre Briefe nicht vordrucken? Das käme ihr billiger.

Sie ist halt eine alte Frau geworden, sagte ich.

Mit 67 ist man keine alte Frau, erwiderte Gerda heftig.

Ich öffnete also den Brief nicht, sondern ging spazieren, nahm den Hund mit. Wir spazierten die Blickstraße hinauf zum Schnee, der Hund erschnupperte den Weg. Im Wald findet er genug Stöcke, die er mir vor die Füße legt. Ich werfe dann, damit er apportieren kann.

Hunde sind ein Trost.

2

Lissi lag, wie ich heimkam, im Fernsehsessel, die Lehne nach hinten gekippt, eine Staffelei über ihrem Bauch. Sie malt auf dem Rücken liegend, ihre Arme sind nicht allzulang, also malt sie auch nie allzuhohe Bilder. In der Regel sind ihre Bilder doppelt so breit wie hoch, sie malt nur breite Bilder. Auf der Schulausstellung in der Westfalenhalle durfte sie vor Wochen in einer besonderen Ecke einige ihrer Bilder ausstellen. Die vom Fernsehen sagten zwei Tage später in der Sendung »Hier und Heute«, das junge Mädchen habe alles zu einem Genie.
Ich freute mich, Gerda blieb skeptisch, Lissi war außer sich, dann heulte sie los, und wir erfuhren den Grund ihrer Wut: Alle sagen, ich bin ein Genie, keiner hat gesagt, ob ich auch Talent habe.
Seitdem malt Lissi wieder, im Fernsehsessel, auf dem Rücken liegend, die Staffelei über ihrem Bauch. Die Bilder bleiben auch jetzt doppelt so breit wie hoch.
Gerda widmete sich ihrem Haushaltsbuch; sie rechnete ruhig, überlegt, wie es ihre Art ist. Ich blätterte im »Stern«, in dem heute nachmittag Lissi geblättert hatte, ich beobachtete von der Couch her – der Hund hat es lieber, ich sitze neben ihm – Frau und Tochter. Sie haben wenig Ähnlichkeit. Lissi schlägt mehr nach mir. Sie ist knochig, besitzt eine starke Nase, auffallend vorspringende Backenknochen, die ihr auf den ersten Blick etwas Ausländisches geben, sie ist staksig; aber das ist so in dem Alter. Sie trägt selten Miniröcke, lieber Hosen, Hosen kleiden sie gut. Ein wenig bin ich stolz auf meine Tochter.
Ich ging mit dem Hund in den Garten, zupfte da ein Gräschen, zupfte dort ein Blatt, trat wieder ins Haus.
Gerda legte den Block weg: Ins Wochenende fahren ist für die nächste Zeit nicht drin. Der Urlaub Ostern hat zu viel Geld geschluckt, Lissi muß zum Herbst neue Sachen haben, du brauchst einen Anzug, ich einen neuen Mantel, die Waschmaschine muß endlich repariert werden.
Dann denk auch gleich dran, sagte ich, der Motor hat jetzt

70 000 weg, laß ihn noch zwanzig machen, dann ist er im Eimer.

Sie sah mich einen Moment starr an. Dann atmete sie tief aus.

Ich blätterte im »Stern«, der Hund schnarchte an meinem Oberschenkel, er träumte, winselte, ruderte mit in die Luft gestreckten vier Pfoten.

Jedenfalls brauchen wir uns nicht einzuschränken, aber Extrawürste gibt es für die nächste Zeit nicht. Dann kommt auch schon Weihnachten.

Das war Gerda. Im Juli, bei dieser Hitze, sprach sie von Weihnachten.

Ich erhob mich, der Hund sprang auf, legte sich wieder, als er sah, daß ich mir nur eine Flasche Bier aus dem Kühlschrank holte.

Trink es nicht so hastig, laß es stehen, sagte Gerda.

Die Armbanduhr zeigte kurz vor halb zehn, aber draußen war es noch hell. Der Mercedesstern oben am Ruhrschnellweg leuchtete in unser Wohnzimmer, er drehte sich in 10 Sekunden einmal um seine Achse. Lissi hatte einmal abgestoppt. Schön war der Stern, schön blau.

Lissi ging mit ihrer Staffelei aus dem Zimmer. Sie nuschelte etwas vor sich hin, was wie gute Nacht klang.

Gerda klappte ihr Haushaltsbuch zu: ein Block, in rotes Saffian geschlagen. Ich geh auch schlafen, ich bin kaputt. Im Kaufhaus war heute vielleicht wieder was los, ich kam den ganzen Tag hinter der Kasse nicht weg, keine Minute Zeit für eine Zigarette, immer lächeln, immer freundlich, ganz auf amerikanisch, wenn nicht, dann fliegst du. Bei uns werden 20 Verkäuferinnen entlassen. Vor 4 Wochen wurden sie erst eingestellt. Die springen vielleicht jetzt mit dem Personal um, als ob alle Menschen Schweine wären, die man heute füttert, morgen schlachtet.

Als sie schon an der Tür stand, stürmte Lissi an ihr vorbei ins Zimmer, in der Hand den Brief von der Anrichte: Ihr habt ihn noch gar nicht aufgemacht. Großmutter hat bestimmt wieder fünfzig Mark reingelegt für meinen Geburtstag.

Dann machen wir den Brief eben zu deinem Geburtstag auf, sind ja nur noch ein paar Tage, sagte ich.

Ich muß neue Farben haben, mein Taschengeld ist alle, kann

mir die Farben von Großmutters Geld doch kaufen.

Meinetwegen, antwortete Gerda. Dann aber ab ins Bett.

Lissi riß den Umschlag auf, zwischen den Bättern fand sie richtig fünfzig Mark, sie steckte das Geld in die Zuckerdose, in der sie immer ihr Geld aufbewahrt, zog dann die beschriebenen Blätter aus dem Umschlag, sah ungläubig auf die eng beschriebenen Blätter und murmelte: Großmutter hat heute aber viel geschrieben. Das ist ja ein halber Roman. So viel hat Großmutter noch nie geschrieben. Da, guckt mal. Eins, zwei, drei, vier, fünf Blätter.

Gerda nahm Lissi die eng beschriebenen Bogen aus der Hand, begann leise zu lesen, sagte nein, sank in einen Sessel, sagte nein, las weiter, sagte nein, immer wieder nein, und als sie den Brief zu Ende gelesen hatte, sah sie uns wie abwesend an, legte die Bogen vor sich auf den Tisch, sagte, das gibt es nicht, die alte Frau muß sich irren.

Paul, das kann nicht wahr sein, flüsterte sie. Nun lies doch endlich.

Ich nahm den Brief vom Tisch, begann zu lesen.

Lieber Paul, liebe Gerda, liebe Elisabeth . . .

Deine Mutter wird sich nie daran gewöhnen, daß Elisabeth bei uns nun einmal Lissi heißt, warf Gerda ein, und Lissi bestimmte: Lies lauter.

Jaja, Moment.

. . . erst will ich dir gratulieren zu deinem Geburtstag liebe Elisabeth du wirst ja jetzt bald eine große Dame sein mit hohen Absätzen an den Schuhen, aber da tut man leicht umknicken, mußt aufpassen beim Laufen, und freuen tut's mich schon weil du so gut kannst malen und auch einmal ein Künstler werden wirst, was dein Vater wär auch geworden wenn er nicht gemußt hätte von der Schule damals wegen der Henleinpartei, aber es tut doch eine Gerechtigkeit geben wenn man auch manchmal an der Gerechtigkeit ver- zweifeln tut, aber geben tut sie es schon an den Kindern und an den Kindern von den Kindern. Liebe Elisabeth das wollt ich dir halt sagen, weil du wirst bald eine große Dame sein mit hohen Absätzen an den Schuhen wo man leicht umknicken tut und mußt auch immer schön achten deine Eltern die immer wollen dein bestes und daß du was wirst und ein großer Künstler.

Lieber Paul, da muß ich dir was schreiben und du tust es nicht glauben wollen, ich bin nach Tirschenreuth gefahren mit dem Fahrrad, du weißt doch noch, da tut immer Markt sein am Samstag, und da bin ich hingefahren, und wie ich da bin, da suche ich mir einen Blumenkohl aus und Schlangengurken, der Blumenkohl war nicht mehr so frisch, abgelegtes Zeug, und wie ich den Blumenkohl aussuch, da tut mich einer ansprechen, weißt, der Blumenkohl ist in Tirschenreuth immer fünf Pfennig billiger, weißt, in Waldsassen ist alles fünf Pfennig teurer, und die Gurken waren gar nicht bitter wie ich sie hab geschält, und der mich da ansprechen tut auf dem Markt in Tirschenreuth der sagt, Margarete, kennst mich nicht mehr, und ich sag, nein, kenn dich nicht mehr, aber bekannt ist er mir vorgekommen, und da sagt er, ich bin doch der Hammer Georg, und ich sag, ja mei, Hammer Georg, ich hätt dich jetzt nicht kennt, Hammer Georg, und der Hammer Georg ist alt geworden, das kommt vom Saufen, das mußt dir merken, Paul, der Hammer Georg hat schon den ganzen Kopf voll graue Haare, und der Hammer Georg hat mir dann gesagt, ich soll an den Stand gehen nebenan, da ist der Blumenkohl noch drei Pfennig billiger und immer frisch vom Feld, ich konnte aber nicht gehen an den anderen Stand, weil ich doch schon bestellt hatte und die beim Auswiegen waren, was hätten die Leut von mir denkt, da zahlte ich also und ging mit dem Hammer Georg über den Markt und da fragt mich der Hammer Georg wie es dem Albert geht und ich sagte ihm, daß unser Vater gestorben ist, und da sagt der Hammer Georg, es tut ihm leid, weil der Albert gestorben ist, und er hat nix gewußt vom Vater seinen Tod und er drückt mir die Hand und sagt, es wäre halt nix zu machen gegen den Tod und es ist gut, daß man nix machen kann gegen den Tod, und dann sagt er, ob ich nicht mitgehen will zum Post-Wirt Brotzeit machen, und ich wollte, und da sind wir zum Post-Wirt gegangen, am Marktplatz, wo es nach Weiden geht, an der Ecke, und da habe ich mir eine Halbe Bier bestellt und ein Speckbrot, der Post-Wirt hat doch das beste Speckbrot in der ganzen Oberpfalz, sogar die Berliner sagen das, wo sie so weit herkommen und Speckbrot nicht kennen, lieber Paul, du kennst doch noch den Post-Wirt, der wo das schwarze Bier tut selber brauen seit hundert Jahren, und der Post-Wirt sagt, als er mich sehen tut, na Margarete, bist auch mal wieder da, und ich hab gesagt, ich bin auch mal wieder da, und dann hat er das Bier gebracht und das Brot, und den Speck hat er dick aufgeschnitten gehabt auf das Brot, der Post-Wirt ist nicht knauserig, der versteht was vom Geschäft und der Kundschaft, und als wir essen, tut plötzlich der Hammer Georg fragen, ob wir nie gewußt haben, wer unseren Vater verraten hat damals, daß sie ihn abgeholt haben die Reichsdeutschen, und ich hab gesagt, daß wir das nie gewußt haben und daß Albert dein Vater wohl einen Verdacht hat gehabt aber nix beweisen konnte, und unserem Vater war es später ja auch egal wer ihn denunziert hat, wo er doch nicht mehr hat arbeiten gekonnt, und da sagt der Hammer Georg, ich soll mal nach Bärnau fahren, da tät ein Mann wohnen der heißt Beierl und wohnt wo früher die Perlmutterfabrik gestanden hat hinter dem Zollhaus, da hat er sich ein Haus gebaut und der Beierl ist auch aus Eger, und der Hammer Georg sagt, der Beierl tät damals unseren Vater verraten haben, und dann hat der Hammer Georg noch gesagt, der Beierl wollt mich damals erschießen, er war doch beim Henlein-Freikorps, hat aber nicht geschossen, weil ich dich an der Hand hab gehabt, du weißt doch, wo wir damals durch den Wald gelaufen sind in der Nacht auf die deutsche Seite, als sie Vater haben geholt und wir nicht wußten was war, weißt doch, durch den Wald zu deiner Großmutter nach Waldsassen, und in der Nacht hat der Beierl hinter einem Baum gestanden, hat der Hammer Georg gesagt bei der Brotzeit beim Post-Wirt, und wollte mich totschießen der Beierl, aber weil ich dich gehabt hab an der Hand, da hat der Beierl nicht geschossen, das hat der Beierl einmal dem Hammer Georg im Suff erzählt, auf die Schulter gehauen hat der Beierl dem Hammer Georg und gesagt, der muß ganz schön ruhig sein, denn der Hammer Georg war doch auch bei dem Freikorps, aber das ist jetzt nicht so wichtig mehr, wo Albert doch gestorben ist, sagte der Hammer Georg, und da hat er schon die dritte Halbe Bier gesoffen, weißt ja, wie der Hammer Georg saufen kann, in Eger hat der Hammer Georg immer so viel gesoffen, daß sie ihn haben mit der Schubkarre heimfahren müssen, der hat doch bei unserem Vater immer die Schuhe nageln lassen, kannst dich vielleicht nicht mehr so erinnern, warst zu klein noch damals, und ich hab dem Hammer Georg gesagt, wichtig wärs schon, das mit dem Beierl, aber nicht mehr so wichtig, weil doch Vater gestorben ist, und da wollte ich dich fragen lieber Paul, wenn du meinst es wäre wichtig, dann täte ich mal zu dem Beierl hinfahren und einfach sagen zu ihm, daß er hat schießen wollen auf mich und daß er beim Henlein-Freikorps gewesen ist, unseren Vater hat verraten, als unser Vater nach Hundsbach gefahren ist und ganz früh morgens wo sie die Wiese gemäht haben beim Schneiderhannes der doch sein Freund war aus der Zeit wo sie noch gegangen sind durch die ganze Welt auf die Walz als junge Burschen, und weißt doch, daß sie ihn von der Wiese weggeholt haben unseren Vater die Henlein-leute, nein, nicht die Henleinleute, das waren die Reichs-deutschen, ist ja auf Reichsgebiet, in Hundsbach passiert, aber der Beierl hat den Reichsdeutschen gesagt, daß unser Vater tut mähen kommen auf Reichsgebiet, und dann haben sie unserm Vater aufgelauert, und wie wir wieder weg gingen, der Hammer Georg und ich vom Post-Wirt, da hat der Post-Wirt gesagt, Margarete komm bald wieder, und ich hab gesagt, daß ich nächsten Samstag tu wiederkommen zum Markt, und der Hammer Georg hat fünf halbe Bier gehabt, vom schwarzen Bier, vom starken, ich hab dem Hammer Georg auch eine Halbe bezahlt, weißt, der kann saufen der Hammer Georg, und da hat er mir noch mal gesagt, daß der Beierl das war und daß er drei Finger heben könnt dafür, daß der Beierl das war, und er sagt, der Hammer Georg, daß er auch beim Henlein-Freikorps war, und hat noch gesagt, daß man ja sein mußte beim Henlein-Freikorps im Jahre 1938 wo man doch Deutscher war und Sudetenländer, aber er hat nie nix gemacht, hat nur ein Gewehr gehabt und eine Armbinde, und dann ist ja gleich der Hitler einmarschiert, bevor er hat was machen können, der Hitler mit seinem Militär, und dann hat der Hammer Georg Gewehr und Armbinde wieder abgegeben, war halt eine verrückte Zeit damals, hat er noch gesagt der Hammer Georg, dann ist er gegangen und geschwankt hat er, wird schon einen Diridari gehabt haben, denn fünf halbe Bier hat er gehabt und das am Vormittag, und jetzt, lieber Paul, wollte ich dich fragen was da jetzt zu machen ist, weil ich dem Mann, den Beierl meine ich, doch gern sehen möcht in sein Gesicht, wüßt halt gern was du meinst, lieber Paul, und ob es was nützt wenn ich dem Beierl sein Gesicht sehen tu, sein Gesicht nach jetzt 30 Jahren. Tu mir gleich schreiben, dann tu ich mal rüberfahren nach Bärnau, nicht mit dem Fahrrad, ich bin halt nicht mehr so gut auf den Beinen, da muß ich schon mit dem Zug fahren, das kostet wieder was über fünf Mark die Sonntagskarte, aber gilt ja schon ab Samstag, über Nacht bleiben möcht ich nicht in Bärnau, muß in meinem Bett schlafen, aber die Züge tun so ungünstig fahren bei uns, weißt ja, wir sind eine Gegend wo sich die Füchse gute Nacht sagen, aber besser tuts schon werden jetzt, weil doch viele Sommerfrischler kommen, aus Berlin ganz viele, schön täts ja sein, wenn du einmal tätst kommen, da brauchte ich die Sonntagskarte nicht kaufen, und du kannst ja auch besser reden wie ich, aber das wird halt nicht gehen, weil du doch deinen Urlaub schon gehabt hast zu Ostern, und ihr seid wieder nicht kommen zu mir weil ihr immer an die Nordsee fahrt, tut mir schon ein bisserl weh, daß ihr nicht kommen tut, die Elisabeth geht doch gern in den Wald, aber die Preiselbeeren und die Schwarzbeeren haben diesen Sommer nicht gut geblüht und wenn es nicht bald regnet, gibt es auch nicht viel Schwammerl, Hitze haben wir doch jetzt genug gehabt, jetzt muß Wasser kommen vom Himmel, und die Gerda muß nicht immer so viel arbeiten, und dann muß die Elisabeth nicht jeden Fixfax haben, hast du auch nicht gehabt, lieber Paul, und bist auch was Anständiges geworden, die wollen doch heute nur verkaufen alle und tun nicht fragen ob man damit was Anständiges kann werden, nur Profit machen wollen sie alle, und da sollen die Leute allen Fixfax haben, aber das ist nicht wichtig, garnicht, man muß nicht alles haben müssen und muß einfach sagen können, daß man das nicht nötig hat und doch leben kann und anständig sein, wir haben auch nix gehabt, lieber Paul, sind vor dem Metzgerladen gestanden und haben überlegt, ob wir uns für 20 Pfennig können einen warmen Leberkäse kaufen was das billigste war, und haben nicht gekauft und es ist uns nicht schlecht gegangen und verhungert sind wir auch nicht, und dem Hund dürft ihr auch nicht jeden Tag Fleisch und Knochen geben, da wird das Hunderl zu fett und einmal in der Woche müßt ihr dem Hunderl überhaupt nichts geben und überhaupt keine Süßigkeiten, und dann wollte ich dich noch fragen, lieber Paul, was ich jetzt machen soll oder nicht machen soll, wo ich doch dem Beierl sein Gesicht sehen möcht, wo ich jetzt wieder genau weiß wie wir durch den Wald gelaufen sind nach Waldsassen zu deiner Großmutter und du bist immer über Wurzeln gestolpert und hast geweint und immer gekeucht und geschwitzt und gesagt, Mutter, laß uns schlafen hier, und als wir dann zu deiner Großmutter sind gekommen in Waldsassen und Hunger hatten und müd waren und geschwitzt und gefroren haben, da hat deine Großmutter Einquartierung gehabt von Hitler sein Militär, und deine Großmutter hat uns Milchsuppe gebracht in den Ziegenstall und gesagt, wir müssen drin bleiben bis das Militär ist abgezogen, das dauert nicht lang und es hat auch nicht lang gedauert, im Radio ist dann durchgekommen, daß der Hitler, Führer hat das geheißen damals, das Sudetenland besetzen tut, die Engländer und die Franzosen haben's ihm erlaubt dem Hitler, und deine Großmutter hat Angst gehabt, daß sie ihr was tun, weil doch die SA in Waldsassen war, und sie war auch in der Partei deine Großmutter, Gott hab sie selig, was hat eine Frau wie meine Mutter in der Partei zu suchen gehabt, auch wenn sie ist gewesen eine 100 % Begeisterte, und da wollt ich dich fragen, lieber Paul, was ich jetzt tun soll, und tu mir halt schreiben und tu mir schön die Gerda grüßen und die Elisabeth, und ich werde schon wieder Preiselbeeren schicken und einen Eimer Schwarzbeeren auch und Schwammerl werde ich trocknen für den Winter, die Gerda kann dann die getrockneten Schwammerl in ihre Soßen tun, das schmeckt halt doch anders als das chemische Zeug aus diesen Selbstbedienungsläden. Tu mir schreiben, lieber Paul, was ich tun muß, lebendig können wir unseren Vater nicht mehr machen, aber interessieren tät mich schon was der Beierl für ein Gesicht hat nach dreißig Jahren, man muß doch einen Menschen gesehen haben, der einen wollt erschießen. Dann tu ich euch alle schön grüßen

von eurer Mutter.

Und da ist noch was, die Schreiners Babette hat noch ein Kind gekriegt, stellt euch vor, die ist schon 48, wie die das gemacht hat in dem Alter, aber freuen tun sich die schon wegen dem Kind, waren halt erst ein bißchen erschrocken, wo die Schreiners Babette doch schon Großmutter ist, aber bedauern tu ich die Schreiners Babette schon, wo sie doch in ihrem Alter jetzt noch Windeln waschen muß, und stellt euch vor, da hat der Emil neben uns sich eine Katze gekauft voriges Jahr, die tut vor Mäusen weglaufen, springt immer auf was Hohes, daß sie nicht gebissen wird von der Maus. Ich sag dir, Paul, nix kann man mehr glauben, garnix, nicht mal mehr den Katzen.

Ich sah vom Brief hoch, erst auf Gerda, wie sie teilnahmslos im Sessel vor sich hinstarrte, dann auf meine Tochter. Lissi, das sah ich deutlich, bezwang nur mit Mühe das Lachen, lachte dann aber lauthals los, sie bog sich buchstäblich vor Lachen, der Hund schreckte hoch, bellte einmal, da sprang Gerda auf, klatschte Lissi eine Ohrfeige, und ich erschrak, denn Gerda hatte unsere Tochter noch nie geohrfeigt.

Geh zu Bett, herrschte sie Lissi an.

Lissi ging, aber ich hörte sie noch in ihrem Zimmer lachen, lange. Gerda sah wütend zur Tür.

Meine Mutter, mein Gott, sagte ich, kann die aber lange Briefe schreiben. Ich trat zum Fenster, der Mercedesstern oben am Ruhrschnellweg drehte sich, in 10 Sekunden einmal um seine Achse, blaues Licht; grellweiß der rotierende Scheinwerfer auf dem Fernsehturm, sein Licht huschte für wenige Sekunden über unsere Siedlung.

Das ist ja wohl ein Ding, sagte Gerda. Was willst du jetzt machen?

Ich zuckte die Achseln. Was kann man denn schon machen, heutzutage, nach so viel Jahren.

Wieviele Jahre sind das eigentlich, Paul? Sie begann zu rechnen. Achtunddreißig war das, nicht? Da warst du zwölf. Achtundvierzig, achtundfünfzig, achtundsechzig weniger eins, da sind also 29 Jahre vergangen. Mein Gott, wie die Zeit vergeht.

Es ist alles lange her; also sei vernünftig, Gerda.

Ich geh schlafen, sagte sie nach einer Weile. Aber ich weiß

nicht recht, Paul, vielleicht läßt sich da was machen.

Ich blieb im Wohnzimmer sitzen, ich hatte Zeit, brauchte morgen erst zur Mittagsschicht ins Werk. Ich ließ den Hund, der aus Lissis Zimmer geschlichen kam, noch einmal in den Garten.

Lissi schläft noch, fragte ich am anderen Morgen. Schläft noch, erwiderte Gerda. Ihr Kaffee roch gut, schmeckte noch besser als er roch. Ich sah aus dem Fenster. Dunst hüllt die Stadt ein, die Sonne glich einer zerfließenden Scheibe.

Was machst du heute vormittag, frage Gerda.

Ich fahr zu Känguruh auf den Schnee, war schon über zwei Wochen nicht mehr bei ihm.

Und ich wasche die Stores.

Dann nehm ich den Hund mit, sagte ich, der läuft dir sonst dauernd zwischen den Beinen rum. Der Hund lag neben mir: er braucht Körperwärme. Unser Hund ist ein Mensch, zumindest ist er menschlich.

Lissi schlappte nun doch durch das Wohnzimmer, sie ließ sich mir gegenüber in den Sessel plumpsen, sie gähnte ausgiebig.

Benimm dich, sagte Gerda.

Mein Gott, Mama, man kann sich doch nicht schon am frühen Morgen benehmen. Du, Papa, wohin fährst du? Fährst du da hin?

Wo hin? Ach da hin.

Ja, dahin, sagte Gerda. Sie setzte mir zwei weichgekochte Eier vor. Einen Moment sah ich sie mißtrauisch an, aber sie sagte: Brauchst auch nicht zu essen.

Ehe ich nach den Eiern langte, griff Lissi sich das Glas und begann zu löffeln.

Warum soll ich dahin fahren, fragte ich. Aber ich sah weder Gerda noch Lissi dabei an. Ihr Schweigen reizte mich noch mehr. Verdammt, wo bleibt denn die Zeitung?

Sonntag ist, sagte Lissi.

Was ist?

Sonntag ist, wiederholte Lissi schmatzend.

Warum willst du nicht dahin fahren, fragte Lissi, sie setzte sich nun endlich an den Tisch, goß sich Kaffee ein, rührte in der Tasse, obwohl sie weder Milch noch Zucker hinzugetan hatte.

Ich habe meinen Urlaub weg, sagte ich heftig. Ich habe euch gesagt, wenn wir Ostern fahren, ist für das ganze Jahr nichts mehr drin.

Papperlapapp, ich mußte meinen Urlaub nehmen, Lissi hatte Ferien und du, Paul, hättest deinen Urlaub nicht zu nehmen brauchen. Ostern war schönes Wetter, Ostern war an der See Flaute, Ostern hatten wir bis jetzt den billigsten Urlaub, Ostern war für uns alle günstig, das Wetter und die billige Pension.

Ich sage doch nichts gegen den Osterurlaub. Aber mein Urlaub ist weg, deshalb kann ich jetzt nicht fahren. Ich habe nun mal keinen Urlaub mehr.

Lissi sagte: Du brauchst nur drei Tage dahin und wieder hierher.

Drei Tage? Da hin?

Ja, bestätigte Gerda. Drei Tage, dahin und wieder hierher.

Und wie, bitte?

Lissi rechnete vor: Einen Tag hin, einen Tag dort, einen zurück. Das macht nach Adam Riese drei Tage. Du fährst über das Sauerland, die hohe Rhön, das ist der kürzeste Weg.

Da hin, fragte ich. Ist das wirklich euer Ernst?

Nein, unser Otto, warf Lissi dazwischen und kicherte.

Du bist nicht so vorlaut, keifte Gerda. Aber fahren mußt du, Paul. Deine Mutter will doch nichts, hast es im Brief gelesen, will nur das Gesicht von dem Beierl sehen, dafür genügt ein Tag.

Dann muß sie sich eben eine Sonntagsrückfahrkarte kaufen, sagte ich, wenn sie sein Gesicht sehen will. Meine Arbeit ist wichtiger als dieses Scheißgesicht.

Gerda und Lissi sahen mich an, Lissi löffelte aus dem Eierglas, aus dem es nichts mehr zu löffeln gab, Gerda hielt die Tasse vor den Mund, trank aber nicht.

Lissi sagte: Dich interessiert das Gesicht von dem Mann nicht?

Meinetwegen kann er die Nase haben, wo bei anderen Leuten die Augen sitzen, meinetwegen kann er zwei Nasen haben und nur ein Auge mitten in der Stirn, es interessiert mich nicht, überhaupt nicht. Begreift doch endlich: meine Arbeit ist wichtiger als dieses Gesicht.

Ich wunderte mich ein wenig darüber, daß Lissi zu Gerda hielt, denn sonst stand sie in allem auf meiner Seite.

Laß dir für drei Tage unbezahlten Urlaub geben, sagte Gerda. Andere bekommen auch unbezahlten Urlaub. Wir werden wegen der drei unbezahlten Tage nicht verhungern.

Ich schrie plötzlich: Trink endlich deinen Kaffee, halt die Tasse nicht dauernd an die Lippen, verdammt noch mal, du machst mich nervös.

Warum schreist du denn, fragte Gerda.

Weil er fahren soll, sagte Lissi.

Du bist jetzt still, verdammt noch mal, ihr könnt mich nicht zu etwas zwingen, was ganz großer Blödsinn ist, weil es niemandem Nutzen bringt, nicht euch, nicht mir, nicht meiner Mutter. Wir hätten nur Schaden, nur Ärger. Ich bekomme nun mal keine drei Tage unbezahlten Urlaub, damit basta. Nicht jetzt, nicht im August oder wer weiß wann.

Gerda stand auf, trank ihre Tasse im Stehen leer, sagte, nebenbei und gerade dadurch verletzend: Brundert bekommt auch Urlaub, wenn er zu Flüchtlingstreffen fährt, wenn er zum Tag der Heimat fährt, nicht nur Brundert bekommt Urlaub, warum also sollst du nicht Urlaub bekommen.

Für da hin, sagte Lissi.

Du sollst still sein, herrschte ich meine Tochter an. Flüchtlingstreffen sind etwas anderes als das.

Ein Fortschritt ist es schon, sagte Gerda, irgendwie hämisch, daß du endlich eingesehen hast, daß da hin fahren etwas anderes ist als dorthin fahren.

Ich sprang auf. Der Hund erschrak, er bellte einmal, Lissi lief aus dem Zimmer, Gerda setzte ihre Tasse klirrend auf den Tisch. Ich war unruhig, ich brauchte etwas zwischen den Händen, aber der radelnde Bild-Zeitungsverkäufer kommt meist erst gegen zehn in unsere Siedlung, um diese Zeit wollte ich bei Känguruh auf dem Schnee sein.

Gerda trat zu mir. Sie tat behutsam, legte mir die Hand auf die Schulter und sagte langsam: Willst du es nicht wenigstens versuchen?

Ich kann es versuchen, sagte ich, um nur Ruhe zu haben, aber sie werden mich auslachen, werden mich für verrückt halten werden mich fragen . . .

Laß sie fragen. Wer fragt denn heute noch danach, was die fragen. Wenn du dich nach denen richten willst, die fragen immer. Versuch es wenigstens.

Fragen kostet nichts.

Nein, Gerda. Es ist unmöglich, ich habe nur Laufereien, von einer Zuständigkeit zur anderen. Und was kommt raus? Zum Schluß gibt es keine Zuständigkeit mehr, und ich fange von vorn an. Du kennst doch den Dreh von deinem Kaufhaus her. Nein, Gerda, es geht nicht.

Dann lauf eben, sagte Gerda, meinetwegen auch im Kreis. Ich halte es doch für notwendig, wenn du hinfährst, deine Mutter ist hilflos, du kennst sie doch, wenn du nicht kommst, macht sie was Dummes, dann macht sie was ganz Dummes.

Laß, Gerda, seufzte ich, sie hat so viel Dummes in ihrem Leben gemacht, auf eine Dummheit mehr oder weniger kommt es nun weiß Gott nicht mehr an. Sie ist eine alte, verbitterte Frau geworden.

Eben, sagte Gerda, da fangen die Dummheiten erst recht an. Und sie ist allein, vergiß das nicht.

Lissi kam angezogen ins Wohnzimmer zurück, rief: Mit 67 ist man noch keine alte Frau, da hat man noch Verstand.

Wo willst du denn hin, fragte Gerda.

Wohin? Na, mit Vater zu Känguruh.

Für dich ist das immer noch Herr Wördemann, rief Gerda.

Dann eben Herr Wördemann. Känguruh bleibt er trotzdem.

Ich stand auf, tat einen Schritt, der Hund sprang auf, legte sich sofort quer vor die Tür, damit er schnell draußen ist und nicht übersehen wird.

Du kannst mitfahren, sagte ich. Fang bei Känguruh, ich meine Herrn Wördemann, aber nicht von der Geschichte an.

Du wirst es ihm schon selbst sagen, entgegnete Lissi. Sie lief noch einmal aus dem Zimmer, kam mit ihrer Staffelei unter dem Arm zurück.

Um zwölf ist das Essen fertig, rief Gerda hinter uns her.

Der Hund legte sich im Wagen vorn auf Lissis Schoß, er wußte, wohin wir fuhren, er fühlte sich bei Känguruh wohl, Känguruh mochte Hunde, er mochte mich, mochte Lissi, nicht unbedingt Gerda, Gerda ist ihm zu impulsiv, zu unüberlegt, sagte er mir einmal. Sie will alles richtig

machen, weiß aber selten, was recht ist. Du mußt deiner
Frau beibringen, länger zu überlegen.
Känguruh stand vor seinem Häuschen und qualmte, als wir
ankamen. Er winkte mich ein, denn der Weg zu seinem
Wochenendhaus war so schmal, daß zwei Autos nicht anein-
ander vorbeikommen.
Laß ihn hier stehen, sagte Känguruh. Er sprang vor uns her,
wie ein Känguruh.
Lissi stieg aus, suchte sich einen Platz im Garten, einen
Liegestuhl, baute ihre Staffelei darüber, lag schon und
mischte Farben, pinselte, noch ehe ich mich richtig umgese-
hen hatte; wahrscheinlich konnte Lissi schneller und umfas-
sender sehen als ich. Ich trat hinter sie und sah auf die Stadt.
Ich sehe immer auf die Stadt, stehe ich in Känguruhs Garten.
Das also ist meine Stadt, dieses Panorama aus Grandiosität
und Scheußlichkeit. Sie hat mich nicht geboren, ich habe sie
mir ausgesucht vor Jahren, als ich längst erwachsen war,
aber die Auswahl war nicht allzu groß. Ich bin nicht besonders stolz auf diese Stadt, mein Autokennzeichen zeigt DO.
Immerhin fragt man mich auswärts manchmal, was Borussia
macht, ob sie wieder Deutscher Meister werden oder nicht.
Das letzte Europapokalspiel war Klasse, aber sonst, nein,
nichts, nur noch die Westfalenhalle, dann war schon Schluß
mit meiner Stadt. Natürlich, das Bier. Hier im Süden
begann die Stadt sich menschlich zu geben, hier war Ruhe
und fast kein Staub, weit weg war die Stadt, wenn es auch
so aussah, als brauchte man nur die Hand auszustrecken, um
auf die Kuppel der Westfalenhalle zu klopfen.
Stinker hatte auch seinen Stock gefunden, er raste durch den
Garten, knurrte erst mich, dann Känguruh an, aber keiner
mochte sich bücken. Der Morgen versprach einen heißen
Tag. Lissi lief ins Haus – sie kennt sich hier aus – und brachte
einen Sonnenschirm, spannte ihn über Liegestuhl und Staffelei, Lissi wird für Stunden mit sich, mit ihrer Leinwand
und der Stadt beschäftigt sein, sie wird Farben mischen und
ihre Stadt malen; ich bin ein bißchen stolz auf meine Tochter; sie hat zwar ein loses Mundwerk da, wo sie es nicht
haben soll, tröstlich aber ist, daß sie es auch gebraucht, wo
sie es haben muß.
Känguruh und ich setzten uns auf eine rotgestrichene Bank

im Garten, ich erzählte Känguruh von dem Brief meiner Mutter, mit wenigen Worten, ich brachte vielleicht auch alles durcheinander, denn er sah mich öfter zweifelnd an, aber er hörte zu, nickte ab und an. Wir umkreisten dann das Haus aus Holz, auf Betonfundamenten. Känguruh hatte zwanzig Jahre daran gebaut, angefangen, als ihm sein Onkel dieses Grundstück vermachte. Das Haus hatte zwei Räume und eine Kochecke, etwas größer als ein Wohnwagen, mit tropischen Pflanzen angefüllt, im Garten standen ein paar Obstbäume, die seit Jahren schon gut trugen, Birnen, Äpfel, grüne Pflaumen, am Zaun Johannisbeeren und Stachelbeeren. Um das ganze Haus aber wuchsen Malven, sie wuchsen manches Jahr über die Dachrinne hinaus.

Känguruh war stolz auf seine Malven, seine Malven wuchsen höher als die Malven anderer, die Blüten hielten länger am Stengel. Känguruh verriet nie, wie er züchtete, ich hatte es an meinem Haus ebenfalls mit Malven versucht, als aber die dritte Blüte aufsprang, verfaulte schon die erste. Nach zwei Jahren gab ich es auf.

Schön sind deine Malven dieses Jahr wieder, sagte ich.

Sie blühen 14 Tage früher.

Wie machst du das?

Ich mache nichts, ich lasse sie wachsen.

Fred, ist doch ein ganz schöner Unterschied, von deiner Wohnung am Borsigplatz nach hier zum Schnee. In zwei Jahren werde ich Rente bekommen, dann fahre ich nur noch sonntags in die Stadt, die Woche über bleibe ich hier oben wohnen. Vielleicht gebe ich die Wohnung am Borsigplatz ganz auf. Ach Paul, das wird ein Leben, ein Leben wird das.

Ich habe Känguruh selten ein so glückliches Gesicht machen sehen. Im nächsten Augenblick war es schon wieder verschwunden.

Paul, was willst du jetzt tun, fährst du dahin?

Man kann nichts mehr machen, meine Mutter ist ein wenig durchgedreht, das ist alles.

Was sagt deine Frau?

Ich soll fahren, Lissi sagt es auch.

Ja, Paul, was nützt das jetzt nach dreißig Jahren? Den Mann anzeigen kannst du nicht, darüber bist du dir im klaren. Dreißig Jahre sind eine lange Zeit, ein halbes Leben, da verjährt sogar Mord. Du bist ohnmächtig, Paul, und was hat der Mann eigentlich gemacht? Nichts; er stand hinter einem Baum, wollte auf deine Mutter schießen, wollte sie vielleicht erschießen – vor Gericht gestellt, werden solche Leute sagen, er hat deine Mutter nur erschrecken wollen, und er hat nicht geschossen, weil sie dich an der Hand gehabt hat. Und ob er deinen Vater denunziert hat, ja, weißt du das? Abgeholt haben ihn andere, nicht er, und weißt du, ob der, der deine Mutter ansprach, wenn es darauf ankommt, die drei Finger hebt? Ich hab da meine Erfahrungen, Paul. Du glaubst nicht, wie schnell Menschen vergessen, nicht weil sie vergessen wollen, ja, das auch, aber sie vergessen wirklich. Ich hab zwei Prozesse mitgemacht, den in Hagen, den in Düsseldorf. Was man am häufigsten in so einem Gerichtssaal hört, ist: Ich kann mich nicht erinnern, wirklich nicht, Herr Vorsitzender, ich würde es doch sagen, wenn ich mich erinnern könnte. Und wenn andere aufstehen, geladene Zeugen, und sagen, daß es so und so war, dann erst erinnert er sich und schreit: Was wollen Sie eigentlich, ich hatte meine Befehle.

Hatte der Mann, der hinter dem Baum stand und auf meine Mutter zielte, auch einen Befehl? Hatte er einen Befehl, als er meinen Vater denunzierte? Hatte er?

Vielleicht, wer weiß. Bei einem Prozeß taucht immer wieder einer auf, der sagt, daß so ein Befehl vorgelegen hat, er sich aber an den genauen Wortlaut des Befehls nicht erinnert. Und dann, Paul: der Beierl hat nicht geschossen.

Gut, hat er nicht. Aber er hätte, wenn Mutter mich nicht an der Hand gehabt hätte.

Und wenn schon, es wäre längst verjährt.

Fred, was soll ich jetzt machen? Weil du das von dem Nichterinnern sagst: ich hab mich auch nicht erinnert an das, was damals war. Alles vergessen, futsch, nie gewesen. Man hat seine Arbeit, seine Familie, Haus, Garten, gutes Auskommen, an damals keine Erinnerung – ich wußte nicht einmal mehr, daß es ein Henlein-Freikorps gab. Jetzt erst, als Mutters Brief kam, fiel mir nach und nach manches wieder ein. Mutter wird mehr wissen, wird sich an jede Minute erinnern können. Ich weiß nur, wir sind auf Schleichwegen durch den Wald gelaufen, von Eger nach

Waldsassen, fünfzehn Kilometer sind das, quer durch Dortmund, von Süden nach Norden sind es sogar noch mehr. Es war Nacht, es war schrecklich, ich weiß es noch. Sie schreibt, daß ich immer geheult habe und über Wurzeln gestolpert bin.

Wir standen vor Freds Malven, sie blühten früher als alle Malven in der Umgebung. Er ist nicht wenig stolz darauf. Das soll mir erst mal einer nachmachen, sagt er, das macht mir keiner nach.

Deine Malven, dachte ich, deine Malven.

Fred knipste von einem Stengel eine fleischige orangefarbene Blüte ab, ging zu Lissi, die wie selbstvergessen malte, und steckte ihr die Blüte hinters Ohr. Lissi hob den Pinsel, was so viel wie Danke heißen sollte.

Wird aber nicht lange halten, sagte Fred, kleb sie fest.

Solange ich liege, hält sie schon, antwortete Lissi.

Sie malte weiter, wir stellten uns hinter sie, betrachteten das Bild auf der Staffelei, ich ahnte, was es werden wird, denn Lissi pinselte seit Ende der Schulausstellung in der Westfalenhalle nur noch ein Motiv: den Fernsehturm, daneben den Mercedesstern, daneben das Stadthaus, daneben Hochspannungsmasten, daneben Känguruhs Malven; zuletzt erhält das Bild noch einen schwarzen Tupfer, vielleicht sollte das unser Hund sein.

Obwohl alles, was sie malte, stadtbekannt war, war das Bild eine Fälschung, waren alle ihre Bilder eine Fälschung. In Wirklichkeit waren die gemalten Dinge weit über die Stadt verstreut, und als ich sie einmal fragte, warum sie so male, zuckte sie nur die Schultern.

Weiß nicht, Vater. Ich sehe es halt so. Und was ich so sehe, muß ich so malen, sonst lüge ich mich an.

Du könntest natürlich, sagte plötzlich Fred, trotzdem fahren, auch wenn du nichts ausrichtest. Deine Erinnerungen auffrischen. Das wäre schon etwas.

Etwas ist nicht viel, drei Tage Verdienstausfall aber sind für mich viel.

Er sog heftig an seiner Pfeife. Anscheinend mochte er das, was Lissi auf die Leinwand gebracht hatte; sein Gesicht hellte sich auf, aber seine Oberlippe zitterte. Wenn seine Oberlippe zittert, sträuben sich die Barthaare, die seine gespaltene Lippe überwachsen.

Vielleicht ist es gut, wenn du deine Erinnerungen auffrischst.
Ich habe in den Prozessen in Hagen und Düsseldorf
manchmal gewünscht, die Leute hätten eine Erinnerung,
nicht nur die Angeklagten, auch die Zeugen.

Vater soll hin fahren, sagte Lissi, die selbstvergessen malte.
Mama sagt es auch. Und Sie, Herr Wördemann, sagen es
auch. Also muß Vater hin fahren.

Wir setzten uns auf die grüne Bank vor der Haustür, dem
Hund war es zu heiß geworden, er lag im Flur, wo es kühl
war.

Die geben mir nie Urlaub, Fred, das weißt du. Ich hab
meinen Urlaub weg, ich bin bis zu meinem nächsten Urlaub
verplant.

Känguruh qualmte. Nur abends qualmte er manchmal so,
um die Mücken zu vertreiben. Es waren aber keine Mücken
da, nur Hitze. Plötzlich hatte ich nichts mehr dagegen, heute
ins Werk gehen zu müssen, obwohl es Sonntag war, in der
Warte hatten wir Klimaanlage, die funktioniert immer, die
produziert für uns gleichbleibende erträgliche Temperaturen.

Es käme auf einen Versuch an, sagte Fred. Versuch es mal.

Und wenn sie nein sagen?

Das glauben wir beide. Was aber, wenn sie ja sagen? Fred
sah mich an.

Verdammt, was ist, wenn sie ja sagen, murmelte ich vor mich
hin.

Wir saßen einige Minuten stumm in der stechenden Hitze,
mir wurde plötzlich klar, daß es mir ganz und gar nicht
paßte, wenn sie im Werk ja sagen würden, sagen, ich dürfe
drei Tage fahren, sagen, ich könnte gleich morgen wegbleiben, sagen, ein Gesicht müsse man gesehen haben. Mir wäre
es lieber, sie sagten nein, hielten mich für bescheuert, daß ich
nach dreißig Jahren irgendwo hinfahren wollte, nur um ein
Gesicht zu sehen, das wahrscheinlich aussieht wie jedes
andere auch, vielleicht älter, vielleicht ausdruckslos, vielleicht brutal, vielleicht zahm, vielleicht freundlich, vielleicht . . .

Du solltest es auf jeden Fall versuchen, sagte Fred.

Würdest du fahren, wenn du ich wärst?

Wenn ich du wäre, sagte Fred, wäre ich überhaupt nicht in diese Stadt gezogen, dann wäre ich da unten geblieben, bis diese braunen Ratten nach Jahren schwarz aus ihren Löchern gekrochen wären.

Du hast leicht reden, Fred. Als ich 1950 von da unten wegging, war ich vorher ein halbes Jahr arbeitslos. Weißt du, was das heißt, jede Woche zweimal zum Arbeitsamt laufen, einmal stempeln, daß man da ist, einmal stempeln, damit man Geld kriegt. Da kommt man sich ganz schön überflüssig vor. 24 war ich damals, in Kraft und Saft.

Ja, und jetzt stempeln hier 12 000 in Dortmund, und drunten suchen sie Arbeiter.

Ich will nicht stempeln, sagte ich. Habe jetzt eine Arbeit, bei der sie mich nicht rausschmeißen können, sie haben mich umschulen lassen. Auf ihre Kosten. Die werden doch nicht ihr eigenes Geld zum Fenster rauswerfen.

Nana, Paul. Ich sag dir, wenn denen einer nicht paßt, werfen sie noch ganz was anderes raus als Menschen.

Mich nicht, rief ich, nicht uns auf der Warte. Wir sind schließlich wer in diesem Betrieb. Wir sind das Gehirn, weißt du, das kann man nicht so leicht ersetzen.

Ihr seid wer? Mach dir doch nichts vor, Paul. Ich bin knapp zwanzig Jahre älter als du, arbeite jetzt im sechsten Betrieb und überall, in jedem Betrieb war ich wer, und es hat mir nichts genützt, daß ich wer war. Im Gegenteil, wäre ich nicht wer gewesen, man hätte mich in Ruhe gelassen. Einmal flog ich, weil ich bei einer Belegschaftsversammlung sagte, der Betrieb züchte sich Sklaven, einmal flog ich, weil ich den Direktor vor allen Arbeitern in meiner Halle einen eiskalten Ausbeuter nannte, einmal flog ich, weil ich zum Betriebsleiter sagte, von einem alten Nazi nehme ich keine Befehle entgegen – der Betriebsleiter war übrigens kein Nazi, er war nur von 33 bis 45 in der Partei, fast hätte ich einen Verleumdungsprozeß angehängt bekommen –, einmal flog ich, weil ich gegen den Betriebsrat mit der gesamten Belegschaft einen achtstündigen Sitzstreik organisiert habe – man wollte uns die Vorgabezeiten kürzen –, und einmal flog ich, weil ich einen von der Gewerkschaft verordneten Warnstreik nicht mitmachte. Bin gespannt, wann und warum ich aus dem jetzigen Betrieb fliege; vielleicht gibt man mir das

Gnadenbrot bis zu meiner Pensionierung. Du siehst also, Paul, man kann ruhig wer sein, das ändert nichts, wenn man nicht der ist, der was zu sagen hat.

Bei dir ist das was anderes, sagte ich.

Ich hätte es nicht sagen sollen, Fred verstand so etwas leicht falsch.

Bei mir ist das also was anderes. Nur weil ich mir bei der Arbeit Gedanken gemacht habe, anderen Arbeitern sage, sie sollen sich nicht alles gefallen lassen, sollen sich auch Gedanken machen, daß es keine Dividende gibt ohne ihre Arbeitskraft und daß man auch mal gegen die Gewerkschaft denken muß.

Fred, bei dir ist es doch so: du warst vor den Nazis Kommunist, unter den Nazis, danach wieder. Und nach dem Verbot der KPD bist du immer noch Kommunist, und das ist in unseren Betrieben nicht gefragt. Kommunisten stören, auch wenn sie Ruhe halten. Sie stören.

Ist das vielleicht ein Verbrechen, was ich bin, fragte Fred. Er qualmte, als müsse er Mücken vertreiben.

Das nicht, aber du hast immer die große Fresse gehabt, in jedem Betrieb, kein Wunder, wenn sie dich feuern. Mein Gott, Fred, in Betrieben große Fresse haben, ist schlimmer, als Kommunist sein.

Und du, Paul? Du läßt dir alles gefallen?

Wieso, fragte ich barsch. Ich mache meine Arbeit, so gut es eben geht, ich verdiene gut, verdammt, soll ich mir selbst das Wasser abgraben?

Fred stand auf, er blickte über die Stadt, über Lissi und ihr halbfertiges Bild hinweg, seine Augen suchten seine Malven ab, die Schnurrbarthaare sträubten sich, er paffte, sagte dann: Paul, geh morgen in den Betrieb und frag den Direktor, geh zum Betriebsrat, bitte sie um drei Tage unbezahlten Urlaub, sag ihnen, du willst deine Vergangenheit suchen, sag ihnen, du hättest im Jahr 38 im Wald von Eger nach Waldsassen etwas verloren, sag ihnen, du willst weder zu Schlesiertreffen noch zum Tag der Heimat noch zum Sudetenländertreffen, sag ihnen, du willst deiner Mutter nur die Sonntagsrückfahrkarte ersparen oder den weiten Weg mit dem Fahrrad, sag es ihnen, Paul, sag ihnen, du bist kein Kommunist, du verachtest die Kommunisten, sag ihnen, du bist ein Arbeiter, der all die Jahre gehorcht hat, weil er gut verdienen will, dann komm wieder und erzähl mir, was sie gesagt haben, was sie dir getan haben. Dann sag mir, ob für so etwas wie dich Platz ist in einem Betrieb. Sag es mir.

Ich stand ebenfalls auf, war auf Fred wütend, er wollte oder konnte seine verdammte Parteisprache nicht ablegen, eine Sprache, die noch dazu verboten war, er mußte immer dort etwas finden, wo es nichts zu suchen gab, er wollte einfach etwas finden, und dann beschwerte er sich, weil er nichts fand. Dann endlich konnte er sich beschweren, andere dafür verantwortlich machen, weil er nichts gefunden hatte, jeder von vornherein wußte, daß es dort, wo er suchte, nichts zu finden gab.

Ich lief ein paar Schritte in den Garten hinein, das Holzhaus versteckte sich hinter den dichten und hohen Malven, nur das Dach buckelte heraus, wie der Rücken eines Menschen, der lange zu schwere Lasten getragen hat.

Fred! Fred, schrie ich.

Er kam. Ich wies auf das Dach und sagte: Das könnte dein Rücken sein. Fred sah mich schief an. Das bin ich auch. Ist das etwa schlimm?

Entschuldige, Fred, aber deine Parteireden gehen mir auf die Nerven. Nächstens behauptest du noch, wir würden im Betrieb unterdrückt und drangsaliert.

Nein, Paul, nur ausgebeutet, weil sie uns kaufen. Die Methoden haben sich der Zeit entsprechend verfeinert. Schließlich leben wir im Zeitalter der Computer, das weißt du.

Dann setzte sich Fred neben Lissi in das Gras, das Mädchen ließ sich nicht stören, der Hund lag unter Lissis Liegestuhl. Fred betrachtete das Bild, sagte: Das Bild ist gut, Lissi. So habe ich mir Dortmund immer vorgestellt, protzig und arm. Du wirst einmal eine große Künstlerin.

Aber Lissis Bild wurde wie alle anderen Bilder von Dortmund, nicht protzig und nicht arm, wie Känguruh sagte, höchstens etwas zweifelhaft.

Fred, ich werde es auf einen Versuch ankommen lassen.

Sag mir aber, wie es ausgegangen ist. Ich bin jetzt vier Tage nicht im Werk. Du kannst ja raufkommen, die Malven werden von Tag zu Tag schöner.

Du, Fred, sagte ich, das mit den K 14-Leuten im Betrieb würde ich nicht so auf die leichte Schulter nehmen, solltest dir einen guten Rechtsanwalt suchen.

Fred legte die Hand auf meine Schulter, er lächelte, lachen konnte er nicht. Ach, Paul, sagte er, und es klang müde, Entwicklungen kann man nicht mit Rechtsanwälten aufhalten, auch nicht mit guten. Es bleibt nur die Straße.

Ich muß fahren, sagte ich. Komm, Lissi!

Laß mich hier mit dem Stinker, ich gehe später zu Fuß nach Hause. Laß mich hier, sonst muß ich Mama noch beim Waschen helfen.

Laß das Mädchen hier, sagte Fred, was soll sie zu Hause.

Hast recht, Gerda wäscht Stores.

Ich fuhr die Straße hoch, blickte oben einen Moment zurück. Fred stand vor dem Haus auf dem geschotterten Weg. Er drehte mir den Rücken zu, sah auf die Stadt, über die sich mehr und mehr der Dunst ausbreitete.

Wenn es heute wieder so heiß wird wie gestern, wird der Dunst zu glühen beginnen und von der Stadt nur Glut übrig bleiben, gelbe, blutrote.

Vielleicht hatte Fred recht, ich sollte es auf einen Versuch ankommen lassen.

3

Das Werk ist ein Kraftwerk. Menschen sind hier selten, fast überflüssig, auch wenn die vollautomatische Beschickungsanlage nicht ohne sie auskommt: auf jeder Schicht ist einer, der die Automatik kontrolliert, die wir von der Warte aus dirigieren. In der Wasseraufbereitungsanlage, die wir von der Warte aus dirigieren, wird noch einer zu finden sein, einer vielleicht bei den Turbinen, aber selten: im Turbinenhaus ist es zu heiß für einen längeren Aufenthalt und auch zu laut. Unten bei den Kohlevorräten am Hafen wird einer zu finden sein, den Halden, die wir von der Warte aus dirigieren, auch an den Übergaben der Förderbänder zur Beschickungsanlage, die wir von der Warte aus dirigieren, dann natürlich draußen ein oder zwei Arbeiter, die jeden Tag die weißen Kieswege harken, die Rosen pflegen, Sträuße in die Büros stellen, die Hecken beschneiden, den Rasen englisch kurz und dicht halten, Arbeiter auch in den Werkstätten, den Waschräumen, wo Känguruh beschäftigt wird. Die Waschräume könnten einem Herrenmagazin entnommen sein. Mit Grausen denkt man an zu Hause, wo das Bad halb Waschplatz, Abstellraum und Klo ist. In den Umkleideräumen kleben an den Blechspinden ein paar feste Busen aus »Quick« und »Stern«, seltener aufgefaltete fleischfarbene Mädchen aus dem »Playboy«. Sonst hängen im Flur zu den Waschräumen nur Anschläge für die Belegschaft: Bekanntmachungen der Gewerkschaft, der Betriebsleitung, des Gesangvereins, der Unfallverhütung, der Urlaubsregelung, der Krankenkassensonderleistungen, der Kinderverschickung, der Ferieneinteilung, des Fußballvereins Eving und Brechten. Plakate: Deutschland dreigeteilt? Niemals, Aufruf zum 17. Juni, Gedenken an die Brüder und Schwestern drüben, Feierstunde in der Kantine.
Das Essen kostet in der Kantine 2 Mark 50, nicht teuer, nicht schlecht, auch nicht besonders gut. Das Essen kommt allerdings nur denen zugute, die ganztags beschäftigt sind, das sind Angestellte, Ingenieure, Werkmeister und solche, die Meister werden wollen oder sollen.

Wir auf der Warte haben unseren Bon: täglich ein Liter Milch. Man kann sich für den Bon auch Coca Cola kaufen oder anderes Gesöff, nicht aber Zigaretten. Alkohol ist streng verboten, ein Entlassungsgrund. Diese Anordnung finde ich vernünftig.

Von außen ist das Werk ein Block aus Glas und Beton, hoch und schlank – niemand würde in ihm ein Kraftwerk vermuten, dabei leisten wir 160 000 Kilowatt täglich. Wer sich in seinem Innern umsieht, findet nur Rohre, Rohre, Rohre, kalte und heiße und warme. Da gibt es dünne und dicke, von kleinfingerdünn bis fast mannshoch, auf dem Boden liegende, in der Luft hängende, dick mit Glaswolle ummantelte, mit Mennige bestrichene, gesilberte, rostige rote, in Reparatur befindliche, ausrangierte, sehr wichtige und überflüssige, nackte, stille und solche, in denen es dröhnt, senkrechte, waagrechte, gewundene, schiefe und kurze, verschnörkelte und verstümmelte, kreisrunde und auch eckige, gebeulte und geknickte, plötzlich endende und nie endende.

Känguruh hatte mir einmal gesagt: Hast du schon einmal eine Ziege geschlachtet? An den Hinterbeinen auf ein Brett gespannt? Den Bauch aufgeschnitten? Da quillt dir die ganze Innerei entgegen. So ist das. Du weißt, daß die Galle in der Leber sitzt, nicht aber wo.

Känguruh irrt, meine ich. Zwar habe ich noch nie eine Ziege geschlachtet, mein Vater machte das, später meine Mutter, aber ich habe nie zugesehen. Das Fleisch auf dem Teller war mir lieber, Mutter setzte das Fleisch immer mit Kümmel an.

Unser Kraftwerk ist weder freundlich noch unfreundlich, nicht gut, nicht böse. Das Werk gibt mir tausend Mark im Monat, ein dreizehntes Monatsgehalt als Gewinnausschüttung, ein vierzehntes als Weihnachtsgratifikation, man kann dieses Geld zu Weihnachten abrufen oder wenn der Urlaub bevorsteht oder einen plötzlich Schulden drücken. Darin ist unser Werk vielleicht ein menschliches Werk. Jeder fühlt sich in dem Werk wohl, jeder ist froh, daß er hier arbeiten darf.

Sonst ist das Werk gegen Hitze und Kälte, Regen und Trokkenheit, gegen Wahlen und Demonstranten, gegen Polizisten und Sünder abgeschirmt, gegen alles, was draußen die Welt ausmacht, auch gegen Känguruhs Malven, nicht aber gegen die Leute, die sich nach Känguruh erkundigen kommen; das Werk ist abgeschirmt gegen Bauchweh und Kopfschmerzen und Langeweile. Für Bauchweh und Kopfschmerzen kommt die Krankenkasse auf, Langeweile und Müdigkeit jedoch sind Sache jedes einzelnen. Das Werk erklärt, dafür nicht zuständig zu sein.

Die meisten Männer, auch Frauen trifft man im Verwaltungsbau. Seine klimatisierten Zimmer haben farbige Sonnenblenden vor den Fenstern. Man trifft da Miniröcke und korrekt gekleidete Angestellte, die auch bei 30 Grad im Schatten ihre Hemdkragen nicht lockern, das Jackett nicht ablegen. Das sind sie ihrer Wichtigkeit schuldig, glauben sie. Dabei sind sie gar nicht so wichtig, nur nötig. Unser Werk kennt keine Unterschiede zwischen denen, die in der Kartei als Arbeiter, und denen, die als Angestellte geführt werden. Nur die Krawatte, das weiße Hemd unterscheidet sie vom Blaumann: eine Äußerlichkeit, die hier keiner ernst nimmt, nicht einmal die Krawattenträger selbst. Was an unserem Werk zu bemängeln wäre, ist höchstens, daß der Parkplatz noch immer nicht überdacht wurde. Den letzten Antrag vor einem halben Jahr — Betriebsrat und Belegschaft waren sich einig, den Parkplatz zu überdachen — lehnte die Verwaltung ab. Der Direktor bedauerte die Entscheidung, der auch er sich beugen muß. Die Verwaltung steht über dem Direktor. Nach acht Stunden in der Sonne kann man auf den Sitzen Eier braten, und immerhin kamen die meisten mit ihren Wagen zur Schicht, zumindest bis die Kilometerpauschale von der Regierung gesenkt wurde. Unser Direktor allerdings darf immer noch fahren, wohin er will, auf Spesen, auf Geschäftsunkosten.

Sozialismus bei uns, sagt Känguruh, ist nur was für Kapitalisten. Känguruh hat recht, Känguruh hat immer recht, wenn er nicht Parteideutsch spricht.

Aber unser Werk ist sozial, auch die Türen der Arbeitertoiletten sind von innen verschließbar. Wir haben keinen bewaffneten Werkschutz für Notstandsfälle, nur eine Feuerwehr, der ich selbst angehöre. Einzugreifen brauchte sie noch nie.

Das Hirn des Werkes ist die Warte, nicht der Direktor, nicht der Aufsichtsrat, nicht die Aktionäre; die Warte mit den beiden Schaltpulten schaltet auch Aktionäre, Aufsichtsräte und Direktoren aus. Die Warte ist eine Glaskuppel, in der es im Sommer kühl, im Winter angenehm warm ist. Die beiden Schaltpulte, die spiegelgleich gegenüber an der Wand stehen, beschäftigen je drei Mann. Drei Männer sitzen Rücken an Rücken in der Warte vor ihren Pulten, ständig sechs in jeder der drei Schichten, zu denen sich ständig ein siebenter gesellt, der manchmal telefoniert und vom IBM-Schreiber Zahlen abliest.

Ein Schaltpult hat 227 Knöpfe in vier Reihen, die aufleuchten, wenn sie gedrückt werden müssen. Dann drücke ich. Sie verlöschen wieder. Von der Wand hinter dem Schaltpult glotzen runde, weiße, schwarz gestrichene Manometer, aber einer nur ist für mich, für uns wichtig, der glotzigste Manometer. In dem pendelt ein Zeiger, der die Normalleistung von 160 000 Kilowatt anzeigt. Sinkt der Zeiger ab, drücke ich den Knopf: *Anziehen;* es kommt mehr Kohle, mehr Wasser, mehr Dampf, mehr Strom; pendelt der Zeiger über den Strich nach rechts, drücke ich die Taste *Absetzen,* dann kommt weniger Wasser, weniger Kohle, weniger Dampf, weniger Hitze, weniger Strom. Ganz einfach alles, ein Kinderspiel.

Ich sitze auf einer Warte in einem der modernsten Kraftwerke Europas vor einem Schaltpult, ich warte und dirigiere, drücke auf Knöpfe, habe in meinen Fingern die Macht, ob heute abend etwa ein Chirurg wird operieren können, eine Frau auf dem Elektroherd wird Schnitzel braten, Kartoffeln rösten, sechshunderttausend Menschen am Fernsehapparat Millowitsch werden sehen, junge Leute im Radio die Schlagerparade hören können, die Straßenbahn fahren kann, der Kühlschrank kühlt. In meinen Fingern liegt es, ob Kriege erklärt werden können, denn ich kann es Nacht werden lassen, und bei Nacht erklärt man keine Kriege. Ohne Licht ist nichts, ohne Licht aus meinen Fingern ist auch Sonne nur ein Schatten. Ich bin ein kleiner Gott geworden, ich bin ein großer Gott. Ich lenke.

Ich kann alles, wenn ich will. Ich, der ich keine Macht habe, habe Macht, ich, der ich Lohnempfänger bin, bin in Wirklichkeit Verteiler von Arbeit, Arbeitvergeber, Arbeitgeber. Es liegt an mir, nur an mir, wie ich meine Macht gebrauche.

Schön ist das, Arbeitgeber zu sein. Ich neide den registrierten Arbeitgebern nicht mehr ihre Villen, sie haben die Villen, ich die Macht, ich bin so mächtig, ihre Villen zu verdunkeln.

Das Schaltpult, an dem ich sitze, ist sechs Meter lang, einen Meter breit, die Platte nach innen abgeschrägt, elfenbeinfarben, die Knöpfe sind teils schwarz beplattet, teils weiß – auf die Beleuchtung hat das keinen Einfluß, nur auf die Bedienung. Die Knöpfe sind klein, abgerundet, sie gleichen den Fingerhüten, die Gerda in ihrer Flickkommode liegen hat. Schaltpult und Knöpfe sind aus Plastik, aber stahlhart; jeder von uns dreien hat zwei Meter der 227 Knöpfe und 16 Manometer zu überwachen. Aber wir haben weiche Sessel, mit Lehne und Armstützen und Kopfstützen, und an den Stuhlbeinen sind Rollen. Wir rollen uns oft durch den Raum, veranstalten Wettbewerbe, und leuchtet irgendwo ein Licht auf, dann drückt der, der dem Knopf am nächsten ist. Wir helfen uns da aus. Nur wenn über dem Eingang zur Warte das blaue Licht blinkt, die schwarze Zahl Eins vorspringt, sitzen wir korrekt an unseren Pulten, konzentrieren wir uns so, als müßten wir die ganze Welt mit Licht und Strom versorgen. Die schwarze Eins ist der Direktor, die schwarze Eins sagt uns, er kommt in wenigen Minuten. Nummer zwei ist der Chefingenieur, dann wissen wir, der kommt. Nummer drei ist der Meister, dann wissen wir, er kommt. Aber bei dem tun wir nicht so, als ob wir was tun müßten; er ist, bevor er Meister wurde, selbst jahrelang mitgerollt. Wenn der Meister in die Warte kommt, sagt er nur: Werft keine Zigarettenkippen auf den Boden, das gibt Ärger mit der Verwaltung. Der Fußboden war teuer.

Jede Stunde der acht Stunden, in denen ich mächtig bin, habe ich wirklich etwas zu tun. Ich gebe meinem Gegenüber am Gegenüberpult Werte durch, lese von Manometern ab, rufe ihm Zahlen zu. Er ruft meine und seine Zahlen zurück. Das ist alles ganz einfach. Ich lese und rufe: 146 . . . 7 komma sechs. Wir haben 146 000 Kilowatt produziert, 7600 Kilowatt verbrauchten wir selbst. Wer sich hier nicht auskennt, meint Wunder was für verschlüsselte Staatsgeheimnisse wir uns zurufen, aber wir geben nur Zahlenwerte, die mit dem am Schaltpult gegenüber abgestimmt werden, dann telefonisch weiter laufen. Wir tragen diese Werte auch in Tabellen ein, mit einem extra spitzen und harten Bleistift. Wir sind wichtig, wir sind sehr wichtig.

Wir alle auf der Warte waren daher doch ein bißchen sauer, als wir vor einem Jahr erfuhren, daß die stündlichen Eintragungen nicht nötig sind. Die Armaturen machen das präziser, schneller, sauberer: man braucht die Streifen aus den automatischen Schreibern nur herauszunehmen und abzulesen. Ehe die Tabellen eingeführt wurden, hat man uns häufig schlafend erwischt, wir schliefen nicht richtig, dösten nur so vor uns hin. Kein Wunder, sechs Mann auf einer Warte wissen nach sechs Wochen alles voneinander, haben sich nichts mehr zu sagen, rätseln und berechnen nur noch, ob Borussia Deutscher Meister wird oder nicht, die Juden den Krieg gewinnen und den Frieden: es gibt nichts mehr, was wir uns zu sagen hätten, weil wir alles voneinander wissen. Plötzlich wurden die Tabellen eingeführt, und ich frage mich manchmal, warum wir überhaupt da in der Warte sind, in der es doch nichts, absolut gar nichts zu tun gibt, es sei denn, wir drücken keinen Knopf mehr: dann allerdings gäbe es zu tun.

So sehr wir uns anfangs über die Tabellen ärgerten, erst recht, als wir erfuhren, die Tabellen, in die stündlich Werte eingetragen werden mußten, seien überflüssig – ich habe den Verdacht, die Aufsichtsräte zünden sich mit den Tabellen bei Sitzungen reihum ihre Zigarren an –, so sehr freuten wir uns doch später darüber: Wir hatten endlich eine Aufgabe. Wir können uns unsere Arbeit ohne diese Tabellen überhaupt nicht mehr vorstellen. Es gibt welche, denen beginnen fünf Minuten bevor sie die Tabellen ausfüllen die Hände zu zittern, die Arme zu flattern, bloß weil sie ausfüllen dürfen. Wir losen morgens untereinander aus, wer heute ausfüllen darf, damit kein Streit entsteht. Leicht ist unsere Arbeit deswegen nicht. Von 200 Bewerbern für die Arbeit am Schaltpult erfüllen nur ein bis zwei die Voraussetzungen. Betriebspsychologen kommen manchmal noch und testen uns, obwohl wir doch schon drei Jahre hier sitzen und auf Knöpfchen drücken.

Ich liebe mein Schaltpult nicht, bin ich aber auf dem Fabrikgelände, sehne ich mich nach meiner Glaskuppel, schließlich muß man wissen, wohin man gehört.

Die Warte ist das Hirn des Werkes, wir sind dazu da, das Hirn zu kontrollieren, wir sind also ein Überhirn, das noch nicht konstruiert worden ist. Es gibt nicht viel zu kontrollieren, wir kontrollieren uns manchmal nur selbst, prüfen, indem wir uns auf unseren Stühlen durch die Warte rollen, ob wir noch wir sind oder sechs zusätzliche Knöpfe zu den 227 Knöpfen. Meistens sind wir noch immer wir, manchmal jedoch bin ich mir nicht so sicher. Die breite Glaswand erlaubt uns, von der Welt draußen etwas zu sehen, nicht viel: was sieht man schon in Dortmund am Sonntag, bei Hitze, im Juli? Öde, flimmernde Straßen, die in Hitze und Staub ersticken. An Werktagen fahren mehr Straßenbahnen, schieben Frauen Kinderwagen, überholt einer falsch, und wir sechs, die wir selbst fahren, diskutieren darüber, ob das Manöver richtig war oder verkehrt; da gehen Kinder zur Schule, fährt ein Pastor bedächtig Fahrrad, auf dem Gepäckträger eine Aktentasche, da kommt der Lieferwagen für den Konsum, heute Sonderangebot, Knappkirschen das Pfund 99 Pfennige. Großes Plakat über dem Führerhaus. Da kommen Liebespaare, die in die nahe Berufsschule gehen, da sehe ich, nur bei Morgenschicht, eine alte Bucklige ihren Chow-Chow spazieren führen, hundert Meter, vielleicht wohnt sie am Borsigplatz, bestimmt aber in der Nähe. Bucklige können nicht mehr so weit laufen. Da sehe ich, nur zur Mittagsschicht, ein kleines Mädchen, das führt einen Dackel aus. Da sehen wir, aber nur zur Morgen- und Mittagsschicht, Invaliden in Gruppen, die gehen ihren immergleichen Weg, kehren immer zu derselben Zeit zurück, bleiben vielleicht eine halbe Stunde an einer Ecke stehen, dann geht jeder, etwas nach vorn gebeugt, seiner Wege. Da liegen Frauen in den Fenstern, stundenlang, um sehen und hören zu können, was andere tun, andere sagen. Da sehen wir Wolkenwände aufsteigen, Regengüsse klatschen, sehen die Luft flimmern. Wir sehen alles, und alles genau durch eine Wand aus Glas. Aber wir hören nichts. Die dicken Scheiben unserer Kuppel schließen Geräusche aus. Wir hören nur unsere eigenen Worte und, öffnet sich für Sekunden eine Tür, das gedämpfte Summen der Turbinen.

Wir haben uns daran gewöhnt.

An diesem Nachmittag, von zwei bis zehn, haben wir, wie immer an Sonntagen, nicht viel zu tun; wir dösen vor uns hin. Der Zeiger auf dem einen der 16 Manometer pendelt um den dicken Strich, wir haben also konstant unsere 160 000 Kilowatt, die wir bringen müssen. Wir nennen diesen fußballgroßen Kreis – die anderen sind nur etwas über handtellergroß – den großen Manitu. Weiß der Kuckuck, wer den Namen erfand, aber der große Manitu sagt uns, was wir wissen müssen, nicht zu viel, nicht zu wenig, nur, daß der Strom absinkt oder ansteigt. Das genügt. Mehr brauchen wir nicht zu wissen, mehr interessiert uns auch nicht.

An diesem Sonntagnachmittag im Juli war nicht viel los. Alle Welt war in die Parks und umliegenden Wälder geflohen, da braucht die Stadt wenig Strom, heute abend gibt es keinen Millowitsch, keinen Fußball, also wird auch dann der Stromverbrauch kaum ansteigen: eine leichtverdiente Schicht. Wir tragen, wie erlöst, alle volle Stunde unsere Werte ein, die wir eigentlich nicht einzutragen brauchen, da der Schreiber rechts unten am Pult das exakter macht, schneller und in grüner und lila Schrift.

Zwischen den Stunden entleere ich Aschenbecher, Franz rollt mich an die große Glaswand, ich stemme dann die Füße dagegen, blicke einen Moment über Dortmund: es ist, als drehe man einem langweiligen Fernsehspiel den Ton ab. Alles ist zu sehen, nur weißt du nicht, was in Wirklichkeit vorgeht.

Dann stoße ich mich von der Glaswand ab, rolle an mein Pult zurück, ein Licht leuchtet auf, ich drücke, was gedrückt werden will, habe danach bis zum Eintrag der Werte wieder Ruhe. Manchmal klingelt das Telefon, das auf meinem Pult oder das am IBM-Schreiber. Einer hebt ab, sagt Ja, sagt Tschüß, legt auf. Irgendwo im Werk wollte einer, von derselben Langeweile geplagt, nur wissen, ob wir wüßten, wie, daß, vielleicht – weiter nichts.

Die Milch wird gebracht. Ich packe meine Butterbrote aus, esse, trinke Milch, ein Licht leuchtet auf, ein anderer drückt für mich. Das Telefon läutet, einer hebt ab, redet eine Ewigkeit mit einem, den wir nicht kennen; er redet ihn mit Rudi an, aber wir kennen keinen Rudi.

Dann ist wieder Stille. Einer döst vor sich hin, denn an

Sonntagnachmittagen sind weder Direktor noch Oberingenieur zu erwarten, höchstens der Meister. Der aber schaut nur herein, weil es in unserer Warte kühl ist, verzehrt bei uns seine Brote, sagt, werft keine Kippen auf den Fußboden, das gibt Ärger, geht wieder. Vielleicht legt er sich in eine Ecke zwischen Rohre und pennt. Warum soll er nicht? Wenn etwas los ist – und wann ist schon was los – wird ihn der Summton wecken, der durch das Werk heult und Tote auferstehen läßt.

Nach dem Eintrag der Werte abends um sechs – die Straßen beleben sich – sage ich neben mir zu Franz: Ich muß drei Tage unbezahlten Urlaub haben.

Er hört nicht. Franz liest in einem Fünfzigpfennigheft und schielt dabei doch mit einem Auge über das Pult, ob ein Licht für ihn leuchten wird, aber das braucht er nicht, es gibt bei uns stille Absprachen: liest einer Zeitung, übernimmt der andere die Pult-Beobachtung und drückt auch, wenn gedrückt werden muß. Wir helfen uns da aus.

Ich sage etwas lauter: Franz, ob die mir drei Tage unbezahlten Urlaub geben werden?

Franz sieht mich an, verständnislos, klatscht das Heft auf seine Knie: Aber du hast deinen Urlaub doch gehabt, Paul.

Hast schon recht, Franz. Aber zu Ostern wußte ich noch nicht, daß ich jetzt drei Tage brauche.

Siehste, Paul, ich hab dir immer gesagt, nimm nie deinen ganzen Urlaub, du weißt nicht, was kommt. Ist was? Ist es wichtig?

Wichtig? Ich weiß nicht.

Mensch, ruft einer vom gegenüberliegenden Schaltpult, wenn es nichts Wichtiges ist, gibt es auch nichts, das solltest du wissen.

Jaja, sage ich, aber wenn ich drei Tage frei bekäme, wäre es halt doch wichtig.

Plötzlich waren alle wach. Sie sahen auf ihr Pult, ihre Knöpfe, ihre Manometer, aber sie waren gespannt, endlich war die Langeweile wieder erträglich geworden.

Ich bin sonst nicht mitteilsam, aber ich mußte einfach von dem Brief meiner Mutter reden. Ich erzählte wenig, trotzdem genug, erzählte ihnen, was sie wissen mußten, um halbwegs zu verstehen, ich verschwieg viel, Dinge, die nur für meine Mutter und mich wichtig waren, aber während ich erzählte, wußte ich nicht mehr, was wichtig und was unwichtig war, für sie, für mich.

Ich drehte meinen Sessel einmal um mich selbst, sah sie an, die Haut über ihren Gesichtern straffte sich mehr und mehr, die Augen fielen ein.

Dann war ich mit meiner Erzählung zu Ende. Ich schob mich mit meinem Sessel vom Pult weg, zog mich mit den Schuhspitzen wieder heran. Vielleicht hätte ich nichts erzählen sollen, es tat mir schon leid. Da sagte einer: Mensch, Paul, hast uns nie erzählt, daß du aus dem Sudetenland stammst. Bist ja nie zu Treffen gefahren.

Was soll ich da, sagte ich. Vertriebenentreffen, doch alles Schmus.

Laß das mal den Brundert hören, lachte Holthusen.

Eben, was sollte er da, rief Franz. Aber was Paul erzählt hat, dafür müßten die ihm schon drei Tage frei geben, meine ich.

Meint ihr, fragte ich. Die Meinungen der Kollegen waren mir wichtig. Wer lange in einem Werk arbeitet, spürt, wie es läuft, riecht, was kommen wird.

Es war Holthusen, der sagte: Quatsch, Leute. Für so was gibt es keinen Urlaub, auch nicht unbezahlten, dafür gibt der Betrieb nicht frei, denkt doch mal nach, Leute, wegen der Marotte einer alten Frau, Leute, ich sag euch, der Paul soll die Finger davon lassen, die lachen ihn aus, Leute, nur ein Gesicht sehen, Quatsch, die Zeiten sind vorbei.

Holthusen ist ein vernünftiger Mann. Er war früher auf einer Zeche; er hat sich, wie wir alle, umschulen lassen, Holthusen ist 35 und der Dirigent des Gesangvereins in Eving. Holthusen hat ein absolutes Gehör. Was er sagt, haut meistens hin.

Holthusen, sagte ich, du meinst also, das Werk wird mir nicht freigeben, drei Tage?

Ich meine das nicht, Paul, ich weiß das. Paß lieber auf, du mußt Wasser zugeben. Anziehen.

Der Zeiger im Manitu pendelte einen Fingerbreit unterhalb des Striches. Ja aber, sagte ich, für eine alte Frau wie meine Mutter ist das schon wichtig.

Holthusen rollte seinen Stuhl zu mir heran und sagte: Die alte Dame arbeitet aber nicht in unserem Werk. Paul, sei vernünftig, das sind jetzt dreißig Jahre her, die lachen dich aus, wenn du kommst und sagst, du willst ein Gesicht sehen. Leute, seid ehrlich, das ist doch zum Lachen.

Findest du, fragte ich. Da bin ich aber anderer Ansicht.

Ich war nicht anderer Ansicht; es verdroß mich einfach, daß Holthusen immer alles besser wußte: es war Holthusen, der für mich an meinem Pult den Knopf für die Beschickungsanlage drückte, Holthusen, der mich vorwurfsvoll ansah, der freundlich den Kopf schüttelte.

Sag ihnen, murmelte er, deine Tochter hat einen Preis bekommen, weil sie so gut malen kann, dann bekommst du drei Tage frei, sag ihnen, irgendwer hat dort und dort Hochzeit, und du bekommst drei Tage frei, sag ihnen, deine Frau hat sich den Fuß gebrochen, sag ihnen, dein Hund muß zum Tierarzt, weil er eine Katze gefressen hat, und du bekommst drei Tage frei, sag ihnen . . .

Franz rief dazwischen: Ist nicht irgendwo Sudetenländertreffen? Soll Paul doch sagen, er fährt zum Sudetenländertreffen, dann bekommt er garantiert frei. Unser Betrieb ist für solche Treffen.

Alle sahen Franz an. Franz saß selbstbewußt in seinem Sessel und sah von einem zum andern.

Ich will aber freibekommen, rief ich, und nicht wegen dem oder dem, sondern weil ich mit meiner Mutter ein Gesicht sehen will.

Ich konnte die Mienen der Kollegen nicht mehr ertragen.

Holthusen hatte sich an sein Pult zurückrollen lassen, alle pafften wie auf Verabredung Zigaretten. Es war ganz still geworden. Der Boden zitterte von den angrenzenden Turbinen.

Niemand redete, unheimlich war es geworden in der Warte, die Stadt draußen lag wie eine Geisterstadt. Einmal sah ich einen amerikanischen Film, da haben Wissenschaftler einen Mann bewußtlos gemacht und in einer zu diesem Zweck erbauten Stadt ausgesetzt. Als der Mann aus seiner Betäubung erwacht war, lief er durch die Stadt, trommelte an Wänden, suchte Menschen, fand alles, was darauf hindeutete, daß hier Menschen wohnen mußten, fand aber niemanden. Die Autos ließen sich nicht starten, die Tankstellen nicht bedienen, die Bierhähne liefen nicht, das Radio gab

Licht, aber keinen Ton, die Fernsehapparate nur Licht, aber keine Bilder, die Gasöfen wohl Geruch, aber kein Feuer, die Wasserhähne gurgelten nur trocken, die Telefone gaben Freizeichen, aber keine gewählte Nummer rief einen Teilnehmer. Es gab weder Vögel noch Hunde — nur Hitze gab es, Sonne, glühende Erde.

Als die Wissenschaftler den Mann nach drei Tagen abholten, war er verrückt geworden.

Anfangs, als ich die Arbeit annahm, hatte ich geglaubt, ich würde es hier keine Stunde aushalten, wollte schreien, denn Stunden waren anfangs für mich hier länger als Tage, und nach acht Stunden fühlte ich mich zerschlagen, als hätte ich eine ganze Woche hinter mir.

In diesen acht Stunden ist man nur da, damit man da ist, man wartet darauf, daß etwas passiert, es passiert aber nichts, verdammt noch mal, nichts passiert, und wenn einmal im Vierteljahr etwas passiert, brummt der Alarmsummer durch das Werk, und der Oberingenieur kommt gelaufen und bringt alles wieder ins Lot. Wir stehen daneben und gucken zu, wir könnten die Arbeit des Oberingenieurs auch machen, aber das ist nun mal die Arbeit des Oberingenieurs, und Franz sagte einmal: Siehste! Das nennt man soziale Gerechtigkeit. Der will ja schließlich auch mal etwas tun für sein Geld.

Draußen war noch immer Tag, die Sonne sank hinter die Unionbrauerei, die ersten Ausflügler fuhren in die Stadt ein. Wer an unserem Werk vorbeifährt, kommt aus dem Münsterland oder von den Borkenbergen, vom Haltener Stausee, vielleicht sogar vom Steinhuder Meer.

So ein Schaltpult weckt die Phantasie. Ich sagte einmal zu Franz: Jetzt dirigieren wir nicht mehr unser Werk, jetzt lassen wir draußen alles nach unserer Pfeife tanzen.

Wir hatten beide unseren Spaß. Wir taten so, als drückten wir Knöpfe, und bildeten uns ein, die Menschen draußen liefen nun in andere Richtungen, durch andere Türen, die Autos hielten, wo sie fahren mußten, fuhren, wo sie anzuhalten hatten, aus den Straßenbahnen stiegen Menschen, die weiter wollten, stiegen welche ein, die eine andere Bahn erwarteten, ein Hund machte sein Häufchen vor einer Haustür, wo es verboten war Häufchen zu machen, denn in dem roten Backsteinbau wohnt ein pensionierter Beamter, der geht morgens gegen zehn mit kleinen beschrifteten Fähnchen an Drahtstäben sein Haus entlang und steckt in jeden Hundehaufen, den er vorfindet, ein Fähnchen mit der Aufschrift: Bürger, schützt eure Anlagen.

Manchmal war der Bürgersteig eng beflaggt.

Es war neun geworden, wir hatten die letzten beiden Stunden kaum miteinander gesprochen.

Wir lasen ein letztes Mal die Werte ab, ich rief sie Holthusen zu, Holthusen bestätigte, dann trugen wir die Werte in Tabellen ein, der Meister kam, sah auf den IBM-Schreiber, gab unsere Werte durchs Telefon.

Dann erwarteten wir die Ablösung. Sie kam meist schon zwanzig vor zehn: wir sollten noch etwas von unserem Abend haben. Das war nicht etwa vom Betrieb so geregelt, das hatte sich so eingependelt.

Wir brausten ausgiebig, auf dem Parkplatz winkten wir uns noch zu. Franz blieb bei mir stehen, denn ich wollte erst die Hitze aus dem Wagen lassen.

Angenommen, Paul, du bekommst frei und siehst den Mann, was hast du denn davon? Anzeigen kannst du ihn ja nicht mehr, darüber bist du dir doch im klaren?

Ich weiß nicht, Franz, ich weiß es wirklich nicht. Ich habe wenigstens sein Gesicht gesehen. Ich weiß dann, wie solche Leute aussehen, die sich jedes Jahr mit Trommeln und Posaunen treffen und so tun, als wären sie noch oder wieder im Großdeutschen Reich, vielleicht lerne ich dann die Leute kennen, die Guten Tag und Grüß Gott sagen und dabei überlegen, wie sie dich umlegen könnten, vielleicht . . .

Deswegen brauchst du doch nicht fortzufahren, das kannst du hier auch haben. Sei kein Kind, Paul. Wenn du frei bekommst, was ich nicht glaube, und du kommst zurück, und sie fragen dich: Was erreicht, Herr Pospischiel? Paul, was sagst du dann?

Ich weiß es nicht, Franz, verdammt noch mal, frag nicht so, vielleicht werfe ich dann eine Bombe, wenn wieder so ein Treffen ist, vielleicht zünde ich den Wald an der tschechischen Grenze an, vielleicht erschieße ich den Mann mit dem Gesicht, vielleicht . . .

Ich wollte ihm sagen, daß ich ja nicht fahren will, daß Gerda will und meine Tochter, und ich jetzt vielleicht auch, wollte schon sagen, daß ich bedaure, in der Warte von dem Brief meiner Mutter erzählt zu haben, wollte ihm sagen, ich hielte das Ganze, je mehr ich mich hineindenke und hineinrede, für die Erfindung einer alten Frau . . .

Paul, sagte in diesem Augenblick Franz, auch wenn du keinen Wald anzündest, fahr trotzdem.

Dann ging Franz zu seinem Wagen und fuhr ab.

Sie reden alle, dachte ich, aber sie haben nichts damit zu tun, für sie ist das so, als hätten sie in der Zeitung davon gelesen: überrascht waren sie nur, daß die Zeitung nicht bedruckt war, sondern zu ihnen sprach. Ich konnte es ihnen nicht verdenken.

4

Gerda hatte auf mich gewartet, vor dem Fernsehapparat. Sie hob die rechte Hand, winkte mir zu. Ich ging in die Küche und holte mein Essen, setzte mich zu ihr.

Der Mercedesstern vom Ruhrschnellweg oben rotierte durch das weit offenstehende Fenster ins Wohnzimmer, über mein und Gerdas Gesicht, auch der Scheinwerfer vom Fernsehturm wischte manchmal in die Wohnung, die nach Waschpulver und Möbelpolitur roch.

Sie hatte mir Ravioli mit Tomatenmark gerichtet, dazu Schnitten mit Wurst und Käse.

Muß furchtbar heiß gewesen sein heute, sagte ich.

Lissi ist mit dem Hund erst am Abend zurückgekommen.

Laß sie doch. Bei Känguruh ist sie gut aufgehoben, jedenfalls besser als hier unten in der Stadt.

Brunderts haben Besuch, sagte sie. Stuttgarter Autonummer.

Sie drehte mir ihr Gesicht zu.

Der Brundert fängt morgen wieder zu arbeiten an, sagte ich. Ich glaub, auf Nachtschicht. Dann löst er mich wieder ab.

Gerda sah mich an und fragte: Hast du im Werk was erzählt? Ich meine das ... den Brief meine ich. So beiläufig.

Sie rieten mir alle ab. Nur Franz war dafür. Ich habe dir von Franz erzählt.

Franz interessiert mich nicht, der hat ja keinen Brief bekommen.

Ich fahr morgen früh in den Betrieb, mal hören, was der Direktor dazu sagt. Und die anderen, die was zu sagen haben.

Dann kannst du mich mitnehmen. Ich arbeite diese Woche nur bis Mittag. In den Kaufhäusern ist die letzten Wochen nirgendwo was los. Bei Horten haben sich die Verkäuferinnen gelangweilt, zehn haben sie entlassen. Hast du es gelesen, die haben so eine kleine Privatmodenschau veranstaltet.

Wie soll auch was los sein? Treten alle kürzer die Leute, wissen nicht was kommt, und die meisten wollen doch in Urlaub. Die Löhne sinken, der Urlaub wird teurer, und der Sprit auch, da kommen die meisten hinten nicht mehr hoch.

Bin neugierig, was er sagt.

Wer?

Der Direktor, sagte Gerda, und der Betriebsrat. Sie folgte wieder dem Sport am Sonntagabend.

Das, was sie auf der Warte auch gesagt haben: Was habe ich davon, wenn ich mir den Mann ansehe.

Mein Gott, rief Gerda, wenn man immer davon ausgehen will, was es nützt!

Vielleicht muß man davon ausgehen, sagte ich. Ist ja auch wahr, wenn du dir's genau überlegst. Ich verfahre für hundert Mark Benzin, versäume drei Tage Arbeit, das sind auch über hundert Mark, und was habe ich davon? Nicht einmal meine Mutter hat was davon. Gerda, laß die alten Zeiten, wo sie sind. Wir leben jetzt, müssen hier sehen, wie wir zurechtkommen. Laß die alten Zeiten. Mutter ist alt, Mutter kennt sich in unserer Zeit nicht mehr aus.

Hast du eigentlich Angst davor, fragte sie.

Wie kommst du darauf?

Ich dachte nur, weil du nicht daran rühren willst.

Ja und, fragte ich, was habe ich davon, wenn ich dran rühre?

Gerda, sag schon, was? Nichts, absolut nichts. Unsere Zeit hat keine Zeit mehr für die Zeit von damals.

Wie war das eigentlich damals, Paul. War es schlimm? Du hast nie viel erzählt, wenn man dich gefragt hat, hast dich immer damit herausgeredet, es sei alles so weit weg, das Damals.

Etwa nicht? Dreißig Jahre. Und wie es war? Gott, das kommt darauf an, auf welcher Seite man stand.

Als wir geheiratet haben, Paul, war es nicht so weit weg, war es nicht einmal die Hälfte weit weg. Und du hast auch nichts erzählt.

Gerda, laß doch, ob die Hälfte oder 30 Jahre, es ist immer weit weg gewesen ... wenn ich denke ... damals ... ja Gerda ... eine Schweinerei war es doch, wenn ich es mir jetzt genau überlege, es war doch eine Schweinerei.

Also doch wichtig, fragte sie.

Wichtig? Nein, nur eine Schweinerei.

Es war schwül, ich hatte Lust, im Freien zu schlafen, aber Gerda hält davon nichts, sie will mich an ihrer Seite haben, eine komische Frau, beschwert sich jeden Morgen, weil ich wie ein Walroß geschnarcht, mit den Zähnen geknirscht habe, aber ich muß an ihrer Seite liegen, sie kann sonst nicht schlafen.

Lissi kam mit einem Haufen wirren Zeugs nach Hause, sagte sie, Fred muß ihr wahrscheinlich von seiner Vergangenheit erzählt haben, sie fragte, ob Kommunisten auch normale Menschen sind, und wenn sie auch Menschen sind, ganz Normale, warum dann hier bei uns diese ganz normalen Menschen eingesperrt werden und verboten. Sie will ihre Lehrer fragen, aber ich riet ihr ab, sie soll in der Schule keinen Ärger haben. Dafür wird sie dir morgen die Hölle heiß machen.

Soll sie, ich hab ab Morgen Mittagsschicht, da muß sie schon bis übernächste Woche warten.

Ich mag ja Fred, sagte Gerda, aber er soll dem Kind nicht immer solche Sachen erzählen, du weißt, Lissi kann ihre Klappe nicht halten, die erzählt alles brühwarm überall herum. Und dann in der Schule, die Lehrer machen aus einer Eins gleich eine Fünf, nur weil ihnen ihre Fragen nicht passen. Wenn sie ihr Abitur hat, kann sie erzählen was sie will.

Bis dahin ist noch lang.

Die Zeit vergeht schneller, als du denkst.

Es klopfte leise, es klopfte lauter. Ich öffnete die Haustür. Brundert stand vor der Tür, er fragte, ob wir ihm unseren Plattenspieler leihen könnten.

Wir haben Besuch gekriegt, sagte er, Stuttgarter Freunde. Machen bei uns ein paar Tage Station. Sind alte Freunde aus Schlesien.

Ich führte ihn ins Wohnzimmer, Gerda hatte offenbar aufgeschnappt, was er wollte.

Der Plattenspieler gehört Lissi, sagte sie, bevor er noch ein Wort gesagt hatte. Und die schläft.

Brundert tat, als habe Gerda nicht ihn gemeint.

Die Stuttgarter haben nämlich eine Menge Platten mitgebracht, von der Wirtin an der Lahn und Nowak und so, hahaha, wollten sie abspielen, die Frau ist ja eine Marke für sich, mit der kann man Pferde stehlen. Weißt du, Paul, ich nehme die Platten dann auf mein Tonband.

Lissi wird nichts dagegen haben, sagte ich, ging in ihr Zimmer und baute den Plattenspieler leise ab. Gerda sah mich aus dem Sessel heraus spinnefeind an, aber ich war jetzt böse auf Gerda, denn was hatte ihre Abneigung gegenüber Brundert mit den Leuten aus Stuttgart zu tun, die sie gar nicht kannte, außerdem mußte ich im Werk mit Brundert auskommen, denn die Schichten ergaben sich so, daß er mich ablösen kam oder umgekehrt.

Ich gab Brundert den Apparat in die Arme, er strahlte Gerda an, sagte: Kommt doch mit rüber! Und zu mir sagte er: Du hast doch Mittagsschicht die Woche, kannst dich ausschlafen.

Nein, ich muß morgen früh ins Werk, will mir drei Tage unbezahlten Urlaub holen.

Au weh, da werden die aber sauer sein. Ist es wichtig?

Wichtiger als eure Schlesiertreffen, platzte Gerda heraus. Ich hätte sie ohrfeigen mögen.

Nicht besonders wichtig, sagte ich laut, ich will nur zu meiner Mutter fahren.

Ist sie krank, deine Mutter, fragte er.

Ja, krank, höhnte Gerda leise. Krank vor Sehnsucht nach Leuten wie …

Nein, sagte ich und hob meine Stimme, nicht krank, sie will nur ein Gesicht sehen, und die Sonntagsrückfahrkarte ist ihr dafür zu teuer. Weißt ja, wie alte Frauen sind.

Brundert sah mich an, er wollte sprechen, verzog aber nur den Mund, sagte: Also dank dir schön für den Apparat, ich bring ihn dir morgen wieder.

Kannst ihn behalten, bis deine Stuttgarter wieder wegfahren, sagte ich.

Er nickte Gerda zu, die keine Miene verzog, ich begleitete ihn hinunter. Er lief auf sein Haus zu, den Plattenspieler auf beiden Armen, als trage er ein Ordenskissen.

Ich blieb ein paar Minuten auf der Straße stehen, es hatte sich um keinen Grad abgekühlt, es war eher drückender geworden.

Gerda sagte, als ich wieder ins Zimmer trat, scharf: Wie kannst du nur dem Kerl den Plattenspieler geben. Schweinische Platten spielen, das sieht ihm ähnlich, so schweinisch, wie sie auf ihren Vertriebenentreffen nach Heimat schreien. Der Brundert weiß doch überhaupt nicht, was Heimat ist, der kennt nur seinen Vorteil.

Er hat mir ausgeholfen, damals, als ich mit dem Wagen auf der Autobahn hängenblieb.

Ach, hör auf. Es ist Lissis Apparat.

Ich kann überhaupt nicht verstehen, was du gegen Brundert hast. Weil dir seine Nase nicht gefällt, sollen wir alle darunter leiden?

Gegen seine Nase habe ich nichts, aber wie er redet, wie er grinst. Der zieht dir die Haut ab und grinst immer noch.

Na und? Jeder grinst so, wie er es gelernt hat. Du etwa nicht?

Wie er es gelernt hat. Genau. Brundert hat nämlich jetzt ausgelernt. Sie erhob sich brüsk, stellte den Fernseher ab. Können wir endlich schlafengehen? Sie hatte manchmal eine Art, die mich rasend machte.

Ohne ein Wort ging ich in unser Schlafzimmer. Ich warf mich nackt auf das Bett, es war kühl im Schlafzimmer: wir hatten den ganzen Abend den Ventilator laufen. Auch Gerda legte sich nackt ins Bett. Zunächst dachte ich unbehaglich, sie verlange von mir die besagte Viertelstunde, aber sie zog sich die leichte Daunendecke über, nahm sich den »Stern«, blätterte gleichgültig darin: weiß der Teufel, woran sie jetzt wieder dachte. Ich konnte nicht schlafen, ich wälzte mich von einer Seite auf die andere, stöhnte, verfluchte Bett und Hitze.

Du bist vielleicht wieder unruhig. Deck dich zu, morgen bist du erkältet.

Ist das ein Wunder? Bei der Hitze?

Hier ist es kühl.

Dir vielleicht. Ich schwitze. Ich legte meine Hand auf ihren Rücken, der sich ganz kalt anfühlte.

Im Garten schläfst du nicht . . . Sie nahm meine Hand von ihrem Körper, langsam, nicht abweisend, und drehte sich zu mir herum. Den Kopf auf einen Arm gestützt, fragte sie schließlich: Du Paul, deine Mutter muß doch damals so alt gewesen sein wie ich heute.

Meine Mutter? Warte mal, sie ist Jahrgang eins, siebenunddreißig war sie damals, etwas älter, als du heute bist. Meine Mutter war eine schöne Frau.

Das ist sie sogar heute noch.

Ich bin ihr nachgeraten, sagte ich.

Gerda lachte schallend. Sie musterte mich spöttisch von Kopf bis Fuß. Deine Mutter jedenfalls hat keinen Bauch. Die hat immer noch Figur. Wie die das macht.

Hab ich etwa einen Bauch? Ich sprang aus dem Bett, knipste das große Licht an, stellte mich seitlich vor den Spiegel, schob meinen Bauch vor, zog ihn ein, schob ihn wieder vor, sagte dann zu Gerda: So schlimm wie du tust, ist es ja nun auch wieder nicht.

Es könnte schlimmer sein. Leg dich wieder hin, du Affe.

Du hast auch ganz schöne Rundungen, sagte ich. Gerda setzte sich im Bett auf, sah mich betroffen an. Dann sprang sie wieselflink aus dem Bett, stellte sich neben mich, betatschte ihren Bauch, strich ihre Schenkel bis zum Ypsilonwald, drehte sich, sah über die Schulter in den Spiegel, schüttelte mehrmals den Kopf, sprang wieder ins Bett, beruhigt: Mir gefällt's.

Bei mir macht das die Arbeit, sagte ich, das ewige Sitzen. Im Werk, im Auto, zu Hause.

Gerda warf mir einen spöttischen Blick zu. Schau dir Fred an, der sitzt nie, bewegt sich immer, und dabei hat er ein steifes Bein. Der könnte bestimmt noch mehr im Bett als du.

Ich kann ihn ja mal fragen, sagte ich.

Sicher kannst du das. Vielleicht sagt er zu.

Woher weißt du denn das, fragte ich.

Sie blickte an die Decke. Weiß ich nicht, denke ich mir. Leute wie Fred sind zu allem fähig . . . aber nun Schluß. Gerda machte das Licht aus. Erzähl mir lieber, wie das damals war . . . Sag mal, wann war das eigentlich genau?

Genau? Ich hatte mich zugedeckt, es war kühl geworden ohne Schlafanzug. Das war Achtunddreißig . . . im September . . . ja . . . kurz vor dem Einmarsch der Deutschen, wart mal, am ersten Oktober sind die einmarschiert . . . dann war es also . . . ja am 29. September Achtunddreißig war das, abends, ja, es war Abend.

Meine Mutter schob mir den Teller zu.

Iß jetzt, dann tust schlafen.

Ich mag aber nicht essen. Vater ist nicht da.

Essen tust, hab ich gesagt. Vater tut später kommen. Die Wiese mähen und Heu einfahren tun sie und dann essen und was trinken. Das dauert schon was. In diesem Augenblick flog die Tür auf. Schneidertoni stand keuchend im Zimmer.

Gretl, brachte er stotternd heraus, du mußt weg, sofort, die Henleinleute sind hinter dir her.

Mutter ließ das große Brotmesser auf den Tisch fallen, setzte sich, stierte Schneidertoni an.

Was tust sagen, Toni? Fort soll ich müssen? Aber ich hab doch nix angestellt . . . Paul, tu essen, tu nicht so schauen.

Die sind hinter dir her, Gretl. Ich hab's gehört. Beierl ist der schlimmste. Eine rote Armbinde hat er und ein Gewehr, und am Gürtel hat er Patronen. Der Beierl ist hinter dir her, die Sau. Ein Gewehr hat er und bei den Henlein ist er und Patronen hat er im Gürtel.

Aber Toni, ich hab doch nix angestellt, sagte meine Mutter. Sie schob mir die zweite Schnitte Brot zu, der Sirup tropfte durch meine Finger.

Den Albert haben sie drüben abgeholt, aber nicht die Henlein, das waren Reichsdeutsche.

Nein! Das ist nicht wahr, schrie meine Mutter und sprang auf.

Gretl, es ist wahr, du mußt weg mit dem Buben, die sind hinter dir her, den Albert haben schwarze Uniformen geholt, von der Wiese weg, vom Mähen, ich tu es wissen, ich hab's doch gehört, der Beierl ist jetzt der schlimmste, der hat ein Gewehr und ist bei den Henlein.

Vater, fragte ich. Warum denn? Vater hat doch nichts gemacht, der ist doch zum Mähen nach Hundsbach.

Ja, zum Mähen ist er, sagte meine Mutter. Paul, tu doch aufpassen, du schmierst den Sirup über den ganzen Tisch.

Von der Wiese haben sie ihn geholt, schwarze Uniformen waren es, sagte Schneidertoni.

Mutter stand am Tisch, sie knetete ihr Taschentuch von einer Hand in die andere, sah auf mich herunter und schrie dann: Paul, essen mußt jetzt, feste essen, mußt was im Magen haben.

Schneidertoni lief in der Küche herum, er war aufgeregt, ich hatte ihn so noch nicht gesehen, schließlich packte er meine Mutter, schüttelte sie an Schultern: Gretl, du mußt jetzt weg, denk an den Buben, schnell, der Beierl hat gesagt, du bist die erste, die dran ist. So Zeug wie ihr seid, so Zeug muß man aufhängen.

Aber Schneidertoni, die können mir doch nichts tun, und der Beierl erst recht nicht, der ist dem Albert noch fünfzehn Kronen schuldig für die Stiefel, die der Albert gemacht hat. Und die Tschechen sind doch da, die tun uns doch beschützen.

Die Tschechen? In ganz Eger gibt es keinen Tschechen mehr, in München ist eine Konferenz, da sind auch Engländer und Franzosen. Durchs Radio ist gekommen, daß die Deutschen einmarschieren.

Schneidertoni, wo soll ich denn hingehen? Mit den Tschechen nach Pilsen, wo doch Albert nicht da ist und wo ich nicht tschechisch tu sprechen und doch eine Deutsche bin?

Geh zu deiner Mutter nach Waldsassen.

Zu meiner Mutter? Aber da bin ich ja bei den Deutschen, die Albert geholt haben von der Wiese weg beim Mähen.

Doch Gretl, bei deiner Mutter bist erst mal sicher, bis der ganze Zauber hier vorbei ist.

Wo sie den Albert wohl hingebracht haben, wo doch der Albert nie nix gemacht hat und war freundlich zu allen Leuten, und der Beierl sagst ist der schlimmste, wo er doch dem Albert noch fünfzehn Kronen tut schuldig sein für die Stiefel.

Das ist jetzt scheißegal, schrie Schneidertoni, abhauen mußt jetzt. Die Henleinleute tun alle holen, die nichts wissen wollten von den Henleinleuten die ganzen Jahre. In der Kaiserburg haben sie schon einen ganzen Haufen Leute eingesperrt, und der Beierl stolziert rum als ob er General wäre und sagt den Leuten, er wird ihnen das Strammstehen schon beibringen. Der läßt die Leute jetzt Heil Hitler schreien, und ihm ist es immer noch zu leise.

Aber, Schneidertoni, wir sind doch auch so deutsch wie die Henleinleute, der Bub und ich.

Gretl, komm jetzt, der Albert, der ist kein Deutscher, der ist Bibelforscher und die sind schlimmer als Kommunisten und keine Deutschen, und du bist verheiratet mit einem Bibelforscher, deshalb bist auch wie Albert ein Bibelforscher und ein Kommunist.

Aber der Bub ist doch evangelisch, schrie meine Mutter.

Evangelisch. Das tut doch noch schlimmer sein als Kommunisten, wo die hier alle sind so katholisch. Los jetzt, Gretl. Evangelisch, Bibelforscher oder Kommunist, das tut alles nicht deutsch sein im Sudetenland.

Mutter hatte Angst, ich sah es, sie knetete ihr Taschentuch, warf es dann auf den Tisch, sie lief ins Schlafzimmer, brachte den großen Rucksack angeschleppt, in den stopfte sie Wäsche und was sie gerade zwischen die Finger bekam, obenauf legte sie einen Laib Brot, sie verschnürte den Rucksack, Schneidertoni half ihr dabei, dann lief sie weg und brachte den kleinen Rucksack, den ich immer auf Schulwanderungen aufhuckle, sie suchte meine Bücher aus der Schultasche, packte sie in den Rucksack.

Schulbücher braucht der Bub nicht, sagte Schneidertoni.

Der Bub kann nicht sein ohne Schulbücher, wer weiß wie lange der Zauber dauert, und da muß der Bub lesen und lernen.

Im Radio haben sie gesagt, am ersten Oktober tun sie einmarschieren die Deutschen. Um sechs morgens geht es los. Oder um fünf.

Das tut übermorgen sein. Komm Paul, tu dich anziehen, die genagelten Schuhe, Mantel mitnehmen müssen wir auch.

Ist so warm draußen, sagte ich.

Nachts ist es kalt. Los Bub, wenn der Beierl nicht mehr Heil Hitler schreit, dann tut er kommen. Und dem Vater seine fünfzehn Kronen tut er nicht bezahlen, der Lump.

Mutter hatte gepackt, sie verschloß alle Schränke, Vaters Werkstatt, alle Türen, dann standen Mutter und ich, die Rucksäcke gehuckelt, in der Küche. Mutter sah Schneidertoni an, der horchte aus dem Fenster. Schneidertoni war unruhig.

Gretl, paß auf, flüsterte er, die Leute im Haus tun anständig sein, die werden nichts sagen, auch wenn sie sollten was sehen. Ich geh jetzt, ich komm wieder mit meinem Auto, dann springt ihr beide auf die Ladefläche, aber schnell muß es gehen, ich tu euch aus der Stadt rausfahren, dann müßt ihr schon selbst sehen wie ihr weiterkommt. Vielleicht gehst nicht schnurstracks in Richtung Waldsassen, vielleicht gehst in Richtung Schirnding. Am Teich vorbei und dann auf deutscher Seite weiter, vielleicht über Kappel, da mußt aber aufpassen, da soll alles voll Militär liegen im Wald. Aber direkt nach Waldsassen über Hundsbach, da gehst nicht, Gretl, da könnten Henleinleute sein auf der Straße und im Wald bis zur Grenze.

Das hält der Bub nicht aus, sagte meine Mutter. In der Nacht und der weite Weg.

Der Bub muß das aushalten, der Bub ist groß, denk dran, daß die Henleinleute sind hinter euch, weil Albert mal gesagt hat im Goldenen Bären, so gut wie bei den Tschechen kriegen wir es nicht bei den Deutschen, weil da alle Männer zum Militär müssen und müssen schießen lernen. Wo doch der Beierl gern General wäre, und in der Burg läßt er die Leute exerzieren, und der alte Studienrat Moser ist auch dabei, wo der doch Asthma hat, und soll noch schlimmer sein wie der Beierl, und dabei ist der Moser ein Jud.

Schneidertoni ging, Mutter und ich horchten zitternd an der Tür, warteten, daß er mit dem Wagen vorgefahren kam.

Das Haus selbst war still, wie ausgestorben. Mutter hatte den Arm um mich gelegt, drückte mich, und ich sagte: Mutter, lassen wir doch die Schulbücher da, die sind so schwer. Großmutter hat auch Bücher, da kann ich von Großmutter Bücher kriegen.

Großmutter hat andere Bücher, sagte meine Mutter. Sei still jetzt, daß wir den Schneidertoni können hören, wenn er kommt.

Zwei, drei Mal fuhren Autos vorbei, Lastwagen, dann aber war Schneidertoni zurück.

Ich lief aus dem Haus, sprang hinten auf seinen Dreiradwagen. Mutter schloß mit einer Ruhe, die mich zittern ließ, die Haustür ab, dann kroch sie zu mir herauf. Schneidertoni schob etwas nach. Toni hatte noch die leeren Gemüsekisten vom Wochenmarkt auf der überplanten Pritsche. Als Toni losfuhr, schob Mutter einige leere Kisten vor uns, damit uns von draußen keiner sehen konnte. Sie legte sich flach, zog mich zu sich herunter. Wir lagen auf unseren Rucksäcken wie auf Kissen.

Und jetzt tust still sein, flüsterte sie, was auch passiert, der Schneidertoni wird schon wissen, was er tut.

Mir kam es vor, als ob der Schneidertoni wie ein Wahnwitziger durch die Stadt raste, es schüttelte Mutter und mich hin und her, ich fiel auf meine Mutter, Mutter auf mich, und ich wollte schon an die Rückwand des Führerhauses trommeln, da auf einmal hörte ich Stimmen und gleich darauf hielt auch der Schneidertoni. Wir atmeten kaum.

Mußt stumm sein, zischte meine Mutter.

He, Toni! Wo fährst denn hin, hörte ich jemand sagen.

Ach Girgl, du bist es. Ich bring die alten Kisten raus aufs Feld, da liegen doch 40 Mann vom Freikorps, die friert, die Nächte sind kalt geworden, die müssen Feuer haben, ich spendier meine Kisten.

Mensch Toni, deine schönen Kisten. Die finden schon Holz draußen.

Pfeif auf die schönen Kisten, Girgl, wenn's unsere Leut kalt haben.

Ich wollte schreien vor Angst, als ich hörte, wie ein Mann um das Dreirad ging, Mutter hielt mir den Mund zu, drückte mich auf den Boden. Ich hob den Kopf etwas, sah einen Schatten durch die Kistenspalten, dann hörte ich wieder die Stimme des Mannes, der Girgl hieß: Du Toni, da haben welche erzählt, der Hitler tut selber kommen, über Asch soll er kommen nach Eger, hat einer erzählt. Das wär schon was, Toni, dem täten wir einen Empfang geben, der Führer muß ewig an Eger denken.

Wird wohl wieder so ein Gerede sein, hörte ich den Schneidertoni sagen.

Mutter flüsterte: Wenn der Toni doch fahren tät, das alte Weib muß immer quatschen . . .

Und ich sage dir, Toni, der Führer tut uns bevorzugen, weil Eger immer so treu war zum Reich.

Ja, hörte ich Toni, aber jetzt muß ich fahren, Girgl, die Leute auf dem Feld tun sonst frieren.

Kommst noch in den Krug heut nacht, Toni? Müssen noch bereden, wie wir das veranstalten mit dem Einmarsch und wenn der Führer tut kommen.

Heut noch? Wird zu spät werden.

Der Beierl hat schon einen Plan gemacht . . .

Fünfzehn Kronen ist er dem Vater noch schuldig, grollte meine Mutter.

. . . wie wir die empfangen. Und dann haben wir in der Burg alle eingesperrt, die gegen den Einmarsch waren, und wenn die Deutschen tun kommen, brauchen die dann bloß Lastwagen zum Abtransportieren. Ein paar laufen noch frei herum, aber weit tun die nicht kommen.

Jaja, Girgl, laß dir die Wache nicht lang werden, Girgl.

Endlich fuhr Schneidertoni los.

Hast ihn kennt, zischelte meine Mutter, das war der Wagner Girgl, der verfluchte Hund. Hat sich immer vom Vater im Krug die halbe Bier bezahlen lassen, weil der Girgl vor lauter Not hint und vorne nicht hoch konnt. Der Kerl, und jetzt tut der Straßenwache machen, da gibt's bestimmt Schnaps bei der Wache, und jetzt sind sie alle stark und tun nicht ihre Schulden bezahlen. Aber eine Gerechtigkeit wird's schon geben, Bub. Eine Gerechtigkeit.

Der hätte uns aber nichts getan, wenn er uns entdeckt hätte, sagte ich.

Was glaubst du, was die heute alle tun. Die sind doch alle keine Menschen mehr, seit der Henlein die Armbinden hat verteilen lassen und die weißen Hemden, nie weiße Hemden haben sie sich kaufen können, die armen Schlucker, und jetzt kenn's nicht mehr die Leute, bei denen sie Schulden haben tun. Bub, lieber Paul, tu dran denken, wenn wir da rauskommen sollten, denk dran, daß die alle zum Satan geworden sind, denk dran, die Leute darfst nicht mehr kennen, nie mehr, die darfst auch nicht vergessen, wenn du mal so alt sein wirst wie ich und noch älter, darfst sie nicht vergessen, wie es doch eine Gerechtigkeit geben wird.

Das Schütteln und Rütteln des Wagens wurde leiser, ruhiger, Schneidertoni mußte auf der Teerstraße nach Hundsbach sein. Dann aber warf es Mutter und mich hoch, ich stieß mit dem Kopf an das Reserverad am Führerhaus, ich schrie, dann stand der Wagen.

Gretl, Bub, flüsterte Toni. Schickt euch, schnell.

Wo sind wir denn, Toni, fragte Mutter leise zurück.

Siehst den Schatten drüben, den großen, das ist die alte Scheune von der Brauerei.

Dann kenn ich mich schon aus. Dank dir schön, Toni.

Toni sprang ins Auto, er setzte das Dreirad rückwärts auf die Hauptstraße, wendete, fuhr nach Eger zurück.

Mutter packte mich an der Hand, wir liefen auf die Scheune zu, aber nicht in die Scheune, sondern in weitem Bogen um die Scheune herum über ein Kartoffelfeld, das ausgerissene Kartoffelkraut verfing sich an meinen Füßen, dann hasteten wir einen Hohlweg entlang, ich kannte zwar die Gegend gut, denn in den Ferien und auch nach dem Unterricht waren wir immer in die Umgebung der Stadt an die Weiher zum Baden gefahren, bis zur Grenze und auch hinüber, uns Jungen kontrollierte ja keiner, weder Tschechen noch Deutsche, aber jetzt war mir die Gegend fremd, unheimlich. Ich hatte Angst.

Wenn uns aber der Schneidertoni verrät, keuchte ich.

Der tut keine verraten, sagte meine Mutter.

Woher willst das wissen.

Das weiß man.

Es war stockfinster geworden, ich schwitzte, meine Mutter keuchte, aber sie zog meine Hand nur fester, sie lief nach vorn gebeugt, der schwere Rucksack drückte sie, mir war, als laufe sie immer schneller, ich war nach einiger Zeit schon zum Umfallen müde, ich riß meine Hand aus der ihren, blieb stehen, aber meine Mutter kehrte um, riß mich wieder zu sich, und einmal sagte sie: Los Bub. Bei Großmutter hast ein Bett.

Aus der Nacht sprangen Schatten. Ich hatte Angst. Die Schatten waren Bäume, Sträucher, ein Strohhaufen. Ein Hund kläffte, andere Hunde fielen ein, aber das Kläffen war weit weg. Trotzdem ängstigte es mich, weil ich glaubte, die Hunde wären ausgeschickt worden, uns zu suchen. Mutter umschlich die einzelnen Bauerngehöfte, als wäre es heller Tag, sie kannte hier jeden Meter, sie mußte einen Kompaß im Gehirn haben; wir liefen über Kartoffeläcker, über Stoppelfelder, über Brachen und über Wiesen, einmal stieß ich an einen auf dem Feld vergessenen Pflug, ich schrie auf, wollte wieder schreien, Mutter hielt mir den Mund zu.

Bist verrückt, schimpfte sie. Überall können welche lauern mit Armbinden. Es tut nicht weh.

Und dann waren wir im Wald. Ich ließ mich auf meinen Rucksack plumpsen, wollte losheulen.

Tu still sein, sagte meine Mutter leise. Bei Großmutter hast du ein Bett.

Großmutter ist noch weit, sagte ich. Ich begann zu frieren.

Wenn wir jetzt gut laufen tun, Bub, sind wir in einer Stunde an der Grenze. Es ist jetzt elf.

Mutter stapfte vor mir her, wir hörten nur unsere Schritte, die Äste knackten unter unseren Schuhen, die Zweige klatschten um und auf unsere Gesichter, es war so Nacht, daß ich meine Mutter mehr spürte als sah. Ich hatte das Gefühl, der Wald sei totenstill und laut zugleich, da lief ich auf meine Mutter auf, wollte wieder aufschreien, aber sie hielt mir den Mund zu, noch ehe ich ihn öffnen konnte.

Paul, ganz still, da ist wer, hauchte sie dicht an meinem Ohr. Ich stand zitternd an sie gelehnt, mir war alles gleich, ob da nun einer war oder keiner, mir zitterten die Beine.

Wir lehnten uns an einen Baum, warteten, unterdrückten unser Keuchen, ich hörte nur meinen eigenen Atem, mein Herz schlagen, da aber mußte ich husten. Mutter warf mich zu Boden, drückte mein Gesicht in den Waldboden, in die Fichtennadeln, ich hustete in den Boden, in die Nadeln, mein Mund füllte sich mit Nadeln.

Wir müssen jetzt warten, sagte sie kaum hörbar, da war wer. Da waren Männer, die haben geredet. Wir tun warten, bis sie gegangen sind.

Nach einer Ewigkeit schlichen wir weiter, sie führte mich anfangs an der Hand, ließ mich dann los. Im Hochwald schließlich wurde es besser. Ich sah Mutter vor mir wie ein Hutzelmännchen, mit Buckel und Zipfel. Aber auch der Hochwald hatte seine Tücken, ich stolperte über Wurzeln, der Rucksack rutschte über meinen Kopf, die Knie und Schienbeine taten mir weh, ich weinte nun wirklich und laut. Hätten wir doch die Schulbücher daheim gelassen, Mutter, die sind so schwer, so schwer.

Mutter setzte sich neben mich, nahm ihren Rucksack ab, half mir meinen abnehmen. Sie schnürte ihren Rucksack auf, nahm das Brot heraus, schnitt um den Laib, es roch nach Mehl und Backofen, sie gab mir den obersten Kanten und ein Stück Rauchfleisch. Ich aß gierig, glaubte schon, ich wäre am Verhungern.

Laß uns hierbleiben Mutter, ich kann nicht mehr.

Sei still jetzt, tu essen, schmatz nicht so laut. Bei Großmutter tust ein Bett haben, Großmutter hat gute Betten. Und dann sagte sie noch: Es wird schon eine Gerechtigkeit geben, Paul. Eine Gerechtigkeit.

Ich vergaß zu essen, ich sah plötzlich etwas, hörte etwas. Ich flüsterte: Mutter, da ist was, da sind Leute.

Ich hörte sie leise auflachen. Das sind keine Leute, murmelte sie, das sind Rehe.

Die Rehe liefen an uns vorbei durch den Hochwald, so nahe, ich hätte sie greifen können. Die Rehe liefen langsam, äsend, es waren vier, vielleicht mehr.

Mutter, wo sind wir jetzt?

Nicht so laut, Bub. Wenn wir jetzt durch den Hochwald sind, tut eine Schonung kommen, nach der Schonung ein Hohlweg, ein ganz tiefer, kennst den Hohlweg, da haben wir immer Vesper gemacht mit Vater, wenn wir haben Schwammerl gesucht. Rechts von dem Hohlweg tut man nach Schirnding kommen, links geht es nach Hundsbach. Wir tun aber geradeaus gehen wieder durch einen Wald. Du mußt aber jetzt nicht mehr heulen, mußt stramm hinter mir hergehen, wir müssen bei Großmutter sein, bevor es hell wird. Bei Großmutter hast du ein Bett.

Dann gingen wir.

Der Hohlweg war schwärzer als die schwarze Nacht, aber wir konnten den Weg sehen.

Ich tu erst rüber gehen, flüsterte Mutter, dann pfeif ich, dann kommst du, dann tust nicht springen, wie du es immer tust, das hört man weit, du tust rutschen und kriechen. Bei Großmutter können wir das Gewand wieder waschen.

Bleib hier, Mutter, ich hab Angst, sagte ich.

Glaubst du, Bub, ich tu keine Angst haben, antwortete sie. Aber da war Mutter schon über den Weg gelaufen, auf die gegenüberliegende Böschung geklettert, ich lief hinter ihr her, ohne ihr Pfeifen abzuwarten.

Das mußt nicht mehr tun, das war falsch, Paul; wenn ich sage, wart bis ich pfeifen tu, dann mußt warten bis ich pfeifen tu.

Wir liefen wieder durch Unterholz, der Weg war ohne Ende. Mir war, als liefen wir im Kreis, denn der Zeit nach hätten wir längst an der Grenze sein müssen.

Da lichtete sich der Wald. Weit, ganz weit ein Licht.

Das ist der Bäumlerhof, flüsterte meine Mutter. Da ist die Grenze.

Weiß doch, Mutter, am Bäumlerhof geht die Grenze durch den Kuhstall.

Jaja, flüsterte meine Mutter wieder, aber über den Hof können wir nicht, da sind vielleicht schon Soldaten.

Mutter, ich kann nicht mehr, die Schulbücher sind so schwer, ich werf sie weg.

Du tust die Schulbücher mitnehmen, in die Bücher hat doch Vater deinen Namen geschrieben.

Sie nahm mich wieder an der Hand, wir überquerten eine Wiese, überall Schatten, das einzelne Licht kam näher, dann aber bog meine Mutter nach links ab, vom Licht fort, ich zerrte sie heftig am Arm, sie aber hielt mich fest, murmelte vor sich hin, ich verstand kein Wort, das einzelne Licht wurde blasser, wir standen wieder in einem Kartoffelacker.

Gute Ernte tun sie dieses Jahr haben, die Bauern, sagte meine Mutter, ich wunderte mich, weil sie nicht flüsterte, sondern ganz normal sprach.

Der Boden war schleimig, ich rutschte dauernd aus, das Kartoffelkraut schlang sich um meine Beine, dann waren wir wieder auf einer Wiese und vor einer Wand, die schwärzer war als die Nacht. Es war wieder ein Stück Wald, und meine Mutter sagte: Paul, tust den Stein schon sehen? Dort, zwischen den zwei Buchen?

Ich sah weder Buchen noch sonst was, ich fiel einfach um. Ich konnte nicht mehr. Wie konnte sie mich nur so quälen, sie, die immer nur sagte: Mein Bub. Mein guter Bub.

Jetzt war sie grausam, jetzt schlug sie mich zum ersten Mal, und ich war doch wirklich fertig, konnte nicht mehr laufen. Der Rucksack mit den Büchern lag auf mir wie ein Stein.

Sie ließ sich neben mir nieder, sie zog ihre Knie zum Kinn, der Rucksack zog sie immer wieder nach hinten. Sie tätschelte mich, und ich hätte sie dafür anspucken mögen.

Der Stein ist die Grenze, sagte sie. Es ist zwölf. Wenn wir gut gehen, tun wir in zwei bis drei Stunden bei Großmutter sein. Bei Großmutter hast ein Bett, da kannst schlafen.

Sie huckelte ihren Rucksack ab, schnitt Brot und ein Stück Rauchfleisch, wollte es mir geben, aber ich hatte keinen Hunger, ich stieß ihre Hand mit dem Brot fort, ich hatte Durst.

Und ich hab die Thermosflasche vergessen, sagte sie, daß mir das passieren muß, mir.

Sie stand auf, schlurfte auf einen Schatten zu, sie rief leise, ich warf meinen Rucksack zu Boden, lief auf sie zu, flüsterte: Das sind junge Buchen, du mußt die Blätter ablecken, das hilft, die Blätter sind schön feucht. Ich leckte und leckte, aber mein Durst wurde eher größer.

Großmutter tut immer Sprudel im Haus haben und Milch hat sie auch im Keller, wirst es schon aushalten. Daß ich die Thermosflasche hab vergessen, daß mir das passieren muß, daß . . .

Da fiel ein Schuß.

Mutter warf sich auf den Boden, riß mich mit. Sie legte sich halb über mich.

Das war ganz in der Nähe, flüsterte sie. Um die Zeit tun aber keine Jäger mehr schießen auf Wild, das sind andere Jäger.

Dann fiel ein zweiter Schuß. Der war so laut, als ob er neben uns abgefeuert worden wäre. Der Schuß war sehr laut, sehr schrecklich.

Das war aber kein Gewehr, flüsterte meine Mutter.

Wir blieben liegen, meine Angst verlor sich allmählich, Mutter lag über mir, ich leckte den feuchten Boden, wie ein Hund seine Pfoten, der Boden war Moos und Preiselbeersträucher, und mein Durst war nicht mehr so mächtig. Wir wollten aufstehen, aber da hörten wir Stimmen.

Bleib liegen, flüsterte Mutter, bleib liegen.

Mehrere Männer gingen ganz dicht an uns vorbei, wir sahen sie nicht, wir hörten sie nur, wir hörten sie aber nicht so deutlich, daß es möglich war zu unterscheiden, ob tschechische oder deutsche Worte gesprochen wurden. Einer lachte laut. Wir sahen auch nicht, ob sie auf deutscher oder tschechischer Seite liefen, wir hörten nur Stimmen, keine Worte, die Schritte der Männer verschluckte der moosige Boden, weit weg bellten Hunde.

Die verdammten Hunde tun die halbe Welt zusammenbellen, wisperte Mutter, die verdammten Köter, die Leut sollen ihnen was zu fressen geben, dann tun sie nicht mehr bellen.

Ich weiß nicht, wie lange wir lagen. Die Männer waren vorbei, die Hunde verstummt. Meine Mutter huckelte ihren Rucksack auf, ich lief hinter ihr her, dann waren wir auch schon am Grenzstein. Mutter stützte sich auf den Stein, ich fuhr mit dem Zeigefinger die Kerbung auf der anderen Seite des Steines ab, ich fühlte ein D und darunter ein B. In der Schule hatten wir gelernt, es heißt: Deutschland, Bayern.

Jetzt sind wir über der Grenze, Gott sei Dank, sagte meine Mutter, jetzt können uns die Henlein-Leute, die verdammten, nix mehr tun, komm Bub, jetzt brauchen wir nicht mehr so viel durch Wald zu laufen. Aber reden darfst nix, Paul, sind zwar keine Henlein mehr, aber Militär tut hier herumliegen.

Wir erreichten endlich eine asphaltierte Straße, auf der gingen wir lange, ohne etwas zu hören, ohne etwas zu sehen, nur links und rechts türmten sich die Schatten, die ganze Welt schien nur Schatten zu sein. Nirgendwo Licht, kein Hund bellte, ich lief, schwitzte, fror, dachte an Großmutters Bett.

Sind wir denn richtig, Mutter?

Tu nicht fragen, lauf. Wir laufen über Kappel, wie der Schneidertoni hat gesagt, der kennt sich aus, der tut alles wissen, der Schneidertoni ist schlau.

Jaja, sagte ich.

Schneidertoni war unser bester Bekannter, er mochte nicht, daß Vater in solche Versammlungen ging, wo sie aus der Bibel lasen, und einmal hörte ich Schneidertoni zornig zu meinem Vater sagen: Ihr Bibelforscher könnt die Welt auch nicht retten, aber Narren muß es geben. Und was der Schneidertoni sagte, das galt bei uns, er betrieb einen Gemüse- und Obsthandel und mit Kartoffeln handelt er auch, er kam weit herum, auch auf die deutsche Seite ist er immer gekommen und geschmuggelt hat er auch. Mein Vater sagte immer: Der schmuggelt mehr, als die ganze Stadt Eger sauft und raucht.

Da hörten wir Motoren. Meine Mutter stieß mich in den Straßengraben, sie legte sich wieder halb auf mich, sie war schwer, der Boden zitterte, ich sah unter Mutters Last hoch, sie drückte meinen Kopf, aber ich sah, es waren Panzer, und hinter den Panzern fuhren Lastwagen, es war alles so laut geworden. Meine Angst war wieder da.

Mutter zog mich aus dem Graben in den Wald.

Das waren Deutsche, sagte sie, morgen oder übermorgen fahren sie nach Eger.

Wir saßen am Waldrand, und ich fragte Mutter: Warum

reißen wir eigentlich aus, Mutter. Die andern in meiner Klasse freuen sich, weil die Deutschen kommen, Warum freuen wir uns nicht?

Komm, sagte sie, wir müssen weiter.

Wir liefen am Straßenrand entlang, bis ein Weg, an dem Langholz gestapelt war, von der Straße abzweigte, dann gingen wir diesen Weg, einen Berg hinauf, der Wald war hier durchsichtiger. Seit wir den Grenzstein hinter uns hatten, war alles heller und durchsichtiger geworden.

Das Wald hörte auf. Mutter sagte: Jetzt haben wir es geschafft, Bub, jetzt tut uns keiner mehr was. Da drüben ist Kappel, um Münchenreuth haben wir einen Bogen gemacht. Zwar konnte ich die berühmte Kirche von Kappel nicht sehen, aber wenn sie es sagte, dann stand die Kirche da. Mutter war eine gescheite Frau.

Mutter lief auf der deutschen Seite nicht mehr so vorsichtig wie auf der tschechischen, wir liefen über Wege und Straßen, nicht mehr durch Unterholz und über Felder, wir liefen in Kappel zwischen der Kirche und dem Gasthof hindurch, unter den großen Bäumen lang, und ich kannte mich wieder aus. In der Kirche hatten wir manchmal Fangen gespielt, Räuber und Gendarm. Dann waren wir schon wieder in einem Wald, aber ich wußte, wenn wir heraus sind, liegt Waldsassen in einem Tal vor uns. In Waldsassen wohnt Großmutter, die hat ein Bett für mich.

Nun flüsterte Mutter nicht mehr, sie lachte manchmal, sie war wieder so, wie ich sie kannte, sie strich mir manchmal übers Haar. Es regnete leicht, eher wie Nebel, aber es war lästig, das Wasser lief mir über das Gesicht.

Bald sind wir da, sagte Mutter. Bei Großmutter hast du ein Bett, da tust dich ausschlafen. Großmutter wird sich schön erschrecken, wenn wir stehen mitten in der Nacht vor ihrem Fenster.

Großmutter wird aber fragen, sagte ich, Großmutter fragt immer.

Da schrie vor uns ein Mann: Halt! Nicht weiter!

Ich schrie auf, meine Mutter umklammerte mich, ich sah niemand, weil uns jemand mit einer Taschenlampe ins Gesicht leuchtete, wir standen und zitterten, auch Mutter zitterte. Dann verlosch die Lampe, viele Männer in Uniform standen um uns, sie trugen Gewehre, und einer fragte uns: Wo kommen Sie her? Wo wollen Sie hin? Ausweis!

Von drüben, sagte meine Mutter. Sie sagte es so laut, wie der Soldat geschrien hatte. Und dann sagte sie etwas, was noch nie über ihre Lippen gekommen war: Heil Hitler! Und sie hob den Arm.

Wir sind da drüben weg, die Tschechen waren hinter uns her, sagte sie.

Ich wollte auch etwas sagen, aber Mutter hielt mir den Mund zu.

Wo kommen Sie jetzt her?

Durch den Wald da. Einer ist gekommen in Eger zu uns und hat uns gewarnt, hat gesagt, die Tschechen sind hinter uns her, nehmen uns mit, wenn sie abziehen.

Geben Sie mir Ihren Ausweis.

Mutter gab dem Mann in Uniform etwas aus ihrer Manteltasche, der Mann in Uniform blätterte, er trug eine Taschenlampe auf der Brust, der Mann brummte vor sich hin, sagte: Das ist ja ein Ding, kommen Sie mitten in der Nacht.

Wir mußten hinter dem Mann herlaufen, neben uns waren noch mehr in Uniform, sie hatten Gewehre auf dem Rücken hängen. Dann standen wir auf einer Lichtung mitten im Wald, da waren Panzer und noch mehr Soldaten, und Autos waren da, es roch nach Essen, ich hatte Hunger. Der Mann, der uns hergeführt hatte, schlug plötzlich vor einem anderen die Stiefel zusammen und sagte etwas von zweifelhaften Leuten. Der trat auf uns zu, sah erst mich an, dann meine Mutter, dann wieder mich und sagte schließlich: Na, kleiner Mann, kommst aus Eger?

Jawohl, schrie ich. Er hatte glitzerndes Zeug auf den Schultern. Es war sehr hell im Wald und auf dem Platz, und es roch immer stärker nach Essen, und mein Hunger wurde immer mehr.

Wo willst denn hin, fragte er mich wieder.

Zu meiner Großmutter, sagte ich. Mutter umklammerte mich.

Wo wohnt denn deine Großmutter?

In Waldsassen, in der Bäckergasse, Hausnummer 14, sagte ich.

Prima, sagte der Mann mit so viel weißem Zeug auf der

Schulter. Und die Tschechen waren also hinter euch her?

Ich schwieg, wußte nichts zu sagen, meine Mutter puffte mich, und ich sagte dann: Einer ist am Abend gekommen und hat gesagt, daß die Tschechen hinter uns her sind. Da hat meine Mutter den Rucksack gepackt und wir sind fortgegangen, durch den Wald. Und finster war's im Wald.

Wo ist denn dein Vater, kleiner Mann. Der Mann in Uniform mit so viel Weiß auf den Schultern lächelte mich an, er sprach sehr laut und sehr deutlich, wie die Lehrer in unserer Schule.

Meine Mutter sagte schnell: Der ist bei dem Henleinfreikorps, der weiß nix, überhaupt nix, daß wir weggelaufen sind aus Eger. Mein Mann tut an der Grenze Wache halten, der hat jetzt eine Binde um den Arm.

Soso, sagte der Mann mit so viel Weiß auf den Schultern.

Ich hörte den, der uns angehalten und hergebracht hatte, sagen: Herr Oberleutnant, wir sollten die Rucksäcke durchsuchen.

Ja, durchsuchen Sie!

Wir mußten unsere Rucksäcke abhuckeln, und zwei Männer in Uniform mit Gewehren auf dem Rücken wühlten in unseren Rucksäcken und sie fanden angeschnittenes Brot und Rauchfleisch und Wäsche und in meinem Rucksack die Schulbücher, und der Oberleutnant nahm die Bücher in die Hand und blätterte und sagte dann: Ach, der kleine Mann ist auf der deutschen Bürgerschule.

Und meine Mutter: Der Beste ist er in der Klasse. Aber weil er immer für Hitler war, da haben sie ihm schlechte Noten gegeben.

Der Oberleutnant sah mich an, er war ein schöner Mann, groß, und er trug eine schöne Uniform, dann sah er meine Mutter an und wieder mich.

Was soll ich denn jetzt mit euch machen, fragte er.

Da fielen wieder Schüsse, mehrere Male hintereinander, und der Oberleutnant wurde zornig und sagte: Diese Henlein-Heinis ballern vielleicht durch die Weltgeschichte. Na wartet, wir bringen euch schon Disziplin bei, laßt uns erst mal da sein . . . ja, also, was sollen wir mit euch machen?

Bittschön, sagte meine Mutter, vielleicht könnten Sie ein Auto haben und uns fahren lassen nach Waldsassen, der Bub ist nämlich ganz müd, der kann nicht mehr laufen, die ganze Nacht sind wir gelaufen über die Felder und durch den Wald.

Da lachte der Oberleutnant, sagte etwas, ich verstand ihn aber nicht. Ein Auto kam, ich hatte so eins noch nicht gesehen, ein Soldat saß am Steuer, der sagte zu uns: Einsteigen!

Ich sah mich um, Mutter umklammerte mich, wir gingen auf das Auto zu, da rief der Oberleutnant: Ach, unser kleiner Mann hat noch keinen Panzer gesehen, Na, dann zeigt ihm mal einen.

Ein Soldat führte mich zu einem großen Schatten, ich durfte hinaufklettern und die große Kanone anfassen. Das Rohr war sehr kalt, und ich durfte auch in die Öffnung steigen, und in der Öffnung war es warm und alles war furchtbar aufregend, und der Oberleutnant lachte und sagte, als ich wieder unten stand: Na kleiner Mann, was willst denn mal werden?

Offizier, bittschön, sagte meine Mutter, und der Oberleutnant lachte.

Warum eigentlich nicht, wenn er der Beste in seiner Klasse ist.

Dann stiegen Mutter und ich in das Auto, und als das Auto abfuhr, hörte ich den, der uns angehalten hatte, sagen: Herr Oberleutnant, die Leute drüben machen schon was mit. Die Tschechen müssen ja Bestien sein. Das sind schon die vierten, die wir geschnappt haben.

Morgen ist es vorbei, hörte ich den Oberleutnant sagen.

Die Fahrt nach Waldsassen war ein Katzensprung, ich hatte viel zu sehen, obwohl es noch Nacht war, und meine Mutter saß neben mir und drückte mich immer wieder an sich und sagte: Du bist ein kluger Bub, ein kluger. Und vor sich hin sagte sie: Mußt immer sagen, was die hören wollen, dann tut alles glattgehen.

Unterwegs am Straßenrand sahen wir viele Autos, Lastwagen, Panzer und viele Soldaten, aber wir hörten keine Schüsse mehr und ich hatte keine Angst. In Waldsassen fuhr der Mann vor die Stiftskirche und sagte: Wo die Bäckergasse ist, wißt ihr ja selber. Steigt aus, ich kutschiere wieder zurück.

Meine Mutter bedankte sich. Aber als das Auto fort war, sah ich, daß meine Mutter weinte, und ich war ganz erschrocken, denn ich wußte nicht, warum sie weinte, ich fragte sie auch nicht, ich schob meine Hand in die ihre, und wir gingen über den Markt in eine Seitenstraße, und plötzlich waren wir vor Großmutters Haus. Wir schlichen in den Garten, Mutter klopfte an die Fensterläden von Großmutters Schlafzimmer. Leise. Irgendwo fuhren Autos. Mutter klopfte stärker, und da sah ich auf einmal ein Auto im Hof, wie das, das uns hergebracht hatte.

Mutter, sagte ich, das Auto da, das gehört Soldaten.

Da schlug ein Fensterladen nach außen und eine Stimme fragte aus dem Dunkeln: Was ist denn, wer ist denn da? Ist Krieg?

Wir sind es, flüsterte meine Mutter.

Wer sind's, hörte ich.

Margret ist's, und der Bub.

Gott herrje, Margret, der Bub, wo kommt's denn her mitten in der Nacht? Wartet, ich komm schon.

Es dauerte lange, bis Großmutter im Nachthemd unter der Haustür stand. Der lange Zopf, den sie sonst zu einem Nest steckte, fiel ihr über den Rücken.

Gott herrje, Gretl, der Bub, mitten in der Nacht, wo kommst denn her? Kommt herein, Gott herrje, der Bub, mein Paulchen, bist müde, wo kommt's denn her, tut leise sein, nicht so laut, Gretl, was ist denn, wo ist denn der Albert, dann kommt schon rein, so was, mitten in der Nacht, und Albert ist nicht dabei, und mitten in der Nacht tut ihr kommen.

Wir standen in der Küche. Mein Rucksack drückte, Großmutter, die aufgeregt herumlief, nahm ihn mir ab.

Wir mußten weg. Sie waren hinter uns her, sagte meine Mutter.

Wer? Die Tschechen? Die Saukerle. Aber bald ist es vorbei mit den Saukerlen.

Nein, die Henlein waren hinter uns her.

Die Henlein?

Ja, die Henlein. Albert haben sie geholt, gestern morgen, von der Wiese weg, beim Mähen war er in Hundsbach.

Weggeholt? Die Henlein sind hinter euch her, nicht die Tschechen?

Nicht die Tschechen, sagte meine Mutter, die Sudetenländer.

Die Gauner?

Ja, die Sudetengauner.

Gott herrje, wo doch jetzt unsere Truppen einmarschieren, und der Führer wird eine Rede halten morgen im Radio, die müßt ihr anhorchen, und den Albert haben sie geholt, freilich, weil er immer mit seiner Bibel rumlaufen tut und Leute aufhetzt gegen den Führer. Die Bibelforscher, das hat unser Ortsgruppenleiter gesagt letzthin, sind unser Unglück wie die Juden, und du hättest den Albert nicht heiraten sollen, ich hab immer gesagt, der taugt nicht für dich, der hat spinnige Ideen, dem ist nichts gut, der hat an allen Leuten was auszusetzen, wie die Kommunisten früher vor Dreiunddreißig, die hatten auch immer was auszusetzen, die Kommunisten.

Großmutter war eine kleine Frau, Großmutter, das hatte man mir erzählt, hatte es nie leicht gehabt, sie hatte sechs Kinder und zwei Männer, fünf Kinder sind gestorben, eins nach dem andern, in einem Jahr vier, im andern Jahr wieder eins, nur meine Mutter ist übriggeblieben, und die heiratete ausgerechnet einen Tschechen. So ist das Schimpfwort für die, welche über der Grenze wohnen, ob sie nun deutsch oder tschechisch sprechen. Dabei war mein Vater ja Deutscher, wohnte nur in Eger, und meine Großmutter hatte zwei Männer, und der eine wurde von einem Baum erschlagen, weil er Holzfäller war im Böhmerwald, und der zweite wurde von einem Pferd erschlagen, weil er Brauereikutscher war, und jetzt ist Großmutter schon viele Jahre allein und hat ein ganzes Haus für sich und ist in der Frauenhilfe, weil sie was zu tun haben muß.

Ihr könnt im Haus nicht schlafen, wenn die Henlein hinter euch her sind, sagte Großmutter und flocht an ihrem langen Zopf.

Ja aber, sagte meine Mutter, der Paul ist so müd.

Ich hab Einquartierung, sagte Großmutter. Sie trippelte aufgeregt durch die Küche. Fünf Soldaten. Ich hatte Hunger, hatte Durst, und Großmutter mußte das wissen, sie stieg in den Keller und brachte einen Topf Milch. Die Milch war sauer und meine Großmutter war darüber erschrocken, weil die Milch schon sauer wird im Oktober über einen Tag.

Du kannst uns doch nicht wegschicken, jammerte meine Mutter.

Nicht so laut, Gretl, die Soldaten könnten aufwachen, und ich hab ja nicht gesagt, daß ich euch wegschicken tu, du schläfst draußen im Stall. Und Paulchen kann bei mir im Bett schlafen.

Aber da nahm mich meine Mutter bei der Hand, griff meinen Rucksack und sagte: Der Bub schläft bei mir.

Warst schon immer hochnäsig, sagte Großmutter zu meiner Mutter. Sie führte uns aus dem Haus über den Hof in den Stall.

Wir durften im Stall kein Licht machen, ich fiel zwischen die Ziegen. Die Ziegen waren still. Den Bock nebenan habe ich oft auf der Klosterwiese gehütet, der Bock kannte mich.

Mutter, es stinkt so, sagte ich.

Schlaf jetzt, Bub, morgen sind die Soldaten weg. Dann hast du ein Bett.

5

Gerda brachte das Frühstück.

Lissi trank ihre Milch, jeden Morgen gierig einen Liter. Sie trug die Haare zu zwei neckischen Zöpfchen aufgebunden; um die hatte sie rosa Schleifen geschlungen. Wie das Mädchen auf der holländischen Käsereklame sah sie aus.

Sie spielte noch eine Weile mit dem Hund, dann sagte sie Tschüs und ging.

Jetzt lauf aber, rief ihr Gerda nach, sonst bekommst du den Bus nicht mehr.

Lissi drehte sich an der Tür um. Halb so schlimm, rief sie uns zu, so wie ich aussehe, nimmt mich jeder Autofahrer mit in die Stadt.

Gerda stand einen Moment sprachlos.

Das Blag wird frech, sagte sie zu mir, nachdem Lissi zur Tür hinaus war. Ihr Kaffee war wie immer gut.

Ja und, fragte ich und hatte Mühe, um nicht zu lachen. Soll sie brav sein? Ich sah auf meine Zeitung.

Wenn nur die Schule nicht so verdammt weit wäre. Warum müssen in dieser gräßlichen Stadt alle höheren Schulen im Zentrum liegen, warum keine in den Vorstädten, wo die Leute wohnen?

Die Kaufhäuser sind auch in der Innenstadt, wo keine Menschen wohnen, sagte ich.

Was haben die Kaufhäuser damit zu tun, fragte sie.

Ich meine nur, alles was man braucht, findet man in der Innenstadt. Ich sah Gerda an, sie schaute aus dem Fenster, ihr Rücken spannte sich. Ich hörte Brundert wegfahren. Er hupt, bevor er fährt, stets dreimal, damit auch alle in der Siedlung wissen, daß er aufbricht.

Wegen Ruhestörung sollte man ihn anzeigen, entrüstete sich Gerda.

In der Nacht hupt er ja nicht, sagte ich begütigend, und dann, der Milchmann und der Bäcker hupen auch.

Die haben wenigstens was zu bieten, höhnte sie. Sie hatte ihren streitbaren Tag.

Ich holte den Wagen aus der Garage, der Hund lief neben

mir her, jaulte, wollte mit. Ich schickte ihn ins Haus. Gerda sperrte ihn ins Wohnzimmer. Er ist das gewohnt, wird auf seiner Couchecke liegenbleiben, bis einer von uns dreien die Wohnung aufschließt. Sollte es inzwischen ein Gewitter geben, wird er zittern und in einer Ecke der Wohnung vor lauter Angst ein Bächlein machen, den Stummelschwanz einziehen, wenn wir später den Bach entdecken.

Ich setzte Gerda am Kaufhaus ab.

Sie gab mir einen Klaps, winkte, ehe sie in der Menge verschwand, kurz zu mir herüber. Gut sah sie wieder aus. Manchmal bin ich richtig stolz auf sie, froh darüber, sie und keine andere geheiratet zu haben.

Als ich auf den Werksplatz fuhr, sah ich Brundert durch die Sperre des Portierhauses gehen. Neben ihm ging noch ein Mann. Der setzte sich auf eine Bank vor dem Portierhaus, vielleicht war das sein Besuch aus Stuttgart.

Ich blieb bei Köhler stehen, der im Portierhaus Dienst tat. Der sah mich erstaunt an, denn im Portierhaus lagen immer die Schichttabellen für die folgenden vier Wochen aus.

Paul, hast dich vertan? Bist doch erst heute mittag dran.

Hab was zu erledigen, sagte ich. Sag mal, wer ist denn der auf der Bank da?

Den hat Brundert mitgebracht. Brundert meldet sich für morgen wieder an. Hast ihn gesehen, der ist vielleicht braun.

Mir fiel ein, was Gerda dazu sagen würde: Brundert war beim Vertriebenentreffen, um sich nachbräunen zu lassen.

Hoffentlich wird es heute nicht so heiß, sagte Köhler. War das gestern eine Glut, ich wußte zu Hause nicht mehr, wo ich mich hinlegen sollte.

Hast du keinen Garten, fragte ich. Ich schlaf bei solcher Hitze immer im Garten im Liegestuhl.

Für einen Garten gäbe ich wer weiß was. Und rausfahren, Paul, wenn alles rausfährt? Voriges Wochenende waren wir am Haltener Stausee, wirst ja verrückt bei so viel Menschen, bist froh, wenn du wieder zu Hause bist. Ich denke, heute wird es noch Regen geben.

Hoffentlich, sagte ich und wollte gehen.

Was willst denn im Werk, wo du keine Schicht hast, fragte mich Köhler.

Mir drei Tag Urlaub holen. Unbezahlten.

Du Spaßvogel. Jetzt in der Haupturlaubszeit? Du bist doch fest verplant.

Brundert ist wieder da, sagte ich.

Na und? Für den geht ein anderer in Urlaub. Warum willst denn Urlaub, unbezahlten?

Muß zu meiner Mutter.

Deine Mutter wohnt doch in Bayern, da unten an der tschechischen Grenze, oder? Das schaffst doch nie in drei Tagen.

Drei Tage genügen mir.

Ich kenn das Werk, glaub nicht, daß sie dir Urlaub geben. Was ist denn vorgefallen bei deiner Mutter? Ist sie krank?

Ach wo, die will nur ein Gesicht sehen.

Ein Gesicht?

Ja. Aber die Sonntagsrückfahrkarte ist ihr zu teuer, deshalb muß ich hinfahren.

Köhler sah hinter mir her.

Ich drehte mich nach einigen Schritten um: Köhler stand an seinem Telefonpult und sah über das Pult weg mir nach, obwohl auf dem Pult mehrere Knöpfe blinkten.

Der Mann aus Stuttgart, der mit Brundert gekommen war, hatte die Arme auf die Banklehne gestreckt und sah blinzelnd an der Fassade hoch. Einer aus der Warte winkte mir, er malte mit dem Finger Fragezeichen an die Scheibe. Ich deutete die Bewegung an, als würde ich das Steuerrad des Autos scharf herumreißen. Der hinter Glas oben nickte, verschwand.

Ich suchte den Betriebsrat. Bachmeier war nicht im Büro. Ich lief zur Beschickungsanlage, auch da war er nicht.

Bachmeier war bei den Kohlen. Er beaufsichtigte die Reparatur des breiten Förderbandes.

Bachmeier kam auf mich zu, gab mir die Hand. Ist was, Paul? Ich meine, weil du dich am Vormittag hier blicken läßt.

Wollte dich was fragen, Fritz.

Schieß los.

Nicht hier. Laß uns weitergehen.

Wir gingen zwischen Kohlenhalden Richtung Schlosserei, über die geharkten Kieswege, die so gepflegt waren, daß es einem leid tat, den Fuß darauf zu setzen. Irgendwo brummte ein Rasenmäher.

Schieß los, sagte Fritz.

Ich erzählte ihm von dem Brief, hatte ihn vorsorglich eingesteckt, falls man von mir Belege verlangen sollte: Im Werk werden immer Belege verlangt. Wir gingen nebeneinander bis zum Verwaltungsbau, hundert Meter zurück, wieder zur Verwaltung, wieder zurück. Bachmeiers Gesicht blieb ausdruckslos, ich schielte ihn von der Seite an.

Sie ist halt eine alte Frau, sagte ich zuletzt. Weißt ja, alte Frauen haben ein bißchen verschrobene Ansichten.

Wir blieben vor der Schlosserei stehen. Der Himmel begann sich einzudunkeln, schwer zu sagen, ob es Wolken waren oder abgeblasenes Gift aus einer Bessemer Birne bei Hoesch. In unserer Stadt weiß man nie so genau, woher die dunklen Wolken kommen, vom Himmel oder von der Industrie.

Das ist ja wohl ein Ding, Paul, was du da erzählt hast, sagte Bachmeier und stützte sich auf mich.

Ich hab den Brief mitgebracht, Fritz, sagte ich.

Laß nur, Paul, ich glaub dir auch so. Aber was soll ich tun, du bist ausgeplant bis zum Jahresende, fast bis zu deinem Urlaub, weißt ja, wie das in unserem Betrieb ist. Kannst du die Reise nicht verschieben, bis du mal drei Tage hintereinander frei bekommst?

Fritz, sagte ich, das wird erst in einem Vierteljahr sein, und dann bin ich doch dieses Jahr für den Bereitschaftsdienst verplant. Wenn es danach geht, kann ich bis zu meinem nächsten Urlaub warten.

Bachmeier sah nachdenklich auf seine Schuhspitzen, er bewegte die Zehen, abwechselnd links und rechts unterm Leder und ich war überzeugt, daß er nicht wirklich überlegte, wie er mir helfen könnte, sondern nur so tat, damit ich den Eindruck gewann, meine Sorge sei auch seine Sorge.

Ist es denn wirklich so wichtig, fragte er schließlich. Guck mal, Paul, das sind nun dreißig Jahre bald, und der Mann, den du oder deine Mutter sehen will, der hat euch doch gar nichts getan. Einen, der nicht hat, kann man auch nicht verantwortlich machen, und ob er verantwortlich ist, daß dein Vater damals abgeholt wurde ... von der Wiese weg, sagst du?

Vom Mähen weg.

Weißt du, Paul, ob der andere, der das deiner Mutter gesagt hat ...

Der Hammer Georg.

Ob der nicht lügt? Lügt, weil er nach dreißig Jahren mit dem andern . . .

Beierl heißt er.

Mit dem Beierl Krach gekriegt hat und ihm eins auswischen will? Nein, Paul, wenn man in diese Blase sticht, kommt nicht einmal Luft raus.

Aber vielleicht Gestank, Fritz. Es kommt bestimmt Gestank raus.

Paul, sei vernünftig. Da könnte jeder kommen und sagen, er braucht Urlaub, weil seine Frau krank ist, und fragst du, ob sie wirklich krank ist, dann sagt er, nein, aber sie könnte ja krank werden.

Aber Fritz, sagte ich.

Bachmeier war von uns im Werk einstimmig zum Betriebsrat gewählt worden, er ist klug. Kann reden, und er nimmt unsere Interessen wahr, was man heute weiß Gott nicht von jedem Betriebsrat sagen kann. Viele tun, als wären sie Geheimagenten der Unternehmer.

Ich weiß wirklich nicht, was ich machen soll, Paul.

Ich sah, wie Bachmeier mit der Spitze seines rechten Schuhs einen Kieselstein wegschnippte.

Wir haben mit der Direktion und der Verwaltung eine Abmachung getroffen, daß wir nur dann unbezahlten Urlaub befürworten, wenn ein zwingender Grund vorliegt. Sterbefälle, Wohnungswechsel. Solche Sachen.

Fritz, versetz dich in meine Lage, denk, es wäre deine Mutter. Ist meine Sache weniger wichtig als ein Wohnungswechsel?

Bachmeier starrte mir ins Gesicht. Ich sah, wie er mit sich kämpfte. Also komm, sagte er am Ende, komm mit ins Büro. Er füllte am Schreibtisch einen Schein aus: Wird befürwortet. Pospischiel ist jedoch fest verplant. Er stand auf und reichte ihn mir.

Bachmeier war groß und schlacksig, er war früher Leichtathlet gewesen, jetzt arbeitet er nur noch in seinem Schrebergarten an der Derner Straße. Mußt du das schreiben, Fritz, das mit dem verplant?

Paul, der Direktor läßt sich ja doch die Verplanung geben, warum es nicht gleich draufschreiben, das erspart Ärger.

Wenn ich dir einen Rat geben darf, laß die Finger davon, warum die ollen Kamellen aufwärmen? Ist doch alles so weit weg, Paul, die Zeit, alles ist heute schon gar nicht mehr wahr. Henlein. Wer kennt schon das Wort, weiß überhaupt noch, wer er war. Kein Mensch.

Bachmeier sprach aus, was ich selbst wußte. Aber ich ärgerte mich plötzlich über ihn, vielleicht weil er meine Angelegenheit mit einer Handbewegung abtat, ärgerte mich plötzlich über das Wort *verplant*, wie der innerbetriebliche Sprachgebrauch war. Die da oben sollten sich einmal Gedanken über ihre Sprache machen. Von der Verwaltung kommt ein Ton wie beim Kommiß. Und Känguruh sagt einmal: Nicht die alten und neuen Nazis sind gefährlich, gefährlich ist die Sprache in unseren Betrieben. Sie hat sich seit hundert Jahren nicht geändert. Sie ist nicht mehr so brutal wie früher, sie ist infamer geworden.

Es war sinnlos, mit Bachmeier weiter zu reden. Ich dankte, grüßte und ließ ihn stehen.

Ich ging über den Hof, vermied es aber, zur Glaswand der Warte hochzusehen. Ich meldete mich bei dem Mädchen im Minirock, mußte ein paar Minuten warten, aber der Direktor kam mir entgegen, zog mich am Arm in sein Büro, wie einen lieben Besucher, er wies auf einen Sessel, ich setzte mich, und er bot mir Zigaretten an. Ich nahm, gab ihm dann den Schein, er zog die Augenbrauen hoch, nickte: anscheinend war er schon unterrichtet.

Nun erzählen Sie mal Ihre Geschichte, Pospischiel, schön der Reihe nach und bitte langsam. Er machte es sich in seinem Sessel bequem.

Ich erzählte, nahm den Brief meiner Mutter aus der Innentasche meines Jacketts, reichte ihn Direktor Jägersberg über den Tisch, Jägersberg wehrte ab, und ich hielt den Brief in meinen Händen, bis ich mit meiner Geschichte zu Ende war, dann steckte ich ihn wieder ein. Es störte mich, daß das Mädchen im Minirock mehrmals ins Büro trat und etwas holte oder brachte, aber der Direktor forderte mich kopfnickend auf, weiterzuerzählen. Sein Gesicht blieb die ganze Zeit entgegenkommend, wie es seine Art ist. Jägersberg ist im Betrieb beliebt, wird von allen geschätzt, ist zu jedermann freundlich, ob er nun Angestellter ist oder Arbeiter, zu ihm darf man jederzeit ohne Formalitäten in der Anmeldung. Er hat immer Zeit, sich die Sorgen seiner Untergebenen anzuhören, und hat er einen dringenden Termin, sagt er einfach: Wir sprechen morgen weiter. Jägersberg – er ist etwas zu klein geraten, aber quirlig – hörte mich auch jetzt geduldig an, er nahm nicht einmal das Telefon ab, drückte nur einen Knopf: er wollte nicht belästigt werden.

Ja, das wär's, sagte ich. Ich schwitzte.

Mein lieber Pospischiel, das ist ja eine tolle Geschichte, die Sie da erzählt haben, und Sie sind wirklich vor Deutschen zu Deutschen geflüchtet. Nicht vor den Tschechen?

Nicht vor den Tschechen, vor Deutschen, sagte ich.

Wirklich eine tolle Geschichte. Und Ihr Vater?

Der kam wieder, als die Amerikaner einmarschiert sind.

Na, wenigstens etwas. Haben anscheinend doch welche die Lager überlebt, Sie sind also Sudetendeutscher, ich glaube, ich habe es mal in Ihrer Karteikarte gelesen, warten Sie mal, geboren in Eger. Stimmts? Aber zu den Sudetenländertreffen sind Sie nicht gefahren die letzten Jahre?

Ich? Nein, ich bin nie gefahren. Warum auch?

Aber warum denn nicht, fragte Jägersberg. Ich zuckte die Schultern.

Sie haben recht, Pospischiel, was sollten Sie auch da.

Er nahm die Tabelle, die ihm das Mädchen zuvor auf den Tisch gelegt hatte, hielt sie mit beiden Händen weit von sich, studierte sie, sagte dann: Ja mein Lieber, Sie sind ausgeplant bis Ende des Jahres. Hier steht es klipp und klar.

Ich weiß, Herr Direktor, aber vielleicht könnte man . . .

Jägersberg machte ein gequältes Gesicht. Er kniff die Augen ein, während er zu dozieren begann, was ich so gut wie er wußte.

Sie wissen doch, Pospischiel, die immer intensiver werdende Rationalisierung in allen unseren Betrieben zwingt zu so scharfer Kalkulation, daß wir alles und jedes ausplanen müssen. Sehen Sie, unser Werk hier beschäftigt 200 Mann, davon sind 100 jetzt schon überflüssig. Wir halten die Leute nur, weil wir ein sozialer Betrieb sind. Auf die Dauer aber ist das nicht zu verantworten. Wir müssen nun mal verplanen.

Auch Menschen, platzte ich heraus.

Er hob ruckartig den Kopf von der Tabelle, sah mich an, es zuckte um seinen Mund. Dann blickte er wieder auf die Tabelle nieder und schüttelte wie bedauernd den Kopf. Die Tabelle. Immer die Tabelle.

Es muß doch noch möglich sein, entrüstete ich mich, für drei oder vier Tage auszubrechen. Wenn ich zum Beispiel krank werde.

Krankheit ist eingeplant, sagte der Direktor, und zum ersten Mal in den drei Jahren, seit ich ihn kannte, hatte ich den Eindruck, er sei nervös. Aber ich konnte mich natürlich täuschen.

Krankheit ist also eingeplant, sagte ich. Weil die nicht mehr privat ist?

Herr Pospischiel, nun seien Sie nicht kindisch. Krankheiten sind eine Art höherer Gewalt, und wenn sie zu Ihrer Mutter fahren wollen, ist das eben keine höhere Gewalt.

Ich will nicht, ich muß, sagte ich heftiger als ich wollte.

Dafür können Sie doch den Betrieb nicht haftbar machen. Sie sind nun mal ausgeplant, mein Bester, ich kann Ihnen den unbezahlten Urlaub nicht geben. Die Verwaltung paßt da ganz scharf auf. In Ihrem Falle könnte mir das einen Verweis einbringen, die Verwaltung ist unerbittlich.

Ich stand auf und ging ein paar Schritte. An der Tür drehte ich mich um. Jägersberg war mir gefolgt, er lächelte mich an, ein Steppke, aber quirlig, und streckte mir die Hand hin. Ich zögerte, seine Hand zu ergreifen. Da war noch etwas, was ich wissen wollte.

Herr Direktor, eine Frage, die Sie mir natürlich nicht zu beantworten brauchen: Verweigern Sie mir den unbezahlten Urlaub, weil ich restlos verplant bin oder weil Sie selbst für meine Fahrt keinen zwingenden Grund sehen?

Jägersberg hustete. Erstens, Pospischiel, mache nicht ich die Verplanung, zweitens sehe ich wirklich keinen zwingenden Grund, daß Sie fahren. Lassen Sie die Dinge, wie sie sind. Sie können gegen den Mann doch nichts mehr unternehmen. Das mag traurig sein, aber es ist so. Und wenn man nichts unternehmen kann, wenn niemand einen Nutzen davon hat, taugt das Geschäft nichts. Auch in Ihrem Falle sollte man kaufmännisch denken. Lassen Sie die Finger davon.

Aber ich will kein Geschäft machen, sagte ich.

Pospischiel. Ich verstehe Ihre Situation, die alte Frau allein da unten, möchte gern, kann nicht, verstehe vollkommen. Ich habe auch eine Mutter, meine ist 85, aber rüstig wie eine Sechzigerin. Und trotzdem: wir schreiben das Jahr 1967. Wir müssen sehen, wie wir hier zurechtkommen. Wissen Sie, alte Frauen sind nicht gerecht, sie sind nachtragend und Egoisten, auch ihren Kindern gegenüber.

Ich wollte etwas fragen, aber ich nickte nur und ging ins Vorzimmer. Da stand Brundert, er schlug mir lachend auf die Schulter.

Paul, Mensch, war das gestern abend vielleicht eine Nacht. Dank dir für den Plattenspieler, bekommst ihn morgen wieder. Warst beim Alten?

Jägersberg betrat hinter mir das Sekretariat, er streckte Brundert die Hand hin.

Wieder im Lande? Wieder im Lande?

Draußen regnete es leicht. Gott sei Dank, der Regen wird Kühlung bringen.

Ich stand einige Minuten vor dem Verwaltungsgebäude, unschlüssig, ob ich nach Hause fahren sollte oder nicht.

Da kam Bachmeier. Na, sagte er.

Nichts, sagte ich.

Konnte ich dir gleich sagen. Paul, versuch's doch mal beim Arbeitsdirektor, vielleicht kann der dir helfen.

Gute Idee, Fritz. Der hat doch sein Büro in der Schäfergasse?

Genau. Bei der Gelegenheit lernst du auch gleich einen Arbeiter kennen, der einen dicken Mercedes fährt.

Ich parkte meinen Wagen in der Unnaer Straße, nicht weit von Känguruhs Wohnung. Ich suchte die Schäfergasse und fragte mich gleichzeitig, ob es überhaupt Zweck hatte, Teuerkauf den ganzen Sermon noch einmal zu erzählen, wollte schon umkehren, als ich die Schäfergasse gefunden hatte, wollte Gerda anrufen, ihr sagen, daß alles keinen Sinn habe, wollte meiner Mutter schreiben, sie möge sich eine Sonntagsrückfahrkarte kaufen, ich würde ihr das Geld schicken, da sah ich Känguruh. Etwa fünfzig Schritte von mir entfernt überquerte er die Straße, die Schultern vorgeneigt, als ziehe er einen schweren Wagen hinter sich her, die Arme schlenkerten um seinen Körper, als gehörten sie ihm nicht, das rechte Bein schleppte er nach, dabei hob sich die Schulter, sein Kopf kippte nach links, und von weitem konnte man glauben, er hüpfe. Ähnlichkeit mit einem Känguruh hatte er weiß Gott nicht, eher mit dem Glöckner aus dem Film.

Fred, schrie ich, Fred! Ich lief ihm nach. Er sah mich, wartete.

Was machst du denn in der Stadt, ich dachte, du wolltest drei Tage in deinem Häuschen auf dem Schnee bleiben?

Ich war in der Wohnung, sehen, ob Post da war, ich hab doch um Rente eingereicht, vorzeitig. Ich hatte keine Ruhe droben auf dem Schnee. Sie sind hinter mir her, jetzt weiß ich es. Es war keine Post da. Aber sie sind hinter mir her.

Das ist doch Unsinn, Fred. Du leidest an Verfolgungswahn.

Die Frau unten im Parterre, die mir zweimal in der Woche die Wohnung saubermacht, sagt, vor unserem Haus hat sich einer tagelang rumgetrieben, sie kennt ihn nicht. Der Mann stand die ganze Zeit auf dem Bürgersteig gegenüber.

Wenn sie hinter dir her sind, dann wissen sie auch, daß du auf dem Schnee ein Wochenendhaus hast. Fred, du siehst Gespenster, weil du welche sehen willst.

Es ist ja auch gespenstisch, Paul. Da war mal einer in der KPD, die wurde vor zehn Jahre verboten.

Vor elf, sagte ich.

Vor elf. Und dieser Mann, und nicht nur der, wird beschattet, auch wenn er nichts getan hat. Aber er könnte vielleicht was tun, was gegen das Verbot verstößt. Das allein ist schon strafbar. Paul, was ist das für ein Staat, wo sich Minister in die Hose scheißen, wenn sie KPD hören! Sag doch selbst.

Kann man die ernstnehmen, Fred? Du, ich fahr dich rauf zum Schnee, ich muß nur eben zu Teuerkauf . . .

Was willst du bei dem?

Ich bekomme keinen Urlaub. War beim Betriebsrat und beim Direktor.

Ich habe es dir vorher gesagt.

Fred ging neben mir die Schäfergasse hinunter, wies dann auf einen Neubau. Dort sitzt der Teuerkauf, sagte er, im dritten Stock. Er ist da, sein Mercedes steht vor der Tür. Er hielt an und wandte mir sein Gesicht zu, das leer war. Paul, sagte er, auch ein Arbeitsdirektor kann dir nicht helfen, er hat vor seiner Gewerkschaft so viel Schiß wie Jägersberg vor der Verwaltung, unsere Minister vor den Kommunisten.

Ich will erreichen, was ich bei Betriebsrat und Direktion nicht erreicht habe, sagte ich.

Da gerätst du bei dem gerade an den richtigen Mann. Ich war mal bei ihm, vor zwei Jahren, tut jetzt nichts zur Sache, warum ich da war, da hat er zu mir gesagt: Wördemann, sagen Sie mal, wie kommt eigentlich so ein alter Kommunist zu einem Wochenendhaus droben auf dem Schnee, der schönsten Gegend in Dortmund? Siehst du, Paul, in unserem Staat darf ein Arbeitsdirektor zwar einen weißen Mercedes fahren, aber ein alter Kommunist kein Wochenendhaus haben, und wenn er doch eins hat, dann ist es vermutlich von drüben finanziert.

Und dem hast du nicht gleich ein paar in die Schnauze gehauen?

Ich habe ihm gesagt, mein Häuschen haben die Genossen aus Ostberlin finanziert, dafür schreibe ich denen drüben jede Woche, wieviel Kilowatt wir täglich produzieren und ob unser Direktor regelmäßig scheißen kann oder an Verstopfung leidet.

Ich lachte, blieb vor dem Neubau stehen, lachte.

Was gibt es da zu lachen, fragte Fred, der Teuerkauf hat das bitter ernst genommen. Der ist nämlich alter Gewerkschaftler, und unsere Gewerkschaftler besitzen alles, nur keinen Humor, höchstens beim Kegelabend oder auf Weihnachtsfeiern, wenn sie 20 Glas Bier gekippt haben. Aber dann sind sie besoffen und nur noch albern.

Wart auf mich, Fred, setz dich drüben auf die Bank, oder warte im Auto.

Es hatte zu regnen aufgehört.

Ich sagte dem Portier, zu wem ich wollte; er fragte zurück, ob ich angemeldet sei, ich verneinte, er hob die Schultern, sagte: Bedaure, ohne Anmeldung geht das nicht.

Aber ich kannte diese Leier, sprang ohne ein Wort in den Paternoster und fuhr in den dritten Stock, meldete mich bei einem ältlichen Mädchen, das mir einsilbig mitteilte, der Herr Arbeitsdirektor habe um elf eine Konferenz. Ich sah auf meine Uhr, es war kurz nach zehn. Das Mädchen musterte mich, dann verschwand es hinter der gepolsterten Tür, trat nach weniger als einer Minute wieder heraus und

machte eine Handbewegung, die mich zum Eintritt auffor-
derte. Teuerkauf kam hinter dem Schreibtisch hervor, gab
mir die Hand und fragte, indem er mir Platz anbot: Was
haben Sie auf dem Herzen?

Ich hatte mir vorgenommen, abzuwarten, wie er mich
ansprechen würde, natürlich hätten wir uns duzen können,
denn wir entstammten ja demselben Stall, der sich Gewerkschaft nennt, aber Teuerkauf sagte Sie zu mir.

Ich erzählte vom Brief meiner Mutter, vom Betriebsrat
Bachmeier, vom Direktor Jägersberg, ich hielt den Brief in
den Händen, spielte damit. Aber er winkte ab. Er hörte zu,
nickte, wie der Betriebsrat und der Direktor genickt hatten,
doch seine Miene war ernster: mein Problem schien im
Verlauf meiner Erzählung sein Problem zu werden. Das
überraschte mich; es paßte gar nicht in das Bild, das mir
Känguruh von ihm gezeichnet hatte.

Als ich geendet hatte, bot mir Teuerkauf eine Zigarette an,
aus einer geschnitzten Holzdose. Er streckte sich in seinem
Sessel lang, kreuzte die Arme über die Brust, räusperte sich
umständlich: Mein lieber Pospischiel, das mit den drei
Tagen unbezahltem Urlaub, das schlagen Sie sich aus dem
Kopf, das geht nicht. Die Strapaze für Sie wäre ja auch zu
groß: in einem Tag hin, einen Tag da, einen Tag die ganze
Strecke zurück, nein, Pospischiel, wir sind auch für die
Gesundheit unserer Leute verantwortlich.

Ich wünschte, er hätte mich geduzt, um ihm sagen zu
können, daß ich ihn für ein ausgemachtes Arschloch hielt,
das Entscheidungen auswich, weil er fürchtete, nicht mehr
gewählt zu werden, obwohl ihm seine Position die Macht
gab, Entscheidungen zu fällen. Ihm konnte doch keiner, er
selbst konnte nicht entlassen, nur abgewählt werden, und
welcher Gewerkschafter wählt schon ein Gewerkschafter ab,
ein Arbeitsdirektor sitzt fest; er müßte, um abgewählt zu
werden, höchstens kleinen Mädchen zwischen die Beine
grapschen. Das allerdings traute ich Teuerkauf nicht zu. Er
mochte vielleicht den Arbeitern an ihren Interessen grapschen, aber das zählte nicht, dagegen stand immer noch das
ehrliche Bemühen, und wenn das vergebens war, lag es nicht
am Arbeitsdirektor, sondern an den Verhältnissen, die auch
ein Arbeitsdirektor nicht ändern kann. Wer hat schon den

Mumm, Verhältnisse zu ändern, die ihm jährlich 100 000 Mark einbringen?

Teuerkauf stand auf, ich sah ihn an. Eine nicht unsympathische Erscheinung. Ich erinnerte mich, daß ich, als wir am schwarzen Brett im Werk erfuhren, unser neuer Arbeitsdirektor heiße Teuerkauf, zu Fred gesagt hatte, es müsse sich über kurz oder lang herausstellen, ob er teuer einkauft oder teuer verkauft. Fred antwortete damals: Diese Sorte wird immer Teuerkauf heißen, ob sie nun Müller oder Meier heißen. Das System läßt ihnen wenig Spielraum, und den wollen die Teuerkaufs nicht aufs Spiel setzen, denn auch sie wollen Sicherheit, möchten sich 100 000 Mark im Jahr sichern: nicht auf Kosten der Arbeiter – das wäre unfair –, aber auf Kosten des Systems. Und das geht auf Kosten des Arbeiters.

Teuerkauf blieb vor mir stehen. Es war fast wie ein Verhör, das er nun führte.

Haben Sie gegen den Mann Beweise?

Nur das, was der Mann in Tirschenreuth meiner Mutter gesagt hat.

Das ist kein Beweis, das ist eine Vermutung. Haben Sie vor, den Mann anzuzeigen?

Den Beierl? Das kann ich ja nicht.

Was haben Sie denn vor? Teuerkauf sah auf mich herunter.

Nichts. Nicht viel. Ich will nur sein Gesicht sehen, meiner Mutter die Reise mit dem Zug ersparen.

Sie sind, nehmen Sie's mir nicht übel, sagte Teuerkauf, ausgesprochen infantil. Ein ausgewachsener Mann wie Sie. Er fuhr sich mit allen zehn Fingern durch sein Haar. Das Telefon auf dem Schreibtisch läutete; ich zuckte zusammen.

Auch Teuerkauf hob den Hörer nicht ab, er drückte nur ein Knöpfchen, damit es in einem anderen Raum läutete. Danach trat er ganz dicht vor mich hin und stieß mir seinen Zeigefinger mehrmals vor die Brust.

Sei doch ehrlich, Pospischiel, im Grunde ist dir die Zeit von damals scheißegal. Teuerkauf hatte mich plötzlich geduzt; er hatte Scheiße gesagt. Der Mann hatte Format.

Er hatte recht. Ich wußte von der damaligen Zeit nichts mehr, wollte davon auch nichts mehr wissen, erst der Brief meiner Mutter hatte mich wieder an die Zeit erinnert. Der

Brief meiner Mutter knisterte in meiner Jackentasche. Trotzdem sollte man den Dingen einmal nachgehen, weiß der Teufel warum.

Die Gewerkschaft kann in Ihrem Falle auch nicht helfen. In unserem Werk sind schon hundert Leute freigestellt. Sie können nicht einfach ausgeplant werden.

Mein Gott, dachte ich, jetzt spricht der auch schon wie Jägersberg, wie ein richtiger Direktor, das ist ja grauenhaft.

Herr Teuerkauf – eigentlich hätte ich sagen müssen, lieber Genosse – eine Frage: Sie halten also wirklich meine Absicht für Zeitverschwendung, rausgeworfenes Geld?

Ich halte es, Pospischiel, für Gefühlsduselei, sonst nichts.

Ich erhob mich und starrte ihn an. Ja, sagte ich, wenn Sie das so sehen, Herr Teuerkauf, wie sehen Sie denn die Flüchtlingstreffen?

Jetzt drehen Sie mir das Wort im Munde herum, Pospischiel. Aber weil wir schon bei dieser Angelegenheit sind. Hätten die Franzosen und Engländer nicht grünes Licht gegeben, dann hätten die Nazis damals nicht gekonnt, wie sie gewollt haben. Man muß es auch von dieser Seite sehen. Für das, was Sie erlebt haben, bedanken Sie sich bei den Franzosen und Engländern. Es waren nicht die Nazis allein, sagte er.

Das ist Ansichtssache, sagte ich. Ich jedenfalls weiß nur, daß meine Mutter und ich damals nicht vor Tschechen, sondern vor den Deutschen ausgerissen sind, die sich Sudetendeutsche oder Henleindeutsche nannten und bessere Deutsche waren als alle Deutschen im Reich zusammen. Gut katholisch waren die, standen morgens mit Gelobt sei Jesus Christus auf, gingen abends mit Heil Hitler zu Bett. Sie hätten das erleben sollen, Herr Teuerkauf. Ihre Stimmen wurden erst ein wenig gedämpft, als die Dampfnudeln mit Mischmehl gebacken werden mußten und sich die schwarzen eisernen Kreuze in den Zeitungen mehrten, gefallen für Führer, Volk und Vaterland, ganze Zeitungsseiten fielen für Führer, Volk und Vaterland. Da erst begriffen sie, was für ein Vaterland sie eingetauscht hatten, und heute trommeln dieselben Leute für Freiheit und Selbstbestimmung.

Tut mir leid, Pospischiel, aber ich muß jetzt zu meiner Konferenz.

Er begleitete mich ins Sekretariat, lächelte mich an.

Da sagte ich plötzlich: Was werden Sie tun, wenn ich trotzdem, ohne Genehmigung, einfach fahre, weil ich meine Mutter nicht im Stich lassen will?

Pospischiel, seien Sie vernünftig, Sie werden doch nicht den Ast absägen, auf dem Sie sitzen. Sie leben heute, hier, in Dortmund. Nicht gestern, in Eger.

Ich grüßte und ging.

Fred lehnte an meinem Wagen. Er fragte nichts, und ich sagte kein Wort.

Erst oben am Schnee vor seinem Haus, vor den riesigen Malvenstauden sagte ich: Du, Fred. Auch Teuerkauf kann nicht. Er wurde zu teuer eingekauft.

Känguruh stopfte umständlich seine Pfeife, ehe er antwortete. Du darfst Teuerkauf keinen Vorwurf machen, es liegt nicht an ihm. Er ist sonst vernünftig. Es liegt am System. Er ist genau so verplant, wie wir alle verplant sind, er kann uns nicht ausplanen, weil er selbst verplant ist. Wir sind so verplant, daß wir nicht mehr raus können. Du nicht, ich nicht, der Direktor nicht, der Teuerkauf nicht, die Gewerkschaft nicht.

Dann standen wir stumm vor seinem Haus und betrachteten die Malven. Fred befestigte ein paar schwächliche Stöcke an der Hauswand.

Als ich zum Wagen ging, um nach Hause zu fahren, humpelte Fred hinter mir her, rief laut: Paul, und als er mich erreicht hatte, leise: Laß die Finger von der Sache. Du willst etwas tun, an das du nicht glaubst. Denk an deine Familie, an deine Arbeit, wir leben in einer Zeit, wo Neugier schon verdächtig ist, verdächtig schon schuldig. Laß die Finger davon.

Ich drehte mich um, sah Fred entgeistert an: Das sagst du mir, Fred, du? Das haben mir heute alle gesagt, aber du?

Fred wich meinen Augen aus,

Jawohl, das sage ich, Paul, weil ich weiß, wie es ist.

Dann stelzte Fred ins Haus, ohne mich noch einmal angesehen zu haben; die Ähnlichkeit mit einem Känguruh, das sah ich jetzt, war erschreckend.

Ich fuhr langsam nach Hause. Es war ein heißer Tag geworden, ich sehnte mich nach meiner klimatisierten Warte. Den Hund sollte man dahin mitnehmen dürfen, in der Warte wäre es auch für ein Tier erträglich. Aber Hunde sind im Werk verboten.

Ich betrat die Warte 20 Minuten vor zwei; ich fühlte Erleichterung: zu Hause die leere Wohnung bedrückt mich immer. Ich war froh, auf der Warte wieder die gewohnten Gesichter zu sehen.

Holthusen stand breitbeinig vor der Glaswand, er redete mit irgend jemand unten auf dem Hof in Fingersprache. Fred hatte das Schaltpult schon übernommen; die sechs der Frühschicht verließen nach und nach den Raum.

Ich gab Holthusen die 14-Uhr-Werte durch, Holthusen bestätigte meine Werte, der Meister gab die abgestimmten Werte durch Telefon in die Umschaltstation: die acht Stunden nahmen ihren Anfang.

Ich war wieder für acht Stunden ein kleiner böser Gott geworden, allmächtig.

Ich sitze in einem Glashaus, habe Schicksale unter meinen Fingern, habe mich mittels einer mir leichtfertig anvertrauten Technik zum lieben Gott ernannt, der nach acht Stunden am Portierhaus seine Karte sticht und mit seinem Opel Baujahr 63 in den Süden der Stadt fährt, nach Löttringhausen, vierzehn Kilometer von meiner achtstündigen Gottgleichheit entfernt.

Ich drücke, lasse das Stadthaus brennen, die Gammler sich daran erwärmen, den Brundert an Gicht leiden, ich lasse es regnen, lasse Vietkongs gewinnen, lasse Strauß einen Sprachfehler bekommen, daß er sacht statt Macht sagt, lasse Känguruh ein gesundes Bein wachsen, seine gespaltene Lippe verwachsen, meine Tochter bei Picasso Farben mischen, lasse Wasser aufwärts fließen und den Wind still stehen, die Blätter im Sommer von den Bäumen fallen, im Winter den Jasmin blühen, lasse die Menschen auf Vertriebenenversammlungen in München oder Hannover zu Beat tanzen, anstatt zur Trommel zu marschieren, lasse ihre Redner über Frieden reden und nicht kriegerisch von Recht auf Heimat, ich lasse meinen Hund sprechen und die Minister bellen, lasse Känguruhs Malven über Dortmund wachsen, lasse mir alle Türen öffnen, mich durch Panzerwände gehen und durch geheime Akten, lasse Teuerkauf und alle Teuerkaufs zu mir kommen und sie die Angst vor ihrer eigenen

Courage ablegen, lasse die Mitbestimmung in den Betrieben mitbestimmen, ich lasse die Arbeiter unabhängig werden und sozial gesichert, die Unternehmer abhängig und in sozialer Angst, ich lasse das Volk begreifen lernen, daß Minderheiten respektiert werden müssen, die Wehrdienstverweigerer, Zeugen Jehovas, Gammler und Kommunisten, Ostermarschierer und Bertrand Russel, Notstandsgegner und Schah-von-Persien-Gegner, Koalitionsgegner und echte Sozialdemokraten, auch Christen, die nicht in die Kirche gehen und aus der Kirche austreten, weil der kirchliche Staat zu viel Steuern verlangt. Minderheiten sind auch Unternehmer wie Spindler und Rosenthal, denen soziale Befriedigung höher steht als der hohe Kurs an der Börse. Ich lasse meiner Mutter ein Haus aus Holz bauen, und statt eines Gartenzauns ziehe ich um ihr Grundstück eine Hecke aus Gerippen und Totenköpfen, augenlose Gesichter, die ihren Rücken beugten, ihr den Mund verschlossen und die Augen, ich lasse Münder vertrocknen, die ihr täglich Angst vor Morgen ins Ohr flüsterten, und ich lasse meine Mutter jeden Morgen aus ihrem Holzhaus treten, sie eine Ansprache an die Totenköpfe halten, wie schwer es eine Frau hat, die einen Mann heiratete, der in der Bibel las und von Pestilenz und teurer Zeit sprach, überzeugt, daß das jüngste Gericht nahe und er gewiß zu den 144 000 Auserwählten gehören werde, wie es die Offenbarung Johannes verspricht. Ich drücke einen Knopf, und meine Mutter wird den hohlen Gesichtern auf den verdorrten Gerippen, die als Hecke um ihr Haus das Grundstück begrenzen, erzählen, wie es einer Frau ergangen ist, der jährlich die Füße einen Zentimeter breiter wuchsen, flacher, weil sie schwere Körbe tragen mußte und einen Jungen gebar, dessen Vater in einem Lager einsaß, über sechs Jahre hinweg.

Ich sitze auf meiner Warte und höre, weit entfernt, Rufe. Sie kommen näher und näher. Endlich verstehe ich: Anziehen! Anziehen. Schreie und Flüche. Paul, verdammt. Anziehen!

Ich schrak hoch und drückte automatisch den Knopf, der die Kohlezufuhr automatisch regelt. Plötzlich standen drei der fünf um mich, sahen auf mich nieder, Holthusen hatte große Augen, sie spiegelten sich wie Kuhaugen im großen Manitu, ich sah mit einem Mal nur noch Augen, wohin ich auch meinen Kopf wandte, nur Augen, größer und runder und tiefer werden, sie rundeten sich zu bebenden Kugeln, tanzten um mich, vor mir, tanzten auf dem Schaltpult, ich sah hoch, sah durch die Glaswand, draußen auf der Straße tanzten Augen, die Autos hatten statt der Scheinwerfer Augen, die Straßenbahnen, die Häuser, auf der Spitze der Reinoldikirche tanzten Augen, groß wie Sonnen.

Von Holthusen erfuhr ich, als alles vorüber war, ich habe mich plötzlich aufgebäumt, mich gewunden, die Arme vor mein Gesicht gehalten, wäre dann durch die Warte getorkelt, wie ein Tier schreiend, und an die Glaswand getaumelt, habe daran herumgekratzt, wäre niedergesunken und unversehens aufgesprungen, wie irr hinter die Manometerwand gerannt und habe dort versucht, die Kabel aus der Wand zu reißen, die mit einem Schaltpult verpolt waren. Sie hätten mich dann aus dem Kabelraum gezerrt und, obwohl ich mich gewehrt, um mich geschlagen und geschrien habe, auf den Stuhl am IBM-Schreiber gesetzt, wo ich in mich zusammengesunken sei, während Franz nach dem Werksarzt telefonierte und der Meister den Direktor verständigte.

Der Direktor stand kopfschüttelnd dabei, als mir der Arzt eine Spritze gab, und fragte mich zuletzt, ob ich nach Hause wolle; ich verneinte, sagte, es werde schon wieder gehen, schließlich sei ich doch ausgeplant. Jägersberg sah mich zweifelnd an, dann den Arzt, der zuckte die Schultern und sagte: Absolut nichts Ernstes, die Hitze, dann hier die Sitzerei, das kann schon mal den Gesündesten umwerfen.

Aber wir haben hier doch Klimaanlage, sagte der Direktor, dabei perlte auf seiner Stirn dicker Schweiß.

Der Arzt packte seine Tasche. An der Tür blieb er stehen und sah sich um. Schöner Raum, müßte eine Lust sein hier zu arbeiten. Aber solche Fälle – er wies auf mich – werden Sie vielleicht öfter bekommen. Er sah Jägersberg an. Fünf Jahre, dann kommt der kritische Punkt. Immer nur sitzen, gucken, warten, das hält der Stärkste nicht aus.

Kritischer Punkt, fragte der Direktor.

Bei dieser Arbeit, meine ich, muß doch mal . . . ach was, sagte der Arzt und ging. Auch der Direktor ging nach ein paar Minuten; ich vergesse nicht seine ernste teilnehmende Miene, als er ausdrücklich wiederholte, ich dürfte ruhig nach

Hause fahren, wenn ich wolle, aber ich wollte nicht, wollte nur meine Knöpfe drücken.

Dann lief wieder die Uhr, wie sie immer, wie sie in den letzten drei Jahren abgelaufen war, der große Zeiger springt alle sechzig Sekunden einen Strich weiter, zittert noch etwas, und hat er sechzig Striche übersprungen, tragen wir die Werte in Tabellen, Werte, die nichts wert sind. Dazwischen passen wir auf, daß nichts passiert, außerhalb des Plans, der Verplanung, außerhalb der 160 000 Kilowatt, und wünschen doch nichts sehnlicher, als daß endlich einmal etwas passiert.

Die anderen um mich her flüsterten. Franz nickte mir zu, lächelnd. Dabei sah ich, wie seine rechte Hand zitterte, als sein Zeigefinger einen Knopf drückte, der aufgeleuchtet war.

Ich versuchte mich zu erinnern, aber da war nichts, an das ich mich hätte erinnern können, da war nur ein Gesicht, das ich nicht kannte, ein Gesicht ohne Züge, ein flaches Gesicht, das nichts aussagte, da war nur ein großer schwarzer Wald und Wurzeln, über die ich stolperte, und wieder ein Gesicht, das dem anderen glich, und dieses Gesicht mähte eine Wiese, schlug eine breite Mahd. Einen Moment dachte ich daran, was aus dem Gesicht wohl geworden wäre, hätten die Bauern damals schon Traktoren gehabt und Motormäher.

Ich war froh, als die Uhr über die Neun zuckte, froh, als draußen auf dem Parkplatz die ersten der Ablösung vorfuhren, froh, daß mich keiner mehr auf der Warte nach meinem Befinden fragte, als sei ich ein Schwerkranker, froh, daß ich bald durch die ausgestorbene Stadt fahren durfte, zu Hause sein, wo mein Hund mich jaulend anspringen wird, Lissi vielleicht noch wach ist und von der Schule erzählt, Gerda mir Bratkartoffeln mit Ei gerichtet hat.

Auch in den Wasch- und Umkleideräumen sprachen meine Kollegen nichts mit mir; ich hatte den Eindruck, jeder habe sich an eine von mir entfernte Brause begeben, als wäre es ihnen peinlich, mich so nah und nackt zu sehen. Auch vor den Blechspinden benahmen sie sich sonderbar, ihre Gesichter waren verschlossen, keiner witzelte wie sonst über die Prachtbrüste an den Türen aus »Playboy«, »Stern« und

»Quick«. Einer nach dem anderen ging, verdrückte sich mit einer kaum hörbaren Ausrede.

Ich ließ mir Zeit, obwohl ich es heute besonders eilig hatte, aus dem Werk zu kommen.

Nur Franz blieb, er setzte sich zu mir auf die Bank, entzündete zwei Zigaretten, schob mir eine in den Mund.

Franz, sei ehrlich, sind die anderen so komisch oder bilde ich mir das nur ein?

Paul, es war schauderhaft. Wie du ausgesehen hast. In deinem Gesicht waren nur Augen, keine Nase, kein Mund, nur Augen, wie du aufgesprungen bist, hinter der Wand an den Kabeln gezerrt hast. Schauderhaft, Paul. Du hast uns alle erschreckt.

Mein Gott, sagte ich.

Und wie du an die Glaswand getorkelt bist. Besoffen ist wohl nicht der richtige Ausdruck. Nein, nicht besoffen.

Bin ich denn verrückt, Franz?

Verrückt? Paul, wenn du's bist, dann sind wir es alle. Wahrscheinlich überlegen die andern, was der Arzt gesagt hat. Du hast uns alle erschreckt. Die andern überlegen wahrscheinlich das mit den fünf Jahren. Da kommt der kritische Punkt, hat der Arzt gesagt. Und wahrscheinlich überlegt jetzt jeder, daß er nach zwei Jahren so aufspringen wird wie du heute, nicht besoffen, aber so ähnlich. Dabei bist du so gesund wie wir alle auch.

Wir gingen langsam aus den Wasch- und Umkleideräumen, über die frisch geharkten Kieswege, ich hatte plötzlich das Gefühl, der Block aus Stahl, Beton und Glas vor mir sei ein Auge ohne Lid, das mich durchdringt.

Und was wird dann, fragte ich Franz.

Wir schlossen unsere Wagen auf. Es war kühler geworden.

Ja Paul, was dann? Das frage ich mich auch. Du hättest den Arzt sehen sollen, er stand da wie ein Kind, das eine Fensterscheibe eingeworfen hat. Ich glaube, er hat dir die Spritze gegeben, weil ihm nichts anderes einfiel.

Franz, meinst du, daß wir krank sind?

Krank? Nein, das glaube ich nicht. Ich war erst vor vier Wochen beim Werksarzt zur Untersuchung, er hat gesagt, ich bin kerngesund.

Das hat er auch mir gesagt, vor einem halben Jahr. Naja,

daß es im Bett nicht mehr so klappt, das sind ja wohl die Jahre.

Vielleicht ist es eine Krankheit, Paul, die in keinem Buch steht. Und was nicht im Buch steht, ist keine Krankheit.

Aber die Ärzte müssen es doch wissen, die untersuchen uns ja jedes Jahr gründlich.

Die kennen unsere Arbeit nicht.

Angst könnte man kriegen, Franz. Dabei haben wir die ruhigste Arbeit, die man sich denken kann. Franz, und was wird, wenn sich das bei mir wiederholen sollte, nicht morgen, nicht übermorgen, aber irgendwann einmal, in einem Jahr, in zwei oder drei?

Dann kriegst du, wenn es hoch kommt, vier Wochen Aufenthalt in einem Sanatorium. Auf Betriebskosten. Was können die uns schon geben. Wir schippen dann am Hafen drunten Kohlen an der Kippe. Auch nicht schlecht, immer frische Luft.

Sein Lachen klang nicht besonders heiter.

Die Stadt trug ein anderes Gesicht.

Das Rot der Ampeln war unverschämt rot, das Grün widerlich grün, das Gelb seltsam blaß. So überrascht war ich von den Farben, daß ich länger vor ihnen hielt, als nötig war. Ein Polizist oben am VEW-Haus sah mich zweifelnd an; wahrscheinlich argwöhnte er, ich habe über den Durst getrunken, und ich war plötzlich überzeugt, müßte ich in ein Tütchen blasen, das Tütchen würde Alkohol anzeigen, obwohl ich 24 Stunden keinen Tropfen Alkohol getrunken hatte. Ich war überhaupt von vielem überzeugt, was ich vorher nicht für möglich gehalten hätte.

Ich fuhr mit Traktorengeschwindigkeit über die Traumstraße, der Scheinwerfer vom Fernsehturm zuckte über die Straße, der blaue Mercedesstern war irgendwo, ich konnte ihn nicht sehen.

Vor mir links lag das Hüttenwerk, Autos hielten auf dem Parkstreifen, Menschen stiegen aus, sie wollten sehen, wie die glühende Schlacke aus Riesentöpfen die Halde hinuntergekippt wurde und den Himmel und die südlichen Stadtteile beißend gelb einfärbte. Für einen Augenblick konnte man glauben, die halbe Stadt Dortmund stehe in Flammen. Zu Hause gab es Bratkartoffeln mit Ei. Wie gut ich Gerda kannte, wie gut sie mich.

Sie sagte: Du siehst blaß aus, so durcheinander. Ist was passiert?

Wahrscheinlich die Hitze, sagte ich

Ihr habt doch Klimaanlage in eurem Glashaus. Ich wollte, wir hätten so was im Kaufhaus.

Jaja, sagte ich. Ich erzählte ihr aber nichts von dem, was vorgefallen war.

Lissi hat in Französisch eine Eins geschrieben, zum ersten Mal. Ich hab ihr fünf Mark dafür gegeben. Hast doch nichts dagegen? Gib ihr auch fünf Mark, tu so, als wüßtest du nicht, daß sie schon fünf bekommen hat.

Das ist aber schön, sagte ich.

Gesprächig bist du heute nicht, sagte Gerda.

Widerwillig erzählte ich ihr, zwischen Ei und Kartoffeln, meine Unterhaltungen vom Vormittag, sie nickte zu jedem Wort, äußerte manchmal: Wie gehabt. Aber als ich ihr sagte, auch Känguruh habe mir von der Reise abgeraten, saß sie steif und sah starr.

Ungläubig fragte sie: Fred?

Du siehst, auch Fred will seine Ruhe haben.

Gerda erhob sich langsam aus dem Sessel, und als sie mir gegenüberstand – ein Parfüm nahm ich wahr, das ich noch nicht kannte –, sagte ich leise: Ich werde doch fahren, Gerda. Ich muß fahren. Ich weiß nicht warum, aber ich muß.

Sie stand einen Moment bewegungslos, dann sank sie in den Sessel zurück. Sie sah stumm vor sich hin, mein Schatten schlug über sie, ihre nackten Füße scharrten auf dem Teppich, ihre Nägel waren viel zu lang, der Hund sah auf, knurrte, ihm schien etwas nicht geheuer.

Dann aber schrie Gerda auf, schrie: Nein! neineinein!

Der Hund bellte, sprang an mir hoch, ich nahm ihn auf den Arm, denn er fürchtet sich vor Menschen, die laut sprechen, und Gerda schrie erneut: Willst du uns ins Unglück stürzen? Willst du arbeitslos werden, jetzt, wo jeder froh ist, daß er eine Arbeit hat? Die schmeißen dich doch raus, wenn du unentschuldigt weg bleibst, ohne Grund weg. Du bleibst hier! Du hast Familie, du kannst nicht ausbrechen. Du bist verplant.

Woher hatte sie das Wort?

Aber Gerda, sagte ich ruhig, du hast doch selbst darauf bestanden, daß ich fahre.

Und jetzt rate ich dir ab, schrie sie, der Hund zitterte in meinen Armen, alle raten dir ab, sogar Känguruh rät dir ab, und da soll ich noch zuraten? Paul, die schmeißen dich raus, du kannst stempeln gehen, die haben genug Leute, genau wie bei uns im Kaufhaus, wenn du nur das Gesicht verziehst, sagen sie schon: Draußen stehen hundert andere, die machen das gern, wenn Sie nicht wollen, Sie brauchen es nur zu sagen, wenn Sie nicht wollen, dann sind Sie frei.

Wir drehten uns beide erschrocken um, als wir Lissis Stimme hörten: Warum schreist du denn so, Mama? Laß Papa doch fahren.

Sie kam auf mich zu und nahm mir den Hund ab, und ich suchte in meinen Taschen nach einem Fünfmarkstück und tat, als wüßte ich nicht, daß sie schon eine Belohnung erhalten hatte, und versuchte mich zu freuen.

6

Das Mädchen lehnte an meinem Wagen, als ich in der hohen
Rhön das Lokal Schwedenschanze verließ, wo ich immer meine
Fahrt unterbreche und eine Kleinigkeit esse, fahre ich zu meiner Mutter. Die Schwedenschanze ist genau der halbe Weg.
Sie lehnte am Wagen, die linke Hand spielte an der Chromleiste des Daches. Das Mädchen sah geradeaus. Erst dachte
ich, es posiere für einen Fotografen, aber weit und breit war
niemand zu sehen. Der Stinker lief schnurstracks auf den
Wagen zu, hielt vor dem Mädchen in armweiter Entfernung,
er sah zu dem Mädchen auf, das Mädchen auf den Hund
herunter, es lachte den Stinker an, der Hund wich ein paar
Schritte zurück, knurrte, das Mädchen wollte ihn streicheln,
der Hund aber schoß vor.
Ich ging um den Wagen; während ich ihn aufschloß, sagte
ich zu ihr: Passen Sie auf, der schnappt.
Wir standen uns gegenüber, sahen uns über das Wagendach
hinweg an. Das Mädchen hatte immer noch die Finger auf
der Chromleiste liegen, wie besitzergreifend. Ich hatte den
Eindruck, sie sei etwas größer als ich, konnte mich jedoch
täuschen: sie stand auf dem nicht asphaltierten Parkplatz
wahrscheinlich höher als ich.
Fahren Sie zufällig Richtung Coburg, fragte sie.
Ich fahre zufällig Richtung Coburg.
Würden Sie zufällig jemand mitnehmen, fragte sie wieder.
Ich habe zufällig nichts dagegen, antwortete ich und öffnete
ihr die andere Tür.
Das Mädchen ließ sich auf den Sitz fallen. Sie zog ihre blaue
Lufthansatasche nach, stellte sie zwischen ihre Füße.
Es war über zwei geworden; in vier Stunden spätestens war
ich in Waldsassen. Mein Gott, was wird Mutter Augen
machen, was werden sie erst im Werk Augen machen, daß
ich nicht auf dem Plan erschienen war, obwohl ich verplant
bin, sondern heute morgen einfach den Wagen aus der Garage
holte, Lissi und Gerda standen an der Haustür, der Hund
schlüpfte aus dem Haus und sprang in den Wagen, Gerda
fragte mich, wohin ich so früh fahre, und als ich sagte, nach

Waldsassen, blieb Gerda stumm, und sie sah nicht einmal böse aus, aber sie sah mich nicht an. Lissi rief, als sie an mir vorbei zum Bus lief, um in die Schule zu fahren: Grüß Großmutter, bring mir was Schönes mit.

Von dem Mädchen neben mir sah ich die ersten Kilometer nur Beine, strumpflose, gleichmäßig gebräunte, feste, schlanke, anfangs hatte das Mädchen die Beine übergeschlagen, dann saß es breitbeinig da, ich riskierte ein Auge: der kurze Rock war weit nach oben gerutscht, aber auch über den Knien waren die Beine gebräunt, gleichmäßig.

Sie sah gut aus. Blonde Haare, sie fielen weit über die Schultern, braune und feste Arme.

Bis Bischofsheim, wo ich mich wegen der engen Durchfahrten immer ärgere, hatte das Mädchen noch kein Wort gesprochen; es saß wie selbstverständlich neben mir, breitbeinig, ansprechend.

Als die enge Stadt hinter uns lag, zündete sie zwei Zigaretten an, steckte mir eine in den Mund. Ich muß ein verblüfftes Gesicht gemacht haben, denn sie sagte: Sie können ruhig nehmen, Syphilis habe ich nicht.

Ich lachte, etwas verlegen. Blaue Augen hatte das Mädchen, eine starke höckrige Nase, die ihrem Gesicht etwas Hartes gab, auch breite Lippen. Das Mädchen roch nach bittrem Parfüm, Sonne und Schweiß. Als sie sich zu mir herüber beugte, mir die Zigarette zwischen die Lippen schob, sah ich einen Moment in ihren Ausschnitt: ich hätte geschworen, daß sie keinen Büstenhalter trug.

Ihre Lufthansatasche war nicht allzugroß. Ich rätselte eine Weile über den Inhalt der Tasche.

Fahren Sie oft diese Strecke, fragte sie. Ihrer Aussprache nach war sie aus Hannover oder Hamburg: sie stolperte über den spitzen Stein.

Nicht sehr oft, sagte ich. Der Hund auf dem Rücksitz schlief, schnaufte manchmal tief durch.

Im Wagen war es, trotz eingeschalteter Lüftung und geöffneten Fenstern, stickig.

Aber Sie kennen sich hier gut aus, sagte das Mädchen.

Ich kenne die Straßen, erwiderte ich. Was neben den Straßen ist, kenne ich nicht.

Tote Gegend hier, meinte das Mädchen gähnend. Sie schob

ihr Kleid höher, nahm die Zeitung vom Rücksitz und fächelte sich zwischen die Beine. Ich verfluchte die kurvenreiche Strecke und den Gegenverkehr, die es mir nicht erlaubten, länger als eine Sekunde ihre Beine zu betrachten.

Der Wagen hat Liegesitze, fragte das Mädchen.

Nein, sagte ich, 63er Modell.

Und in einer Anwandlung von Neugier und Übermut fügte ich hinzu: Aber wir können ja an einen Waldrand fahren, aussteigen, wo Schatten ist. Ich wagte es aber nicht, sie dabei anzusehen.

Meine Begleiterin sagte kein Wort, lange Zeit. Mir war unbehaglich zumute. Ich nahm wahr, daß sie ihre Kippe in den Wind warf, ihren rechten Arm aus dem Fenster baumeln ließ: daß sie lachte, lange und herzlich über mich lachte, konnte ich erst nicht glauben. Aber sie lachte, unverblümt und so hinreißend, daß ich endlich erleichtert einfiel, mitlachte, um die Wette mit ihr lachte, und anhalten mußte, weil es mich schüttelte und das Auto wie betrunken fuhr.

Als wir uns einigermaßen beruhigt hatten, sagte sie todernst, mit gespieltem, tiefem Baß: Ich bitte Sie, aber doch nicht hier. Das ist eine züchtige Straße.

Hinter Maroldsweisach bog ich links in die neue Schnellstraße nach Coburg ein. Ich liebe diese Straße. Sie war wenig befahren, sie führte durch Mischwald und weite Felder, an Karpfenteichen vorbei und Häusern, von deren Fensterbänken Geranien leuchteten.

An einer Kreuzung hielt ich. Das Mädchen wies auf ein weißes Schild mit schwarzer Beschriftung: Attention! Five kilometers to border.

Ich hätte das gern einmal gesehen.

Was gesehen, fragte ich.

Na das. Und sie wies wieder auf die Tafel, schwarz auf weiß: Five kilometers to border.

Ich stieg aus, lief über die Straße, das Mädchen hinter mir her. Es sagte: Der Hund wird Durst haben. Da unten ist ein Bach.

Wir rannten weiter, der Hund voraus, als rieche er schon das Wasser, er hopste durch das hohe Gras. Am Bach jedoch überkam den Stinker Angst, die Böschung war unterhöhlt. Das Mädchen nahm den Hund unter den Arm und stieg in den Bach, hielt ihn so, daß er ohne Mühe saufen konnte, und als der Hund getrunken hatte, stieg das Mädchen wieder auf die Wiese. Der Hund suchte den Schatten.

Wie alt sind Sie eigentlich, fragte ich.

Keine Bange, nicht mehr minderjährig, sagte sie schnippisch und machte Anstalten, ihr Kleid über den Kopf zu ziehen.

Ich wollte wegsehen, aber ich starrte sie offen an. Auch ihre Brüste waren braun, die Warzen, ich hatte richtig vermutet, sie trug keinen Büstenhalter, und bei diesen Brüsten hatte sie das auch nicht nötig. Ihr Höschen, blau-weiß-rot gestreift, war mehr als sparsam. Und wo kommen Sie her, fragte ich. Es war mir völlig gleichgültig.

Sie haben wohl Angst, spottete sie, ich bin einem Heim für Schwererziehbare entsprungen?

Sie legte sich unter den Baum, unter dem der Hund Schatten gesucht hatte, ich stand in der prallen Sonne, riß ein Blatt ab, betrachtete es, rollte es zwischen den Fingern. Das Mädchen sagte: Ist eine Ulme.

Der Hund lag im Schatten, schlappte die Zunge heraus, betrachtete mißtrauisch die Fliegen und Hummeln.

Ich legte mich einige Meter von ihr entfernt ins Gras, zog mein Hemd über den Kopf und schämte mich etwas; zwar hatte ich keinen Bauch, immerhin, der Nabel lag tiefer als vor zwanzig Jahren. Ich versuchte meinen Bauch einzuziehen, breitete die Arme aus und lag entspannt, bis das Mädchen sagte: Ich kann Ihnen noch eine Hose leihen.

Wie bitte? Ist was, fragte ich. Ich sah an mir herab. Ich dachte: Warum soll ich meine Hose eigentlich nicht ausziehen, ich trage darunter meine dunkelblauen Slips, die können sich sehen lassen. Der Hund sah mir zu, er sieht mir auch zu Hause zu, wenn ich mich aus- oder anziehe, seine Augen sind mir unangenehm, ich will es ihm abgewöhnen, aber er sieht mit seinen Knopfaugen zu, bis ich fertig bin, dann fällt er um oder geht. Er fiel auch hier in den Schatten zurück.

Na also, sagte das Mädchen und rollte sich an meine Seite, lachte mich an, stützte sich auf ihre Ellenbogen, betrachtete mich, kritisch und forschend, nahm einen Halm und kitzelte mich unter der Nase. Lassen Sie das, sagte ich und kam mir selbst lachhaft vor, ich bin verheiratet und habe eine Tochter, die fast so alt ist wie Sie.

Du meine Güte, rief sie, ich will Sie doch nicht heiraten. Ein Trara machen Sie . . . Bin ich Ihnen zuwider?

Nein, hörte ich mich sagen. Im Gegenteil.

Dann ist es gut, sagte das Mädchen.

Und dann hörte ich die Zeit tropfen, Autos auf der nahen Straße von und nach Coburg fahren, Traktoren in den Feldern tuckern, Kinderstimmen, hörte die Hitze knistern und das Mädchen atmen, hörte ihren leichten Schatten über mich fliegen, ihre Nase blustern, den Hund schlappen, eine Kirchturmuhr schlagen, hörte das Telefon im Werk und das Brummen der Turbinen, den Singsang der Hochspannungsleitungen und den Direktor sagen: Ein tolles Ding, was Sie da erzählen, spürte den Atem des Mädchens ganz nahe und die Haut des Mädchens, hörte den Roggen sterben und den Klee wachsen, den Hund schlappen und die Schwalben segeln, hörte die Autos von und nach Coburg fahren und eine russische Stimme auf Englisch sagen: five kilometers to border, hörte das Mädchen flüstern: du gefällst mir.

Aber ich blieb liegen, wie ich mich gelegt hatte.

Ich hatte nichts dagegen, daß ihr Daumennagel meine feuchte Haut vom Kinn bis zum Nabel aufritzte, ich hatte nichts dagegen, daß ihr schmaler Schatten sich über mir ausbreitete, ich hatte nichts dagegen, daß eine russische Stimme auf Englisch sagte: five kilometers to border, ich hatte nichts dagegen, daß sie flaumenweich mein Ohr streichelte, ich hatte nichts dagegen, daß der Direktor sagte: ein tolles Ding was Sie da erzählen, ich hatte nichts dagegen, daß Gerda wütend war und Lissi unbeteiligt, als ich in Dortmund abfuhr, ich hatte nichts dagegen, daß nun alle ihre Finger meinen Bauch streichelten, vom Nabel bis zum Kinn und zurück, ich hatte nichts dagegen, daß Traktoren auf Feldern tuckerten, der Roggen starb, die Schwalben segelten, der Hund schlappte, das Gras die Luft würzte, der Schatten der Ulme auf den Schatten des Mädchens fiel, ihr Bein sich feucht auf mein Bein legte, ich hatte nichts dagegen, daß sie sagte, du gefällst mir, immer mehr.

Ich war dafür, daß sie vom Nabel abwärts meinen Bauch mit ihren Nägeln trennte, meine Angst und meine Schweiß- und Lustperlen, ich war dafür, daß der Roggen starb, Traktoren auf Feldern tuckerten, der Klee wuchs, die Autos von und nach Coburg fuhren, die Schwalben segelten, das Mädchen mit einem Halm nicht nur meine Nase kitzelte, ich war dafür, daß sie das Gummi der Hose und die Hose nach unten zog und ihre Fingernägel meine Haut und meinen Schweiß von unten zum Nabel trennten, vom Nabel nach unten, ich war dafür, ich war dafür, daß ihr zweiter Schenkel feucht mein zweites Bein berührte, sie sich an mich preßte, ihr Schatten über mich fiel, ihr Mund meinen Mund öffnete, ich war dafür.

Das Mädchen war glitschig geworden, dagegen war nichts zu sagen, es war kraftvoll und geschickt, dagegen war nichts zu sagen, und ich versagte nicht, wie in manchen Nächten bei Gerda, es war hungrig, heiß, schwer und naß und hungrig, dagegen war nichts zu sagen, und es ließ sich erschöpft neben mich fallen, und dagegen war nichts zu sagen, und die Sonne brannte und der heiße Schatten der Ulme trocknete den hellen Schweiß ihres Körpers, und dagegen war nichts zu sagen, und die Autos fuhren von und nach Coburg, und dagegen war nichts zu sagen, und eine russische Stimme sagte auf Englisch: five kilometers to border, und dagegen war nichts zu sagen, und das Mädchen biß mein Ohr und flüsterte: wir müssen nun fahren, die Sonne senkte sich an der Ulme vorbei, und dagegen war nichts zu sagen, Schwalben segelten, Traktoren tuckerten über Felder, und dagegen war nichts zu sagen, und das Mädchen flüsterte, wie müde es sei, und dagegen war nichts zu sagen.

Vor Coburg verriet das Mädchen, daß es nicht nach Coburg wolle.

Vielleicht wollen Sie dorthin, wohin ich auch will, sagte ich. Mir kam jetzt das Sie leicht über die Lippen, wie mir vorhin das Du leicht über die Lippen gekommen war.

Und wo fährst du hin, fragte sie.

An die tschechische Grenze.

Es stellte sich heraus, daß sie ebenfalls zur Grenze wollte: nach Bärnau zu ihren Großeltern.

In Mitterteich auf dem Markt, wo sich die Straßen teilen – geradeaus ging es nach Waldsassen, nach Bärnau im scharfen Winkel rechts ab –, vor dem Rathaus stieg sie aus, winkte, hängte sich mit Schwung ihre Lufthansatasche um, bog bald um die Ecke. Ich sah ihr einen Augenblick nach, aber ich ließ sie gehen. Es war besser so, ich hatte in solchen Dingen keine Erfahrung.

Mutter stand am Fenster, als ich wenig später in Waldsassen vor dem grün getünchten Haus hielt. Ich stieg aus, und sie öffnete beide Flügel und rief mir zu: Warum tust denn kommen, Paul? Ach, und der Stinker ist auch dabei. Mein Stinkerle, tust zu Frauchen kommen?

Der Hund lief ins Haus, er soff schon aus einer Schale Milch, als ich in die Küche trat.

Die Küche blitzte. Ich setzte mich auf die Couch. Mir war, als hätte ich meine Mutter gestern verlassen.

Mutter setzte dem Hund zu fressen vor, sie streichelte den Hund, der ließ es sich gefallen.

Du gutes Hunderl, sagte sie immer wieder, du gutes Hunderl. Gelt, ist eine Quälerei bei der Hitze? Dann wandte sie sich an mich, hastig, als falle ihr beschämt ein, daß sie mich ganz vergessen hatte: Und du, Paul: Tust Hunger haben? Ich hab noch ein halbes Gockerl, magst es? Und gestern hab ich Klös gekocht, sind noch zwei da. Ich tu sie aufwärmen, die Klös.

Und als ich nickte, tischte sie mir auf, stellte eine Flasche Bier neben den Teller, ganz so, als ob sie mich längst erwartet hätte. Mutter setzte sich mir am Tisch gegenüber, sah mich an, knetete eine Hand in die andere, sagte: Daß du kommen tust, Paul, das hätt ich nie denkt . . .

Du hast mir doch geschrieben, sagte ich.

Ja schon, weil es doch wichtig ist.

Sie brachte mir eine Schachtel Zigaretten, hob dann den Hund auf ihren Schoß, streichelte ihn, zärtelte immer wieder: Du gutes Hunderl, du armes Hunderl, bei der Hitze tust kommen. Stinker ließ es sich wohl sein, er schnaubte, legte seinen Kopf an ihre Brust.

Hast Urlaub genommen, fragte sie.

Ich schüttelte den Kopf.

Hast keinen Urlaub, fragte sie ungläubig. Aber Paul, das tut doch nicht gehen, fährst einfach ohne Urlaub, Gott Paul, was sagt denn da dein Chef, fährst einfach ohne Urlaub, ja mei, so was. Was sagt denn Gerda? Und die Elisabeth, die muß doch schon eine große Dame sein, das Kind, und gescheit ist's, ja, du bist auch gescheit, sagte sie zu dem Hund und streichelte ihn wieder. Der Hund grunzte vor Behagen wie ein Schwein.

Mir war, als hätte ich dieses Zimmer nie verlassen. Über dem Radio hing das Bild meines Vaters mit einem über eine Ecke gespannten schwarzen Band, darunter ein kleiner Keramikteller, gelb, mit roter Inschrift: Die Tiroler sind lustig. Den Teller hatte meine Mutter einmal von Innsbruck mitgebracht, es war ihre längste und einzige Reise, und sie wird noch mit hundert Jahren, sollte sie dieses Alter erreichen, von dieser Reise erzählen. Für sie war Innsbruck so etwas wie das gelobte Land.

Was tust denn jetzt vorhaben, fragte sie. Weißt, der Hammer Georg hat halt gemeint, ich sollte gar nicht hinfahren, denn vielleicht tut der Beierl mich kennen, und da sollte einer hinfahren, den der Beierl nicht kennt. Was meinst denn?

Ich saß am Tisch und hatte die Flasche geleert, Mutter setzte den Hund wie etwas Zerbrechliches auf die Couch und brachte mir eine zweite Flasche, und als ich die zweite Flasche leer getrunken hatte, sagte sie: Mußt nicht so viel trinken. Du tust zu viel trinken, das macht dick, du bist zu dick, Paul, das muß ich mal Gerda schreiben, damit sie aufpaßt, daß du nicht zu dick wirst, tust ja saufen wie der Hammer Georg, der kann sich das aber leisten, der ist Viehhändler, und Viehhändler müssen schon dick sein, weil ihnen sonst keiner was abkauft.

Trotzdem stand sie, ohne daß ich sie gebeten hätte, auf und brachte mir eine dritte Flasche Bier und sagte, ohne mich aber dabei anzusehen: Hab noch zwei Flaschen im Keller. Tun die reichen? Sonst muß ich noch was holen, weißt, die Flaschenbierhandlung tut um zehn zumachen. Und in eine Wirtschaft geh ich nicht gern, da tun sie immer schauen.

Ich schüttelte den Kopf, ich versuchte an Beierl zu denken, dessentwegen ich gekommen war, oder an den Hammer Georg, aber ich dachte nur an das Mädchen, dessen Namen ich nicht einmal wußte, und war plötzlich entsetzt darüber, mit einem tief gebräunten Körper im Schatten einer Ulme am Ufer eines Baches gelegen zu haben, five kilometers to border.

Wirst müd sein, sagte meine Mutter, und das Hunderl wird auch müd sein. 'S darf heut bei Frauchen im Bett schlafen, so müd wie es ist. Aber Paul, einen Denkzettel müssen's schon kriegen, die Beierls, waren doch keine Menschen nicht mehr, Miststücke waren das, sagt der Hammer Georg, wo wir ihnen nie nichts getan haben, immer nur geschuftet und geschuftet, und dann kommt so ein Miststück und steht hinterm Baum und tut schießen wollen und hätt' auch geschossen, wenn ich dich nicht gehabt hätt' an der Hand. Mein Gott, Paul, wenn der wirklich geschossen hätt', der Beierl, dann wärst du ganz allein gewesen in dem Wald und in der Nacht, hättest nicht gewußt, wo der Weg geht durch den Wald . . . Magst noch ein Bier?

Sie holte mir die vierte Flasche, mein Durst ließ nicht nach, das liegt an der Luft hier. Mutter aber setzte sich nicht wieder zu mir, sie ging schlafen. Sie nahm den Hund auf den Arm und sagte: Wenn du nachts mal mußt, ich stell dir den Nachttopf vors Bett, tu aufpassen, daß er nicht überläuft, wo du jetzt so viel Bier hast getrunken.

Als ich zu Bett ging, schob ich das Gefäß unter das Möbel.

7

Mutter hatte einen starken Kaffee gebraut, aus der Bäckerei nebenan Quarkkuchen besorgt, der Kuchen war noch warm, als ich am Morgen in die Küche trat, warm schmeckt er am besten. Sie setzte sich zu mir an den Frühstückstisch, überlas die Zeitung von hinten nach vorn, brummelte vor sich hin, sagte dann halblaut: Hörst, Paul, das hat's früher doch nicht gegeben, daß immer Kinder umgebracht werden. Diese Menschen sind doch Viecher, da müßte man schon die Todesstrafe haben. Meinst nicht?
Ich dachte anders darüber, aber was soll's. Ich nickte und kaute weiter. Der Käsekuchen war gut und saftig, die eingebackenen Rosinen weich, ich aß drei breite Stücke.
Anschließend rasierte ich mich. Mutter räumte den Tisch ab, putzte Tischplatte und Herd, ging ins Schlafzimmer und kam nach ein paar Minuten umgezogen wieder.
Willst du weg, fragte ich.
Weg? Na, nach Bärnau tun wir doch fahren zu dem Beierl. Bist doch gekommen deswegen. Mein Gott, Paul, ohne Urlaub, wenn das der Vater wissen tät.
Wird schon nicht, antwortete ich gereizt und setzte mich auf die Couch.
Ich kam mir mit einem Male kindisch vor. Mutter lebte in einer anderen Welt, sie war stehen geblieben im Jahre 38. Was soll ich in Bärnau, was mit dem Mann reden, was soll überhaupt das Gerede von gestern und vorgestern, ich lebe jetzt, für morgen, für Gerda und für Lissi.
Vater war tot, ganz normal war er gestorben und im Krematorium in Selb eingeäschert worden. Im KZ hatte er sich vor dem Krematorium gefürchtet, als er aber 1960 seine dritte Krebsoperation hinter sich hatte, nichts mehr aß, im Krankenhausbett zum Skelett austrocknete, da flüsterte er der katholischen Nonne zu, die ihn pflegte: Ich will in Selb verbrannt werden, im Krematorium. Das ist sauberer als ein Sarg in der Erde, und der Bub hat später keine Arbeit mit dem Grab und keine Unkosten, wenn Mutter einmal nicht mehr ist.

Mutter würde sowieso verbrannt werden, sie war schon über dreißig Jahre im Verbrennungsverein, wie die meisten Protestanten in dieser katholischen Gegend hier.

Vaters Urne mit der Asche steht in einem Regal im unterirdischen Gewölbe des Krematoriums in Selb. Man kann sie alle Jahre einmal besichtigen.

Gibst dich halt als Vertreter aus, sagte meine Mutter unvermittelt, oder als Sommerfrischler, sind doch jetzt viele da, aus Berlin, sagst halt, du willst die Grenze anschauen, dann wird der Beierl schon was reden mit dir. Der hat immer gern geredet. Vater hat ihm mal Stiefel besohlt, da hat der Beierl dem Vater vier Stunden was erzählt.

Vielleicht ist er gar nicht zu Hause, sagte ich.

Freilich ist er. Der Beierl ist jetzt auf Rente gesetzt, hat der Hammer Georg gesagt, der tut den ganzen Tag in seinem Garten bosseln, wo er doch auch allein ist, seine Frau zählt nicht mehr, und sein Bub ist doch in Hannover, bei vw als Monteur, da tut er Autos zusammenbauen.

Mutter, sei vernünftig. Was soll ich bei dem Mann? Soll ich ihm sagen, Beierl, haben Sie nicht damals hinter einem Baum gestanden, haben Sie nicht Vater in ein Lager gebracht? Die Reichsdeutschen hätten Vater sowieso geholt, sie marschierten ein paar Tage später in Eger ein. Zwei Tage zuvor oder einen Tag danach, was tut das schon, und soll ich sagen, er hätte dich erschossen, wenn ich nicht an deiner Hand gewesen wäre, soll ich ihm sagen, daß er ein Schwein war und einer der schärfsten Hunde, ehe Hitler ins Land kam? Sei ehrlich, Mutter, du hast mir selbst erzählt, daß sie alle scharf wie Hunde waren damals, so scharf, daß die Deutschen, als sie das Sudetenland besetzt hatten, die Sudetenländer dämpfen mußten.

Ach Paul, es waren nicht alle bös damals, sagte meine Mutter. Als Vater nicht mehr kommen ist, da haben wir nicht viel Geld gehabt, und der Laden am oberen Markt hat uns auf Pump gegeben und die Frau im Laden hat immer gesagt: Macht nichts, Frau Pospischiel, Ihr Mann wird schon wieder kommen und Schuhe flicken und Geld verdienen. Doch Vater ist nicht gekommen, und wir sind alleweil in den Wald gegangen und haben Schwarzbeeren geholt und verkauft und Preiselbeeren und haben Schwammerl gesucht und getrocknet und haben auch die verkauft, und du hast müssen von der Schule, weil die Bürgerschule ist aufgelöst worden, und auf dem Gymnasium haben sie dich nicht genommen, weil du nicht in der Hitlerjugend gewesen bist, und ich hätte lieber jeden Tag Wurzeln gegessen, wenn du nur hättest wieder auf die Schule gekonnt, und da sagst du, man könnte dem Beierl nichts und nicht mit ihm reden. Paul, man kann mit dem Beierl schon reden, in sein Gewissen, und dann wird der sagen, daß eine andere Zeit war damals, das tun die jetzt alle sagen, aber gesagt hast's ihm dann, und er tut wissen, daß wir wissen tun, daß er ein Schwein war. Wissen soll er schon, daß wir es wissen. Das gönn ich ihm schon, dem Lump, ist damals rumgelaufen in seiner braunen Uniform, wie ein Gockel auf dem Mist, und der schärfste Hund ist er gewesen in Eger, ist schon mit Heil Hitler morgens aufgestanden, der. Paul, es muß doch eine Gerechtigkeit geben auch für uns, nicht immer nur für die anderen.

Ich zog mich an.

Ob es Zweck hat, am Vormittag hinzufahren, sagte ich vor dem Haus. Meinst du nicht, es ist besser, wir fahren erst gegen Abend?

Mußt ihn nicht so auf die lange Bank schieben, den Beierl, sagte sie, wo du doch morgen wieder weg fahren tust. Mein Gott, Paul, ohne Urlaub bist gekommen, zu unserer Zeit hat es das nicht gegeben. Tust mir gleich schreiben, ob dein Chef bös war auf dich. Mußt ihm halt gut zureden, daß er nicht bös wird.

Die Stadt, sah ich, hatte sich in den letzten Jahren wenig verändert. Die Straßen waren neu geteert, die Bürgersteige mit Platten belegt, Häuser hatten einen neuen Anstrich bekommen, auf dem Markt hielten viele Busse von auswärts, denn die Stiftskirche in Waldsassen muß man gesehen haben und erst recht die sich anschließende Klosterbibliothek, in der ich als Junge oft war, die vielen Bücher bestaunte und darüber rätselte, ob ein Mensch während eines Lebens sie alle werde lesen können.

Während wir durch die Straßen fuhren, grüßte meine Mutter dauernd nach draußen, lachte den Leuten zu, stolz, in einem Auto zu fahren, stolz, mit dem Auto ihres

Sohnes, mit ihrem Sohn zu fahren.

Das Bahngeleis, das früher nach Eger führte, lag verrostet, grasüberwachsen, jetzt rangieren nur noch die Porzellanfabriken dort ihre Materialwaggons.

Als wir an Bad Kondrau vorbeifuhren, äußerte meine Mutter: Da könnt ihr auch Urlaub machen, da kommen immer viele Berliner her, und was für Berliner gut ist, das tut auch gut sein für euch droben aus Dortmund, und als wir Mitterteich zufuhren, meinte sie: aber ich weiß schon, ich tu Gerda nicht gut genug sein. Und sie deutete nach links, sagte: Da drunten ist die Wondreb. Weißt noch, da haben wir zwei immer gefischt, in der Nacht, wo doch Fischen verboten war, auch bei Nacht, da noch mehr. Aber gefangen haben wir immer was, Forellen. Und als wir durch Mitterteich fuhren, Richtung Tirschenreuth, sagte sie: Da wohnt jetzt der Espach Ossi, weißt doch, Fähnleinführer ist er gewesen in Eger, aber gehalten hat er immer zu dir, alles was recht ist, und hat sogar zur Polizei gesagt, daß unser Vater ein hilfsbereiter Mensch gewesen ist und gut und daß es eine Ungerechtigkeit sein tut, daß sie unseren Vater weggeholt haben von der Wiese, und der Ossi wollte dich immer haben in die Hitlerjugend, er hat gemeint, wenn du eine Uniform tätest tragen, dann können sie nix machen, und du bist halt nicht eingetreten in die Hitlerjugend und hast dann gelernt in einem Büro in Waldsassen und bei Großmutter gewohnt, und wie du einmal gekommen bist nach Eger mit dem Fahrrad, da haben sie gelauert auf dich und verprügelt, und der Espach Ossi ist dazugekommen und hat mit einem Knüppel dazwischen geschlagen und dich rausgeholt und gesagt, das sind Horden und du bist tausendmal besser als diese Horden, die weiter nichts können als brutal sein und großes Wort führen, und gesagt hat er, daß du nix dafür kannst für deinen Vater.

Ich werde ihn einmal aufsuchen, sagte ich auf der Straße nach Tirschenreuth. Was macht er denn jetzt, der Espach Ossi? Der hat doch damals in Mitterteich in einer Glashütte im Büro gelernt.

Was er macht, der Ossi? Übergeschnappt ist er halt. Dabei hat er so einen guten Posten gehabt in der Glasfabrik.

Übergeschnappt ist er, fragte ich.

Freilich. Gedichte tut er jetzt schreiben. Sitzt den ganzen Tag in der Wohnung, und seine Frau tut arbeiten gehen. In Marktredwitz, bei Rosenthal. Tut jeden Tag mit dem Wagen fahren, einen Fiat haben sie, einen italienischen.

Was, fragte ich. Gedichte schreibt er?

Ja freilich, Gedichte, aus dem Shell-Atlas tut er Gedichte schreiben.

Aus dem Shell-Atlas? Fast hätte ich die Bremse getreten, so verblüfft war ich.

Ich dachte, ich hätte es dir geschrieben. Weißt, so mit Auto-kennzeichen. Hab doch dem Ossi seine Frau, die Marlis, mal getroffen auf dem Markt in Waldsassen, weil doch in Mitter-teich kein vernünftiger Markt tut sein, da kommt die Marlis immer nach Waldsassen, ist ja nicht weit, die mit ihrem Fiat, kennst doch die Marlis, die war mal hinter dir her, und ich hab sie dir ausreden müssen. Und als ich die Marlis treffen tu auf dem Markt, da hab ich gesagt, ja mei, Marlis, und die hat gleich nach dir gefragt, und ich hab ihr erzählt, daß du jetzt in einem Werk bist mit ganz viel Verantwortung und daß ihr jedes Jahr an die See fahren tut, nach Holland, weil Elisabeth das haben muß mit ihrer Schilddrüse ... mein Gott, Paul, das Kind, in dem Alter schon eine Schilddrüse, und da hat die Marlis mir das erzählt von dem Ossi, daß er immer Gedichte schreibt und deswegen seine gute Stellung hat sausen lassen. Und die Marlis hat selbst gesagt, der Ossi tut was im Kopf haben.

Hinter Tirschenreuth hielt ich vor der Gabelung, links ab führte die Straße nach Bärnau und zur Grenze, geradeaus nach Weiden. Es war später Vormittag geworden, und ich war unschlüssig, und meine Mutter saß mit angezogenen Knien, den Stinker auf dem Schoß.

Wenn du nicht gleich zum Beierl willst, fahr halt noch ein bisserl durch die Gegend, vielleicht ist es besser, wenn du nicht so früh zu dem Beierl kommst.

Also fuhr ich geradeaus weiter, bog aber in Neustadt von der Hauptstraße ab. Ich verstand, je länger ich in der Hitze dieses Tages über Nebenstraßen fuhr, immer weniger, was ich hier verloren hatte. Die Zeit war weitergelaufen, die Menschen hatten andere Sorgen, nur meine Mutter wollte nicht begreifen, daß nichts, aber auch nichts mehr zu reparieren war. Es liefen genug Mörder auf der Welt frei herum, manche bezogen Pension vom Staat, warum sollte dann Beierl nicht herumlaufen, der ja nichts getan, nur hinter einem Baum gestanden hatte, sein Gewehr durchlud und doch nicht schoß, weil er Kinder nicht zu Waisen machen wollte.

Ich sah alles und hörte nichts genau: wie in meiner Glaskanzel im Werk.

Meine Reise war unwirklich geworden, am liebsten wäre ich umgekehrt, im Zorn auf meine Mutter, die wie ein Kind neben mir saß, die Knie hochgezogen, der Hund auf ihrem Schoß schnaufte; und sie sagte: Ich tu dir das Benzin schon bezahlen für das Rumfahren. Ich komm halt auch nicht raus das ganze Jahr, und schön ist es heut schon, und es wird vielleicht schon Schwarzbeeren geben, wo es doch so heiß war in den letzten Wochen.

So fuhr ich mit meiner Mutter über Land, kreuz und quer, auf Nebenstraßen, an die tschechische Grenze, die Grenze entlang, durch oberpfälzische Dörfer und Marktflecken, schließlich waren wir bis an den Grenzübergang Waidhaus gekommen. Eine Menge Leute stierte da, in Gruppen und dicht gedrängt, durch Feldstecher auf die Schlagbäume, als handele es sich nicht um den Übergang in ein anderes Land, sondern um eine Schaustellung von Zirkusartisten oder weiß der Teufel was.

Mutter sagte: Komm, wir haben uns verfahren. Tut mich überhaupt wundern, daß hier noch keiner eine Ausflugsgaststätte aufmachen tut. Mit Terrasse, die Tschechen angaffen bei Kaffee und Kuchen. Und wenn sie dann noch eine Tafel anbringen täten über der Terrasse und auf der Tafel würde dann stehen: Nicht durch den Feldstecher schauen, die Tschechen schießen zurück! Solltest mal sehen, wie alle durch den Feldstecher schauen täten, nur damit die Tschechen schießen.

Gott ja, sagte ich, versuchte die Leute zu entschuldigen, überleg doch mal, Mutter, wenn da einer, so wie ich, aus dem Ruhrgebiet kommt und sowas nie gesehen hat, der interessiert sich natürlich für so eine Grenze. Wir da oben kennen das eben nicht.

Sie sah mich an, als ich den Wagen vor dem deutschen Zollhaus wendete, und wies mit dem Daumen nach hinten:

Wenn die das hier nicht kennen, tun sie auch nicht kennen, was vor der Grenze hier gewesen ist.

Ich wollte sie bei guter Laune halten, ich schwieg.

Wir aßen irgendwo gut und billig, und Mutter wickelte das halbe Schnitzel, das ich auf dem Teller ließ, weil die Portion für meinen Appetit zu reichlich war, in die Papierserviette. Während sie die in ihrer Handtasche verstaute, sagte sie mißbilligend: Weißt du nicht mehr, wie wir gestanden haben vor den Fenstern früher und haben überlegt, ob wir dürfen kaufen für 20 Pfennige Leberkäs? Tust sündigen, weißt nicht mehr wie wir gehungert haben, und du hast geschrien, weil ich nicht mal mehr hab Brot gehabt, und bin dann gegangen in die Scheune von einem Bauern und hab die Eier aus den Hühnernestern gestohlen. Das weißt alles nicht mehr, bist ein Verschwender geworden in deinem Ruhrgebiet, und den Leuten im Ruhrgebiet tät's nicht schaden, wenn sie erfahren müßten, was Hunger ist . . .

Das haben sie, sagte ich, mehr als andere.

Ja, wegen dem Hitler seinen Krieg. Wir aber haben Hunger gehabt, weil wir einen Krieg und den Hitler nicht gewollt haben.

Ja, sagte ich.

So enden alle ihre Vorwürfe. Ich konnte es nicht mehr ertragen. Um Ruhe zu haben, schaltete ich das Radio ein, den bayerischen Rundfunk – Mutter hörte für ihr Leben gern Volksmusik, Ländler und Polkas – und fuhr immer schneller. Meine Mutter legte einige Male ihre linke Hand auf das Steuerrad, aber sie sagte nichts, sondern sah geradeaus, als ginge sie das alles nichts an. Der Hund hatte sich auf ihrem Schoß wie eine Schlange eingerollt. Nachdem wir eine lange Zeit schweigend gefahren waren, bat sie mich, unvermittelt, ich weiß nicht mehr, wo es war, den Rückweg über Flossenbürg zu nehmen.

Flossenbürg liegt abseits vom Wege, sagte ich. Sie lachte wie ein kleines Mädchen. Warum lachst du, fragte ich.

Ich schielte sie an, Mutter hob die Schultern und antwortete, immer noch lachend: Ich lache, weil du dich manchmal so geschwollen ausdrücken tust. Das kommt von dem vielen Bücherlesen. Ich hab ja nichts dagegen, aber so reden, wie in den Büchern stehen tut, brauchst nicht gleich.

Und was willst du in Flossenbürg, fragte ich.

Nichts, sagte sie wie teilnahmslos, halt nur so, weil's am Weg liegt. Und hastig fügte sie hinzu: Du brauchst auch nicht, Paul, wenn du nicht willst, ich meine halt, nur so, weil ich lange nicht mehr dagewesen bin.

Als Jungen sind wir oft mit den Fahrrädern nach Flossen-bürg gefahren, von Waldsassen aus waren es drei Stunden Fahrt, wir waren auf der Burgruine herumgeklettert, hatten im Sommer Zelte aufgeschlagen, spielten Räuber und Gen-darm. Ossi Espach war immer bei den Gendarmen, ich immer bei den Räubern, das ergab sich jedesmal so. Mein Gott, dachte ich, drei Stunden hierher mit dem Fahrrad, heute nehme ich den Wagen, muß ich mal nach Hombruch zur Post, und das sind zu Fuß zwanzig Minuten. Von der Burgruine hat man einen weiten Blick über das Tal, über die Berge, den Böhmerwald; mit einem guten Feldstecher kann man sogar tschechische Grenzposten hinter den Drahtsper-ren patrouillieren sehen. Meine Mutter saß neben mir unter-halb der Ruine auf der Wiese, die Knie bis zum Kinn hoch-gezogen, den Faltenrock über die Beine gebreitet wie ein kokettes Mädchen, sie mahlte mit ihren Zähnen, was sie immer tut, denkt sie über etwas verbissen nach. Sie sah in das Land. Ich warf dem Hund Stöckchen, die er zum Gaudium der Touristen, die auf dem Weg zur Burgruine waren oder von dort kamen, apportierte, mir vor die Füße legte, er knurrte mich an, nahm ich das Stöckchen nicht sofort wieder auf. Wie abwesend sagte sie: Drüben war das Lager. Sie deutete nach links, sah aber geradeaus. Und als ich mich ihr zubeugte, fügte sie mit einer sonderbar kehligen Stimme hinzu: Tun wir mal rübergehen. Zeit ist doch noch. Der Beierl tut schon warten.

Gott ja, sagte ich, wenn du unbedingt willst. Sie fiel mir aber sofort ins Wort: Ich meine halt nur, wenn wir schon hier sind.

Ich wollte ihr keinen Wunsch abschlagen, nachdem wir uns so selten sahen, denn für sie war das Ruhrgebiet weit und obendrein versteht sie nach fast zwanzig Jahren noch nicht, was mich da oben, wie sie es ausdrückt, hält, wo es ihrer Ansicht nach nur schlechte Luft, Dreck, Mief gibt und die Menschen so laut und, was bei ihr am schwersten wiegt, so großkotzig und verschwenderisch sind.

Komm, sagte ich, gehen wir, und im stillen dachte ich, hoffentlich haben wir es bald hinter uns.

Der Hund freute sich, als wir aufstanden, er war für jede Abwechslung dankbar, aber ich sperrte ihn in den Wagen: Hunde durften nicht mitgenommen werden.

Ich betrat zum ersten Male dieses Lager, das von weitem einer Parkanlage ähnelt, wären da nicht zwei Wachtürme, restauriert, wie ich später sah.

Am rechten Granitpfeiler des Einfahrttores war eine Bronzetafel angebracht; ich las: Bayerische Verwaltung der staatlichen Schlösser, Gärten und Seen, München.

Mutter und ich schlenderten durch das ehemalige Lager, und mir kam es ein wenig komisch vor, daß dieselben Beamten, die Bayernkönigs Ludwig des Zweiten Schlösser verwalteten und für Touristen betreuten, auch dieses ehemalige κz auf ihren Schreibtischen hin und her schoben, Putzfrauen in Dienst nahmen, Gärtner und wer weiß sonst was.

Wir bewegten uns, sahen uns um, wie sich Spaziergänger umsehen und bewegen, die Zeit haben, wir gingen die Stufen hinunter zum Verbrennungsofen, an dem Kränze hingen, auffallend viele französisch bedruckte Kranzschleifen, traten wieder in die Anlagen hinaus, deren Wege sauber geharkt waren, gepflegt wie in unserer Werksanlage in Dortmund, vorbei an den Gedenksteinen, auf denen Zahlen eingemeißelt waren, inmitten des Rondells stand die Zahl 73 296.

Die Zahlen der Toten auf den Gedenksteinen waren nach Nationalitäten getrennt, ich las einige Zahlen ab: Dänen 20, Franzosen 4771. Wir standen am aufblühenden Gladiolenfeld, und Mutter schüttelte immer wieder den Kopf über die Zahl 73 296.

Vater hat immer Gladiolen gesteckt, tust es noch wissen, fragte sie mich.

Ich weiß es nicht mehr, sagte ich. Das war alles, was ich sagen konnte. Tot war tot.

Wir stiegen den steilen Treppenweg zur Kapelle hoch, blieben stehen, Mutter verschnaufte. Ein paar Menschen waren in den Anlagen zu sehen, zwei Frauen zupften Gras aus dem Gladiolenfeld, ein älteres Paar fotografierte unablässig. Die

Frau des Fotografen kaute, aus gehöhlter Hand, wahrscheinlich Erdnüsse, der Mann dirigierte sie an einzelne Gedenksteine, sie hörte einen Augenblick zu kauen auf: wieder ein Bild fertig.

Vor dem Lager war ein Kiosk, der verkaufte Ansichtskarten vom dem Lager, wie es jetzt ist und wie es war. 30 Pfennig das Stück, in Farbe 60 Pfennig. Unmenschlichkeit verkauft sich gut, dachte ich, aber auch die bayerische Schlösserverwaltung muß leben, ihre Beamten bezahlen.

Ich hörte, als ich mit meiner Mutter die Kapelle fast erreicht hatte: Elli, jetzt stellst du dich noch zu den Polen, dann zwischen die Franzosen und Tschechen. Ja, so ist es richtig. Leg bei den Tschechen die Finger unter die Zahl. Jaja, so und nicht bewegen. Verdammt, halt doch still. Es klickte.

Wir betraten die Kapelle. Ein kleiner, einfacher Raum. Vorn ein Kruzifix, links und rechts Bänke, an der rechten Seite die französische Trikolore, an den Seitenwänden Steintafeln, mit den nationalen Wappen, unter den Wappen die Zahlen der Umgekommenen: Dänen 20, Franzosen 4771.

Da schau, flüsterte meine Mutter. Sie ruckte mit dem Kopf, schämte sich wohl, mit dem Finger zu zeigen, mir fiel ein, daß sie mich, wie ich klein war, gelehrt hatte, es sei unfein, mit Fingern auf Menschen zu zeigen.

Auf Sockeln in Kopfhöhe standen Gläser, voll mit Asche und angekohlten oder nicht verbrannten Knochen. Da schau, sagte sie. Dann stand sie stumm und sah auf die Gläser. Sie war fassungslos. Ich trat neben sie. Während wir stumm auf die Gläser starrten, betrat das Ehepaar schwatzend die Kapelle.

Ihrem Dialekt nach waren sie aus dem Rheinland. Wilhelm, hörte ich die Frau dicht hinter mir sagen, guck dir das an.

Ich drehte mich um, sah, wie sie mit ausgestreckten Armen auf die Gläser wies. In den Gläsern waren Asche und Knochen. Meine Mutter hatte mich gelehrt, niemals mit Fingern auf Menschen zu weisen. In den Gläsern ist Asche. Und guck, da sind sogar Knochen drin.

Die Frau trat an die Gläser heran, sie setzte eine Brille auf, sagte dann laut: Aber . . . aber . . . Wilhelm . . . das sind doch unmöglich Menschenknochen. Menschen haben gar keine so kleinen Knochen.

Das Blitzlicht flammte auf, mehrmals hintereinander, der Mann umsprang seine Frau, die Gläser, als gelte es, ein Mannequin vorteilhaft auszuleuchten.

Mutter stand mit geöffnetem Mund, stocksteif, sie sah auf das Paar. Was hier vor sich ging, überstieg ihre Vorstellungskraft. Ich wollte Mutter aus der Kapelle ziehen, aber sie schüttelte mich energisch ab, blieb wo sie war und starrte auf das Ehepaar mit dem rheinischen Dialekt, das geschäftig in der Kapelle herumlief, als befänden sie sich in einem Warenhaus, dessen ausgelegte Waren sie auf ihre Qualität prüften.

Der Mann hatte sich endlich auf eine Bank gesetzt und schrieb in einen Block. Ich sah verstohlen über seine Schulter. Er schrieb Zahlen untereinander, die ihm seine Frau, die an den Wänden entlangging, zurief: Dänen 20, Franzosen 4771, Polen ... Als die Frau ihren Rundgang beendet hatte, stellte sie sich hinter ihren Mann, der die Zahlen zusammenrechnete und dann aufblickte, ungläubig: Da ist eine Differenz von 5000.

Rechne noch einmal, sagte die Frau. Sie beugte sich über ihren Mann, zählte halblaut mit. Der Mann bewegte lautlos Lippen und Stift. Am Ende schüttelte er den Kopf, erwiderte: Kann rechnen wie ich will, es fehlen 5000.

Meine Mutter stand, als höre sie nicht recht, sah auf das Kruzifix und die beiden Gläser mit Asche und Knochen im Altarraum, aber ich wußte, daß sie jedes Wort aufnahm, ein verkniffener Zug war um ihren Mund, der machte sie alt, und sie sah plötzlich irgendwie häßlich aus.

Der Mann stand auf, sah sich wie erwachend in der Kapelle um, trat dann auf mich zu und sprach mich an: Das ist ja interessant, sagte er und faßte mich am Arm, sehen Sie, ich habe die Zahlen drunten in den Anlagen zusammengezählt, jetzt die hier in der Kapelle, und was sage ich, hier in der Kapelle sind fünftausend zuviel. Er wiederholte die Zahl. Er schüttelte immer wieder den Kopf, ich hatte den Eindruck, daß er über den Fehlbetrag ehrlich erschrocken war.

Seine Frau trat hinzu, zog ihren Mann von mir weg, sagte laut: Wilhelm, was regst du dich auf, wir wissen doch, daß es mit solchen Zahlen nie genau genommen wird. Hauptsache, es sind hohe Zahlen, je höher desto besser, desto mehr können sie gegen uns hetzen. Sie atmete tief durch. Mein

Gott, heutzutage wird man überall betrogen, ob abends beim Fernsehen oder sonstwo. Habe ich nicht recht?

Der Mann blickte mich an, die Frau an mir vorbei auf meine Mutter, die immer noch auf derselben Stelle stand, den verkniffenen Zug um den Mund.

Aber gleich fünftausend, empörte sich die Frau, in dem kleinen Lager hier, wie mag das erst in großen Lagern sein. Na, ich danke.

Das wird dann schon höhere Mathematik, sagte der Mann und lachte. Während er wie unbeteiligt vor sich hinsprach, legte er einen neuen Film in die Kamera.

Die Frau wandte sich mir ganz zu. Natürlich sind damals Schweinereien passiert, das leugnet keiner, ich meine, auch wenn es nur Juden waren und Polen – sie sah mich groß an: waren ja auch Menschen. Und das mit den Tschechen finde ich ja nicht richtig, sind doch immer ein großes Kulturvolk gewesen . . .

Und sonst auch anständig, ergänzte der Mann. Hochgebildet, immer nach dem Westen ausgerichtet. Was die da drüben jetzt praktizieren, ich weiß nicht recht, ist doch alles künstlich. Damals bei Kriegsende, naja, man kann es ja in etwa verstehen. Aber wissen Sie, die sollen sich benommen haben, mit Peitschen haben sie die Deutschen 45 vor sich hergetrieben, wie Vieh. Hat mir einer erzählt, der dabei war.

Der Mann blitzte wieder, und ich hielt es für angebracht, meine Mutter, trotz ihres Widerstrebens, aus der Kapelle zu ziehen.

Draußen auf den Stufen blieb sie stehen und sagte: Was sind das für Leute.

Laß doch, sagte ich. Sind halt Sommerfrischler, die sich das Lager ansehen.

Sommerfrischler, fragte sie. Mutter sah in das Tal hinunter, auf die beiden Frauen, die Unkraut in den Anlagen jäteten, ein älterer Mann schaufelte das Unkraut in eine Schubkarre.

Wissen Sie, hörte ich plötzlich die Stimme des Mannes neben mir, war ja nicht alles recht, was die damals gemacht haben, ich sehe grade, Franzosen und Holländer waren auch dabei. Das hätte es nun wirklich nicht gebraucht. Aber werden wohl Juden gewesen sein, das.

Ich sah den Mann stier an, aber er sprach weiter. Nicht daß Sie glauben, ich hätte was gegen Juden, nein nein, die sind genauso Menschen wie wir, aber daß man jetzt von Staats wegen noch Geld für solche Anlagen rausschmeißt, ich weiß nicht . . . Das Ganze hier kommt viel besser zur Wirkung, wenn man alles verfallen läßt. Meinen Sie nicht auch?

Vielleicht hatte der Mann recht, wer weiß, aber er hatte nicht mit der Ordnungsliebe der bayerischen Schlösserverwaltung gerechnet.

Meinen Sie nicht auch, wiederholte er eindringlich.

Die sollten von dem Geld, das hier verplempert wird, ereiferte sich die Frau, lieber hier herum die Straßen ausbauen. Und haben Sie gesehen, unten im Tal die Brücke? Da können zwei Autos nicht aneinander vorbei, ist ja lebensgefährlich.

Ich nickte vor mich hin, was sollte ich darauf antworten. Meine Mutter sah starr hinunter auf die beiden Frauen, die Unkraut jäteten.

Mutter, sagte ich, es wird Zeit. Ich faßte sie am Arm.

Das Ehepaar ging hinter uns her, so, als gehörten sie zu uns, und der Mann redete unaufhörlich: Da hatte ich mich doch tatsächlich verfahren, bin vorn durch das Sägewerk gekurvt, und als ich einen Arbeiter frage, wo es zum Lager geht, lacht der doch und fragt mich, was wir in dem Lager wollen, im Krematorium gebe es nichts mehr zu sehen, hat er gesagt.

Recht hat er aber auch der Mann, kicherte die Frau, wir könnten längst zum Essen sein in Weiden.

Aber Elli, das hier gibt gute Bilder, erwiderte der Mann, er ging jetzt neben mir, um mitzuteilen, was ich gar nicht wissen wollte: Ich mache Dias. Farbe, wissen Sie, Dias.

Wir waren auf dem Parkplatz angekommen, wo nur mein Auto und das des Ehepaares stand, das Auto hatte ein Kennzeichen aus Wesel.

Ist das Ihr Wagen, fragte er. Ich nickte. Dann sind wir ja Nachbarn, von Dortmund nach Wesel ist nur eine Stunde. Er lachte mich an, als wären wir längst gute Bekannte.

Sind wohl zu Besuch hier, fragte die Frau, und sie sah meine Mutter neugierig an.

Ja, zu Besuch, sagte meine Mutter. Sie wies auf mich und sagte: Mein Sohn.

Habe ich mir doch gedacht, erwiderte die Frau, und sie tat vertraulich, diese Ähnlichkeit. Sie wohnen hier, fragte sie meine Mutter.

Nicht weit von hier.

Ich wunderte mich, daß Mutter mit Fremden sprach: sonst geht sie allen Menschen, die sie nicht kennt, aus dem Weg. Ich ging auf meinen Wagen zu, Mutter blieb hinter mir zurück. Ich drehte mich nach ihr um, da sagte meine Mutter noch: Wissen Sie, mein Mann war auch in dem Lager . . . einige Jahre.

Das Ehepaar sah uns an.

Sie standen und starrten, offenbar unfähig, den Mund zu schließen oder ein Wort zu sprechen. Ich war wütend auf meine Mutter: warum erzählte sie wildfremden Menschen, was nur uns etwas anging; obendrein war Vater nie in diesem Lager gewesen.

Endlich stotterte der Mann: Als . . . als . . . als Häftling? Ich meine . . .

Mutter nickte.

Sagen Sie, weshalb war er denn, ich meine . . .

Er war Bibelforscher, sagte meine Mutter, ehe ich sie am Sprechen hindern konnte, aber sie sah die Leute aus Wesel nicht an, sah in das Tal hinunter auf die beiden Frauen, die Unkraut jäteten. Und gegen den Henlein war er auch, fügte sie hinzu.

Das ist ja riesig interessant, rief der Mann, etwas außer Atem. Wirklich interessant. Elli, hättest du dir das träumen lassen? Ich dachte immer, die Sorte . . . Verzeihung, ich meine die Art Häftlinge waren nur in Dachau untergebracht. Habe das mal irgendwo gelesen.

Die Sorte war überall, erwiderte meine Mutter, und sie hatte wieder den verkniffenen Zug um den Mund, der sie häßlich machte. Dann sah Mutter den Mann aus Wesel an. Untergebracht? Haben Sie doch gesagt, untergebracht.

Sie wissen schon, was ich meine, gute Frau . . . Ist er denn, Sie verstehen . . . ist er denn?

Nein, er ist nach Hause gekommen, als die Amerikaner einmarschiert sind.

Mutter sah über das Sägewerk.

Na sehen Sie, rief der Mann erleichtert aus, da haben wir

doch den Beweis, die haben nicht alle umgebracht, wie es heute immer heißt. Und wieviele wieder nach Hause gekommen sind, davon spricht heute keiner mehr, nur immer von den anderen.

Jaja, sagte meine Mutter, jaja.

Welche anderen, fragte ich.

Halt die, Sie wissen schon, und er wies in weitem Bogen über das Gelände.

Ich ging auf mein Auto zu, aber der Mann lief mir nach. Besuchen Sie uns doch mal, wenn Sie wieder in Dortmund sind, ich würde mich freuen. Hier, meine Karte!

Ich nahm die Karte, steckte sie ein und sagte: Vielleicht, aber ich komme schwer von meiner Arbeit los.

Nur auf einen Sprung, so zum Kaffeetrinken am Sonntag. Können mich anrufen. Und zu meiner Mutter gewandt sagte er: Sehen Sie, liebe Frau, die haben nicht alle liquidiert, wie es heute immer so schön heißt. Ich finde, wenn man das eine sagt, muß man das andere auch sagen. Wissen Sie, ich war im Krieg hier unten beim Militär, und meine Frau und ich fahren jedes Jahr im Urlaub her, ich war in Weiden damals in Garnison. Ist ja eine schöne Gegend hier, so gesunde Luft, und alles so billig. Wenn man da an die Preise in Holland denkt, die in Holland meinen doch alle, wir Deutschen sind Millionäre, und ihre Preise sind auch danach.

Ich war inzwischen eingestiegen.

Ich setzte den Wagen rückwärts auf die Straße, der Mann rief: Also abgemacht, Sie besuchen uns, wenn Sie wieder in Dortmund sind, Urlaubsbekanntschaften soll man pflegen.

Ich fuhr los. Die beiden winkten hinter uns her.

Die Arbeiter im Sägewerk lachten, als wir an ihnen vorüberfuhren; einer tippte sich an die Stirn.

Wir waren längst außerhalb von Flossenbürg, als meine Mutter sagte: Tu sie wegwerfen.

Was wegwerfen?

Die Visitenkarte.

Hast recht, sagte ich, wann komm ich schon nach Wesel.

Auch wenn du hinkommen tätest, solche Menschen besucht man nicht, das weißt doch.

Ich fragte: Warum hast du den Leuten gesagt, daß Vater in diesem Lager war?

Tut das so wichtig sein, wie ein Lager heißt?
Die Sonne stand noch hoch, als ich in Bärnau einfuhr.

8

Ich parkte auf dem Markt.

Ein paar Kinder, die auf dem Pflaster Himmel und Hölle spielten, kamen neugierig gelaufen, besahen mein Kennzeichen. Ein Junge sagte so laut, daß ich es auch hören konnte: der kommt aus Borussia.

Willst du nun mit oder nicht, fragte ich meine Mutter.

Tu mal alleine gehen, sagte sie. Ich nehm den Hund und lauf derweil durch die Stadt, war lange nicht mehr da.

Wir überquerten den Markt, der Hund blieb bei meiner Mutter an der Leine. Das beruhigte mich.

Also weißt Bescheid, sagte sie, gleich hinter dem früheren Zollhaus tut es sein. Der Hammer Georg hat gesagt, ein gelbes Haus.

Ich sagte: Wir treffen uns dann in einer Stunde wieder am Wagen, oder besser, wer nach einer Stunde zuerst da ist, wartet drüben im Café.

Sie ging mit dem Hund an der Leine die Straße hinunter, manchmal blieb er stehen und bellte in meiner Richtung. Ich überlegte, daß ich vielleicht gut daran tat, den Hund mitzunehmen, durch Hunde kommt man ins Gespräch, ich hatte da meine Erfahrungen. Also lief ich meiner Mutter nach, entleinte den Hund, sagte: Es ist besser, ich nehm ihn mit. Es war ihr gar nicht recht, und sie bettelte wie ein Kind: Ach geh, laß mir doch das Hunderl. Aber sie sah ein, daß der Hund wichtig werden konnte. Sie ging die Straße weiter, ich mit dem Hund, der mich manchmal freudig ansprang, über den Markt, an der Kirche vorbei in die Vorstadt, die Straße entlang, die früher über die Grenze nach Tachau führte. Ich erinnerte mich, daß oben am Berg, unweit der Grenze, einmal im Jahr so etwas wie Jahrmarkt oder Volksfest war, links der Straße befand sich ein Kreuzweg und darüber eine Kapelle.

Nur wenig neue Häuser waren hinzugekommen. Wo früher die kleinen Perlmutterfabriken ihren eigentümlichen Lärm entfachten, standen nun Mietshäuser hinter gepflegten Vorgärten, dazwischen kleine Bauerngehöfte, die für die ganze

Familie zuwenig abwarfen, einer oder zwei aus der Familie mußten außerhalb arbeiten, das wußte ich von früher, das war hier immer so, einige fuhren bis nach Weiden zu Witt zur Arbeit, nach Tirschenreuth in die Porzellanfabriken, nach Mitterteich in die Glashütte. Ich erinnerte mich, als ich durch die Vorstadt schlenderte, daß Bauern hier aus Bärnau Grundstücke drüben im Tschechischen besaßen, Bauern aus dem Tschechischen hier im Deutschen Grundstücke hatten, sie karrten früher ihren Mist und ihre Ernte über die Grenze, ohne daß auch nur ein deutscher oder tschechischer Grenzer sie angehalten hätte, es sei denn zu einem Plausch über das Wetter. Denn in dieser kleinen Stadt kannte und kennt jeder jeden, und was geschmuggelt wurde, waren Kleinigkeiten, nicht der Rede wert. Man schmuggelte nicht etwa des Profits wegen. Die jungen Leute früher, erzählte meine Mutter, hatten sich einen Spaß daraus gemacht, den Grenzern in der Kneipe Zigaretten anzubieten, die sie im Tschechischen gekauft hatten, Zora oder Vlasta, und die Grenzer nahmen und rauchten, ohne rot, verlegen oder wütend zu werden – warum auch.

Im früheren deutschen Zollhaus wohnten keine Zöllner mehr, die Straße begann hier ziemlich steil anzusteigen, der Hund umkreiste mich, suchte im Straßengraben nach Stöckchen, zog manchmal einen langen Ast heraus, aber als er sah, daß ich achtlos weiterging, ließ er Ast und Stöckchen liegen, trollte hinterher.

Niemand hatte mir seine Fotografie gezeigt, niemand ihn mir beschrieben, ein Steckbrief war nicht an Litfaßsäulen geklebt, ich hatte niemals seine Stimme gehört, aber ich wußte sofort, daß er Beierl sein mußte, der an seinem Gartentor mit einer Drahtbürste die Pfostenköpfe von Rost reinigte.

Er hatte keinen Buckel, kein steifes Bein, er war nicht einäugig und die Nase saß mitten im Gesicht, er hatte keine Glatze und keine besonderen Kennzeichen. Struppeliges, angegrautes Haar kräuselte sich um seine Ohren, er hatte eine blaue Schürze vorgebunden, trug breitrippige Manchesterhosen und ein blauweiß gestreiftes Hemd ohne Kragen, wie es hier überall die Bauern und auch die Arbeiter tragen, nach der Weisheit: Was für die Kälte gut ist, ist auch für die

Hitze gut. Er war tiefbraun, die Arme stark behaart, er war muskulös, etwas grobschlächtig, er hatte eine knochige Nase, die mich plötzlich an das Mädchen five kilometers to border erinnerte. Und auf einmal wußte ich: Die letzte Zeit hatte ich nur an das Mädchen gedacht. Langsam schlenderte ich am Zaun entlang, der Hund lief voraus, sah sich wieder und wieder nach mir um, ich blieb stehen, der Hund blieb stehen, ich sah über den Zaun auf das Haus: vor Malven sah ich nur das Schieferdach, ausgebaute Erker. Bis an die Dachrinne reichten die Malven, manche Stengel waren fast armdick.

Das Haus war gelb gestrichen, Rauhputz, die Fensterrahmen braun, der Kitt weiß abgesetzt.

Ich weiß nicht, wie lange ich gestanden und gestarrt habe, auf Haus und Malven sah. Unwillkürlich hörte ich mich fragen; Wie kommen die Malven hierher? Ich hätte geschworen, leise geredet zu haben, aber der andere rief zu mir herüber: He! Sie! Suchen's was? Suchen's was Bestimmtes? Ich sah Beierl an. Er war unrasiert, grauer Stoppelbart, mageres Gesicht, die Backenknochen stachen scharf vor. Wie bei Indianern, dachte ich. Der Hund kläffte ihn an.

Ich, hörte ich mich sagen. Nein, nichts. Ich gucke mir nur die Malven an. So schöne Malven. Da. Ich wies auf das Haus.

Er schlenkerte die Drahtbürste in seiner Rechten, schlurfte auf mich zu, beäugte mich.

Ja ho, sagte er. Dann stand er neben mir und fragte: Was haben's gesagt?

Die Malven, sagte ich. Da! Um das Haus. Die sind aber stattlich.

Ach, die Stockrosen, meinen Sie. Ja ho, die sind mein ganzer Stolz. Solche schöne Stockrosen tu bloß ich haben in der ganzen Umgebung.

Ich nickte, ließ meinen Blick nicht von ihm: Eine Pracht ist das, wenn die erst alle aufgeblüht sind.

Ja ho, da können's was sehen, aber das ist noch nicht soweit, wir haben erst Juli, und blühen tun sie oft bis in den Oktober, wenn es nicht friert über Nacht.

Beierl kam mir plötzlich so bekannt vor, mir war, als hätte ich ihn immer gekannt, immer mit ihm zu tun gehabt.

Sind's fremd hier, fragte er. Ich nickte.

Wo tun's denn wohnen?

In Waldsassen, sagte ich. Bin ein bißchen durch die Gegend gefahren.

Ja ho, in Waldsassen. Dort ist auch ganz schön. Eine schöne Kirche und auch viel Wald haben die da, und Konnersreuth ist auch nicht weit weg. Hätten's mal sehen sollen, an Ostern, wann die Resl hat geblutet, an Händen und Füßen wie der Christus, da sind die Menschen gekommen von überall her, große Busse sind gefahren, von Amerika sind die Leute gekommen. Sie haben die Resl nie gesehen wie sie geblutet hat in der Passion?

Ich schüttelte den Kopf.

Wissen's, da wird immer geschrieben, die Kirche hat nur rote Farbe gestrichen auf Hände und Füße von der Resl, aber ich hab sie gesehen, richtig geblutet hat die Resl, schließlich weiß man doch, was richtiges Blut ist und rote Farbe, und der Papst in Rom sollte sie selig sprechen, weil doch die Resl der Kirche hat genug Geld eingebracht, sind bestimmt Millionen gewesen die ganzen Jahre, heilig müßte sie gesprochen werden, wo sie der Kirche hat so viel Geld eingebracht. Aber ein schönes Hunderl haben Sie da, ich hätt auch gern so ein Hunderl, aber wissen Sie, die Weiber tun an einem Hund nur den Dreck sehen, den er in die Wohnung tragen tut, die Weiber haben's halt immer mit dem Putzen.

Beierl ging vor mir her. Dann standen wir beide vor dem Gartentor, ich sah den Berg hinauf, sah zurück auf die Malven und sagte: Da oben, ist da schon die Grenze?

Freilich, gleich hinterm Wald. Da oben können's auch was essen, ich glaub, auch Bier gibt's da, da ist ein Aussichtsturm mit Fernrohr, wo Sie sehen können ins Tschechische. Ja ho, jetzt wird schon was gemacht für den Fremdenverkehr, auf gar nichts brauchen's verzichten, wenn Sie oben an der Grenze sind und schauen durchs Fernrohr ins Tschechische hinüber.

Wohin schauen, fragte ich.

Ja ho, zu den Tschechen rüber.

Rüber gehen kann man da nicht, fragte ich.

Ja jo, schön wär's schon. Ich könnte dann auch mal wieder hinüber. Aber da oben ist kein Übergang. Der ist in Schirnding und einer in Waidhaus.

Sind Sie denn nicht von hier?

Ja ho, bin halt von drüben, mußte raus damals, fünfundvierzig, wissen's, wie das Sudetenland wieder tschechisch ist geworden. Hab in Eger gewohnt, und Eger war halt ganz deutsch bis 45.

In Eger haben Sie gewohnt? Das ist interessant. Ich kenne da einen, ein Arbeitskollege von mir, der wohnte früher auch in Eger.

Ja ho, nach dem Krieg sind die Leut aus Eger überall hingezogen und tun jetzt überall wohnen in Deutschland, die meisten aber doch hier in der Gegend und in Franken draußen und der Oberpfalz.

Mein Arbeitskollege hat in der Nähe der Burg gewohnt, sagte ich.

Ja ho, ich kenn das Viertel gut.

Pospischiel heißt er, vielleicht kennen Sie ihn oder seinen Vater, Eger war doch nicht allzu groß.

Ich sah ihn gespannt an, aber Beierl verriet keine Regung, es war nur, als überlege er einen kurzen Moment, sagte dann aber: Pospischiel? Ja ho, Pospischiel hat es viele gegeben in Eger, das ist kein seltener Name.

Schuster war er früher, ich meine, sein Vater war Schuster.

Ja ho, im Viertel um die Burg gab's viele Schuster. Die konnten noch Schuh reparieren. Heutzutage tun die alles kleistern, damit es schnell wieder kaputt wird.

Sein Vater war bei den Bibelforschern, sagte ich.

Ja ho, diese Sorte gab's schon in Eger, sehr viele hat's von der Sorte in Eger gegeben. Hier stehen sie auch wieder mit ihren Zeitungen an den Ecken, und an die Haustüren kommen sie auch, sind halt komische Leut, haben immer an Ecken gestanden den ganzen Tag oft in Eger mit ihren Zeitungen, und als dann die Deutschen gekommen sind, wurden sie verboten. Ja ho, viel wurde dann verboten, und komische Leut sind's schon, die Bibelforscher. Tun immer wissen, wann die Welt untergeht, und sie geht halt nicht unter.

Und viele hat man geholt, sagt mein Arbeitskollege, erst nach dem Krieg hat man erfahren, wohin sie geholt wurden.

War halt eine verrückte Zeit damals, nicht nur Bibelforscher haben's geholt, auch Kommunisten und andere.

Beierl nahm mich am Arm und zog mich durch das Törchen in den Garten, sagte: Tun's halt meine Stockrosen mal anschauen, wenn sie Ihnen so gut gefallen.

Er führte mich zum Haus. Neben dem Eingang ein breiter Gemüsegarten, links Blumenbeete, hinter dem Haus ein schmaler Streifen Rasen und einige Obstbäume. In das tief hängende Dach waren auf der Rückseite Mansarden eingebaut.

Der Stinker jagte durch den Garten, ich rief ihn, Beierl aber sagte: Lassen's doch das Hunderl, dem werden die Pfoten brennen von der heißen Straße.

Beierl zeigte mir nicht ohne Stolz seinen Garten, bot mir dann Platz auf einer rotgestrichenen Bank zwischen gestutzten Jasminhecken. Das hab ich alles allein gebaut, sagte er und wies auf das Haus.

Donnerwetter, schönes Stück Arbeit, sagte ich.

Ja ho, hab schon Maurer gehabt, so nach Feierabend, und ein bisserl Geld hab ich auch gehabt, wissen Sie, ich hatte drüben in Eger einen kleinen Handel, und da hab ich hier vom Lastenausgleich gekriegt, nicht viel, ein paar tausend Mark, da hab ich halt gebaut. Na und jetzt? Für was hab ich gebaut, für nichts hab ich gebaut, umsonst hab ich gebaut.

Aber wieso denn. Ich wollte, ich hätte so was, so ruhig, so abgelegen.

Ja ho, recht haben Sie schon. Aber wissen Sie, ich hab halt gebaut und nicht bedenkt, daß die Kinder größer werden und fortziehen. Da ist meine Katrin, die hat nach Regensburg geheiratet, einen Finanzinspektor, und was mein Schorsch ist, der tut schon seit Jahren arbeiten in Hannover bei den Vauwe-Werken, hat eine von da oben geheiratet, und jetzt, jetzt haben alle zwei ein Haus, die Katrin in Regensburg und der Schorsch in Hannover ein Eigenheim, und niemand will wohnen hier, und was soll ich jetzt mit dem Haus. Die Kinder sagen, an der Grenze tun sich die Füchse gute Nacht sagen, und zum Verdienen gibt's auch nix.

Aber der Wert des Hauses bleibt doch, sagte ich. Ihre Kinder können später, wenn Sie mal nicht mehr sind, das Haus verkaufen und haben dann wenigstens Geld in den Händen.

So ein Haus findet immer einen Käufer.

Ja ho, das können die Kinder schon, aber so viel Schweiß ist in dem Haus und so viele Sorgen. Man tut ja ein Haus nicht bauen, um es zu verkaufen. Was der Schorsch ist, dem kann ich keinen Vorwurf machen, der wollte sich halt verbessern, und er hat sich da in Hannover ja auch verbessert, auch wenn sie jetzt kurz arbeiten tun, weil die Leute nicht mehr soviel Autos kaufen, weil das Geld ist knapp geworden und die Zeiten unsicher. Aber so was hat's immer gegeben, das wird schon wieder werden.

Jaja, sagte ich, die Zeiten ändern sich. Ich kam mir ziemlich blöd vor, als ich das sagte.

Sind Sie auch in der Autobranche, fragte er. Der Hund lag unter der Bank und schlappte die Zunge, die Sonne war hinter einen Waldrücken gesunken, es war nicht mehr stechend heiß, nur noch schwül, unerträglich schwül.

Nein, sagte ich, ich bin in einem Kraftwerk. Strom, wissen Sie, Elektrizität.

Das ist vernünftig, da haben Sie eine krisenfeste Arbeit, ob es den Leuten gutgeht oder schlecht, Strom, den tut man immer brauchen, Kochen und Licht und Radio und Fernsehen.

Es war schön auf Beierls Bank. Im Jasmin summten Hummeln, irgendwo tuckerten Traktoren, ab und zu fuhren Autos den Berg zur Grenze hinauf, eine Bachstelze wippte über den roten Kiesweg, aus dem Haus drang Musik. Ich horchte, nickte zu dem Rhythmus. Es mußte die neue Platte der Beatles sein, Lissi spielt sie mehrmals am Tag. Ich sah zum Fenster hoch, aus dem die Musik kam, da sagte Beierl: Das ist meine Enkelin, die ist gestern gekommen aus Hannover. Ist die Tochter vom Schorsch, ein gescheites Mädl, tut jetzt bald Abitur machen. Wenn sie nur nicht immer trampen wollte. Ich mag das Trampen nicht, weil das so gefährlich ist. Wenn Sie es gelesen haben in der Zeitung von dem Autobahnmörder. Aber die Mädchen heutzutage sind anders als früher, die tun keine Angst haben, und die Christl hat nur einen Tag gebraucht von Hannover bis Bärnau, und keinen Pfennig hat ihr die ganze Fahrt gekostet.

Ich nehme auch manchmal Anhalter mit, sagte ich, die

junge Leute haben schließlich nicht immer das Geld für weite Reisen mit der Eisenbahn.

Ja ho, da haben Sie schon recht. Aber Geld geben wir dem Mädl schon für die Reise mit der Eisenbahn. Bloß nimmt sie das Geld her und tut sich daheim was kaufen. Meine Frau ist ja immer aufgeregt, wenn die Christl wieder fährt, weil sie doch trampen tut, sie hat da Sorgen wegen der Männer, aber unsere Christl hat ein Mundwerk ein loses, und vor dem tun die Männer Angst haben. Drei Autos fuhren dicht hintereinander den Berg hinauf.

Beierl sagte: Alles Sommerfrischler, die an die Grenze fahren, oben am Grenzlandturm, da kann man schauen weit in die Tschechei, und ein Buch ist auch da, in das man sich eintragen kann, daß man dagewesen ist.

Einen Moment dachte ich an meine Mutter, ob sie wohl schon im Café saß, ich hätte ihr den Hund lassen sollen, sie wäre nicht allein mit ihrer Erinnerung durch die Stadt gelaufen, mir fiel das Geld ein, das Beierl vom Lastenausgleich bekommen hatte, ich dachte auch daran, daß mein Vater nur eine Rente bezogen hatte, von der er weder leben noch sterben konnte, weil er partout nicht das Formular unterschreiben wollte, das ihm alle halbe Jahr auf der Schreibstube des Lagers vorgelegt wurde, wo er unterschreiben sollte, daß er sich künftig seines Glaubens als Bibelforscher enthalten und keine missionarische Tätigkeit ausüben werde. Nein, Vater hatte nicht unterschrieben, und so verlängerte sich seine Haft durch die Jahre immer von einem halben Jahr zum andern. Deshalb bekam Vater nie Lastenausgleich vom Staat, denn er war ja nicht vor den Tschechen geflohen, sondern von den Deutschen nur verhaftet worden. Und manchmal haben sie mich geschlagen, sagte er einmal, viele Jahre nach 45 zu mir, und dann haben sie meine rechte Hand zerschlagen, da konnte ich nicht mehr unterschreiben. Ist halt ein bisserl zu heiß gewesen in der letzten Zeit, sagte Beierl, er schneuzte sich in ein großes rotkariertes Taschentuch.

Dann sah ich das Mädchen.

Ich saß steif auf der Bank.

Der Hund schlupfte unter der Bank hervor durch meine

Beine und sprang das Mädchen an, das in einem weißen Bikini vor die Tür getreten war, und freute sich, wie er sich freut, wenn ich von der Arbeit komme.

Das Mädchen betrachtete den Hund, die langen Haare fielen bis weit über die Brust, es öffnete den Mund, wollte etwas sagen, sah auf, sah mich neben Beierl sitzen, wich einen Schritt zurück, da stand ich auf, trat auf das Mädchen zu und sagte: Five kilometers to border.

Christl flüsterte: One kilometer only. Sie bewegte kaum die Lippen.

Der Hund freute sich noch immer, der Hund freute sich so, daß er in den Obstgarten lief, mit einem Stock in der Schnauze zurückkam, den Stock vor die Füße des Mädchens legte und knurrte, weil es nicht gleich den Stock hob und wegwarf, damit er apportieren konnte.

Ja ho, das ist halt meine Enkelin aus Hannover, die Christl, die immer trampen tut, sagte Beierl hinter mir. Er strahlte über das ganze Gesicht, als er neben mir stand, und das Mädchen war so verwirrt, daß es an seinen Schenkeln rieb, als versuche es einen Rock glattzustreichen.

Ja ho, Christl, der Herr hier tut sich die Grenze anschauen.

Das Mädchen hatte, wie ich jetzt genau sah, dieselbe Nase wie Beierl, ein wenig fleischiger, aber immerhin, die Nasen waren unverwechselbar. Das Mädchen lief mit dem Hund, der jaulend folgte, in den Obstgarten, Beierl und ich spazierten zum Gartentor, und ich fragte: Sie kennen also keinen Pospischiel aus Eger? Ich meine den, der ein Arbeitskollege von mir ist?

Ja ho, Pospischiel gab's viele in Eger, und Eger war eine große Stadt.

Ich meine, sagte ich, den Pospischiel, der bei den Bibelforschern war und war Schuster und wohnte in der Nähe der Burg.

Ja ho, war halt eine verrückte Zeit damals und ist schon lang her, ist schon gar nicht mehr wahr, die Zeit. Reinfahren tät ich ja gern mal wieder nach Eger, nur so schauen, ob mein Haus noch stehen tut und wer da jetzt drin ist und ob die das Haus auch schön sauberhalten und nicht verloddern lassen.

Sagen Sie mal, hörte ich mich sagen, und ich erschrak über meine eigene Stimme, da gab es, erzählte mir mein Arbeitskollege Pospischiel, doch so ein Freikorps, in dem alle Sudetenländer waren und das welche verhaftet hat, bevor die Deutschen einmarschiert sind?

Freikorps gab's freilich, und verhaftet wurden auch welche, und ich war halt auch dabei, und manchmal tu ich noch welche treffen, wissen Sie, so alle Jahre, wenn die Sudetenländertreffen sind. Ist schön, wenn man kann Erinnerungen austauschen, wo alle doch dasselbe erlebt haben.

Er lachte plötzlich auf.

Da war letztes Mal so ein Bietel dabei, mit langen Haaren und einem Bart. Ich hab ja nichts gegen lange Haare, aber wir sind immer anständig gewesen und sauber, und dann kommt so einer daher mit langen Haaren und einem Bart, und da haben alle gesagt, daß das nicht sein darf bei Sudetenländertreffen, und da ist er rausgeschmissen worden, aber vielleicht war's gar kein Sudetenländer, vielleicht hat er bloß Stunk machen wollen, da sind halt immer wieder welche, die möchten Stunk machen, weil sie nicht begreifen, daß wir unsere Heimat lieben tun. Die mit den langen Haaren tun ja nicht wissen, was Heimat ist, überhaupt nichts wissen die.

Und einen Pospischiel haben Sie nicht gekannt, fragte ich wieder.

Ja ho, gekannt hab ich viele in Eger, auch welche, die Pospischiel geheißen haben.

Auch Bibelforscher?

Auch Bibelforscher hab ich gekannt, die Pospischiel geheißen haben. Auch einen Pospischiel hab ich kennt, der Kommunist war. Der muß wohl umgekommen sein, gehört hab ich von ihm nix mehr.

Auch Pospischiel, die Bibelforscher waren und Schuster, fragte ich wieder.

Auch die hab ich kennt, antwortete er, waren halt viele. Wissen Sie, so selten ist der Name nicht gewesen in Eger, ist ungarisch der Name, das kommt, weil drüben alles mal zu Österreich gehört hat, müssen Sie wissen. Kennt hab ich viele Pospischiel, ja ho, das hab ich schon, aber den wo Sie meinen, daß er der Vater gewesen ist von Ihrem Arbeitskollegen, den tu ich nicht kennen. Und wenn ich ihn kennen tät; es ist halt schon so lange her.

Ich pfiff dem Hund. Er kam mit einem Stock in der Schnauze gelaufen; das Mädchen stand vor den Malven und tat, als sehe es mich nicht. Es kam mir, dort zwischen den Blumen und in dem weißen Zweiteiligen, sehr jung vor, wenig älter als Lissi.

Alsdann, sagte ich. Will noch zur Grenze.

Jo ho, es war mir ein Vergnügen, wo Sie doch einen kennen, der aus Eger stammt und dort gewohnt hat, vielleicht tut der Mann mich kennen, sagen Sie ihm, der Beierl läßt schön grüßen, vielleicht erinnert sich der Mann an mich, ich hab da einen Laden gehabt mit Nägeln und allem Zeug dazu, am oberen Markt.

Ich nickte ihm zu.

Der Hund lief neben mir mit einem Stock in der Schnauze, ich wollte stadteinwärts, aber weil Beierl an der Gartenpforte stehenblieb und mir nachsah, mußte ich wohl oder übel den Berg hinauf, zur Grenze, die mich nicht im mindesten interessierte.

Irgendwo wird ein Seitenweg sein, hoffte ich, auf dem ich die Stadt erreiche, ohne nochmals an Beierls Haus vorbei zu müssen.

Ich ging die Straße entlang. Unerträglich schwül war es geworden, und ich schwitzte mein Hemd durch, als ich die steile Straße hinaufschritt. Ich bog in einen ausgefahrenen Feldweg ein, ließ, trotz des Schattens, den die riesigen Bäume darüber warfen, den Kreuzweg rechts; mir war der Kreuzweg zu katholisch. Ich ging zwischen Roggenfeldern, fand wieder einen Weg, der in die Stadt führen mußte, der Hund schlich neben mir und sah mich vorwurfsvoll an.

An einer Getreidebocke, Gerste, stand Christl. Sie trug ein gestreiftes Kleid, rotgrün, eine Sonnenbrille. Sie nahm die Brille ab, als ich dicht vor sie getreten war.

Wie hast du mich gefunden, fragte sie.

Ich habe dich nicht gesucht, sagte ich.

Sie ließ sich im Stoppelfeld vor einer Bocke nieder. Ich ließ mich neben sie fallen, und sie fragte: Wie kommst du von Waldsassen hierher?

Mit dem Auto, sagte ich und lachte sie an. Der Hund war irgendwo.

Sie roch nach Getreide, Sonne und Schweiß.

Es gibt also doch Wunder, sagte das Mädchen. Die ganze Zeit habe ich an dich gedacht. Sie wurde schwer auf meiner Schulter.

Meine Mutter wartet in der Stadt, sagte ich, in einem Café.

Wenn deine Mutter wartet, hat sie wenigstens was zu tun, sagte sie, richtete sich auf und zog mir wie selbstverständlich mein Hemd über die Schultern, das durchnäßt von Schweiß war. Die Stoppeln stachen meinen Rücken.

Wir sollten uns in den Schatten legen, unter die Bäume dort am Kreuzweg, sagte ich.

Der Kreuzweg ist mir zu katholisch, sagte sie. Aber vielleicht ist mir nur zu heiß, weil ich zu viel anhabe. Sie löste sich von mir und streifte ihr Kleid über den Kopf, und sie lag neben mir im weißen Bikini, und ich hatte ihre Brüste schon braun gesehen.

Irgendwo tuckerten Traktoren im Feld, tuckerten vorbei, 500 meters to border. Hoch über den Bäumen stand ein Habicht, 500 meters to tchech border.

Ich hob das Mädchen etwas an, ihr Kopf lag nun auf meiner Brust, ihr langes Haar kitzelte meinen Bauch, und ich umspannte ihre Brüste, und sie war zufrieden und flüsterte: Du hast ganz weiche Hände.

Und ich streichelte ihre Brüste, von außen nach innen und von innen nach außen, und ihr Körper wand sich auf dem meinen wie eine Schlange, und sie flüsterte mir zu, daß ich sie nur nach einer Seite streicheln sollte, und ich streichelte sie nur von außen nach innen, und sie küßte mein Kinn und lag warm und feucht neben und auf mir, kuschelte sich in meine Arme und sagte: Ich wußte, daß du mich finden wirst.

Aber ich hatte dich nicht gesucht, sagte ich.

Dann lagen wir, wie wir vor Coburg gelegen hatten, five kilometers to border, und der Hund war irgendwo auf der Suche nach einem Stock oder Schatten, und wir lagen allein in unserem Schweiß, und sie riß einen Buschen Ähren aus und sagte, ich solle mich darauflegen, und ich legte mich darauf, und sie zog einen zweiten Buschen Ähren aus, und die Bocke fiel zusammen, und sie legte sich auf den zweiten Buschen und roch nach Gerste, Sonne und Schweiß, und sie schloß die Augen, als ich sie berührte, vom zweiten Teil ihres Bikinis befreite, und sie zitterte, und ich brannte unter ihrer Wärme, und sie streichelte mich, streichelte mich mit beiden Händen und flüsterte immer wieder, sie habe gewußt, daß ich sie finden werde, und ich schwieg dazu, aber dachte an meine Mutter, die in dem neueröffneten Café am Markt sitzen wird, und wußte, sie wird mich fragen: Was hat der Beierl gesagt?

Da waren plötzlich die Malven und das gelbgestrichene Haus, der Obstgarten und der Markt in Eger, da war plötzlich der Wald und die Wurzeln, über die ich stolperte, da sah ich den Hammer Georg, den ich nicht kannte, und das Mädchen schmiegte sich an mich und zitterte und flüsterte, und ich verstand kein Wort. Ihre Haare kitzelten meinen Hals, und ich sah ein Café, in dem meine Mutter wartete und jede Minute auf die Uhr und zur Tür sah, ich sah alles klar, den Kreuzweg und am Berg die Kapelle, 500 meters to tchech border. Und das Mädchen fragte nicht mehr, es lag da in Hitze und Schweiß, und alles an ihr war fest und braun und feucht, und es fragte nicht mehr. Ich war zu müde, um Christl beim Ankleiden zu helfen, nur den Reißverschluß schloß ich, dann stand sie vor mir und sagte: Geh diesen Weg. Du kommst bei der Kirche auf den Markt.

Sie lief auf den Kreuzweg zu.

Ich ging den Weg, den sie mir gewiesen hatte. Bei der Kirche kam ich auf den Markt. Ich blickte durch das Fenster in das Café hinein. Meine Mutter saß im Hintergrund und starrte unverwandt zur Tür. Als ich aber vor ihr stand, sagte sie nur: Du bist lange weggewesen. Und: das Hunderl wird Durst haben, das arme Hunderl.

Sie ließ sich von der Bedienung etwas Wasser in einen Aschenbecher geben, der Hund soff, als sei er am Verdursten.

Und der Beierl? Was hat er denn gesagt, fragte sie, aber sah dabei auf den saufenden Hund hinunter und schüttelte den Kopf.

Nichts hat er gesagt, der Beierl, sagte ich.

Nichts hat er gesagt, fragte meine Mutter, sie hob ihr Gesicht nicht. Sie sah dem Hund zu, der wie ein Verdurstender soff.

Wir fuhren nach Waldsassen zurück.

9

Vor dem Fenster parkte ein Reisebus. Ältere Leute stiegen ein, sie kamen einzeln und in Gruppen die Johannisstraße von der Stiftskirche hoch, die sie wahrscheinlich besichtigt hatten: von Fliese zu Fliese tretend, um Kopf und Hals des berühmten Schimmels an der Decke des Vorderschiffes zu sehen, von dem man auf den ersten Blick in diesem Riesengemälde nur das Hinterteil sieht. Alle kamen wegen des Schimmels in die Kirche, denn es heißt, nur von einer bestimmten Fliese aus sei es möglich, sein Vorderteil zu sehen.

Aber Paul, sagte meine Mutter, es muß doch eine Gerechtigkeit sein für die kleinen Leute.

Der Bus vor dem Fenster füllte sich langsam. Er wird von hier nach Konnersreuth fahren, wenn er nicht von da gekommen ist. Jeder Reisebus, der nach Waldsassen kommt, war in Konnersreuth oder fährt da hin, wenn auch die Therese von Konnersreuth viele Jahre tot ist. Eine Heilige! Und dabei war sie noch nicht einmal selig gesprochen.

Der Bus vor dem Fenster fuhr ab. Stinker lag auf der Fensterbank, er jaulte manchmal, wenn er draußen einen Hund oder eine Katze über die Straße laufen sah. Mutter setzte mir Pfannkuchen vor, die ich, bevor ich sie einrollte, dick mit Pflaumenmus bestrich. Das Pflaumenmus hatte Mutter selbst eingekocht.

So ein Mensch, ereiferte sie sich, das ist doch kein Mensch nicht, wenn er gefragt wird und nix sagen tut, der muß doch wissen, daß er damals eine Armbinde getragen hat und der schärfste Hund in Eger war. Aber er ist halt ein Miststück, immer schon, der Vater hat ihm mal ein Paar Stiefel besohlt, und da mußte Vater warten vier Wochen auf sein Geld, so ein Miststück ist er gewesen, der Beierl, daß Vater hat vier Wochen warten müssen auf sein Geld.

Mutters Pfannkuchen waren wie immer locker gebacken, und das Pflaumenmus schmeckte herb, wie es sein soll, besaß nicht den widerlich süßen Geschmack, den das Pflaumenmus besitzt, das man in Kaufhäusern zu kaufen bekommt.

Jetzt bist kommen aus deinem Ruhrgebiet und fährst morgen wieder weg, und der Kerl hat nix gesagt, und du hast bei ihm gestanden und hast ihn nicht gefragt und hast nicht gesagt, ich bin der Pospischiel Paul. Mein Gott, das war eine Zeit, das war eine schlimme Zeit, eine ganz schlimme.

Von der Stiftskirche rollte ein neuer Bus an, fuhr vorbei. Frankfurter Kennzeichen.

Ich hatte zwei Pfannkuchen gegessen, die doppelte Menge, die ich sonst esse, dazu zwei Flaschen Bier getrunken, Mutter brachte eine dritte, aber ich winkte ab. Sie sagte: Darfst schon trinken, hab doch sieben Flaschen geholt. Ich saß am Fenster, Stinker auf der Fensterbank vor mir, wir sahen beide in die Stadt, und ich versuchte mich zu erinnern, was geschehen war, nachdem wir in Großmutters Ziegenstall Quartier gefunden hatten. Wir verließen ihn erst, als die deutschen Truppen über die tschechische Grenze marschiert waren in langen Kolonnen, und blieben vier Wochen in Waldsassen. Mutter fuhr allein nach Eger zurück, sie fand Vaters Werkstatt aufgebrochen, auch die Wohnung, gefehlt hatte jedoch nichts. Mutter verkaufte, nachdem alle Nachforschungen über Vaters Verbleib vergebens waren, alles was mit der Schusterei zu tun hatte, sie stieß die Werkstatteinrichtung zu einem Schleuderpreis ab, sie wollte fort, nicht mehr in Eger bleiben, zumal der Direktor der Bürgerschule meiner Mutter zu verstehen gab, ich könne nicht mehr auf die Schule zurückkehren. Da ließ mich Mutter in Waldsassen. Auch hier war es nicht leicht, denn die neuen Schulkameraden auf der Volksschule, in die ich zurückkehrte, fragten nach meinem Vater, in Volksschulen ist man neugieriger als auf höheren Schulen, aber in Volksschulen mußte man, in höhere durfte man gehen.

Mutter bestellte kurz vor Weihnachten Achtunddreißig einen Lastwagen, auf den lud sie unsere gesamte Habe, der Schneidertoni hat ihr dabei geholfen, wie er uns bei der Flucht geholfen hat, und auch der Hammer Georg half, und der Hammer Georg trug dabei eine braune Uniform, und als alles verladen war, lud Mutter den Schneidertoni und den Hammer Georg und den Fahrer des Lastwagens zu einer Brotzeit in die gegenüberliegende Gastwirtschaft, sie hieß »Zum weißen Bären«, und Schneidertoni und der Hammer

Georg bedauerten, daß meine Mutter von Eger wegzog, trösteten sich aber damit, daß Waldsassen nicht aus der Welt war, eine halbe Stunde mit dem Fahrrad, und als sie gegessen und getrunken hatten, kehrten sie zum Lastwagen zurück und mußten sehen, daß die Reifen der drei Fahrräder, die der Schneidertoni hinten angebunden hatte, zerschnitten waren, und auf dem Bürgersteig gegenüber standen Leute, die lachten und schrien meiner Mutter ins Gesicht, ihrem Bauch werde es so ergehen, wie es den Schläuchen der Fahrräder ergangen sei, und sie werde eines Tages verschwinden, wie Vater verschwunden sei, und irgendwo Moor stechen, bis sie begriffen habe, daß wir Deutsche und keine Tschechen seien. Und dabei waren wir doch Deutsche.

Ich werde nach Mitterteich fahren, sagte ich zu meiner Mutter, den Espach Ossi aufsuchen, wenn ich schon mal da bin, wer weiß, wann ich wiederkomme.

Wannst zum Espach Ossi fährst, erwiderte sie, laß das Hunderl da, das Hunderl ist müde von der Hitze, das Hunderl muß schlafen.

Ich zog meine Schuhe an, der Hund sprang jaulend durch die Küche, aber ich ließ ihn bei meiner Mutter.

An der Tür sagte sie: Tu nicht so spät kommen, morgen hast eine lange Tour vor dir, und das arme Hunderl liegt dann im Auto.

Der Hund schläft doch auf der ganzen Strecke, sagte ich, aber ich versprach, nicht lange zu bleiben.

Während der Fahrt wuchs in mir die Unruhe, die mich am Steuer unsicher machte, ich trommelte mit den Fingern das Lenkrad, ich fuhr öfters mitten auf der Straße, ein Fahrer, der mich überholte, lachte mir freundlich zu, er hob die rechte Hand zum Mund, unmißverständlich, er nahm an, ich hätte ein bißchen über den Pegel getrunken.

In Mitterteich, in der Bachgasse, wo Ossi Espach wohnt, stand ein Parkverbotsschild, ich mußte meinen Wagen zum Heimatbrunnen fahren, stellte ihn dort ab, lief zu Fuß die Steigung, läutete, Ossi öffnete die Tür, er sah mich nicht an, während er ausdruckslos erklärte: Meine Frau ist nicht da. Wir haben keine Kinder, wir brauchen nichts.

Guten Abend, Ossi, sagte ich, kennst du mich nicht mehr?

Er sah mich einen Moment mißtrauisch an, dann schrie er: Mensch, Paul, du hast dich aber gar nicht verändert.

Und dabei hatte er mich nicht erkannt.

Er führte mich in ein Wohnzimmer, an dessen Wänden unverständliche Bilder hingen, so dicht beisammen und übereinander, daß man die Tapete fast nicht mehr sah, aber die Bilder störten nicht, sie gehörten irgendwie dazu: wenn man das Auge zusammenkniff, die Rahmen wegdachte, konnte man meinen, es handele sich um ein einziges, die Wände mächtig überziehendes Mauerbild.

Ossi schenkte Kognak ein, er trank drei Gläser schnell hintereinander, erst das vierte hob er mir entgegen und sagte: Daß du mal wieder hierherfindest. Prost, Paul.

Schön hast du es hier, Ossi, wirklich. Und du gehst nicht mehr arbeiten, hat mir meine Mutter erzählt. Du warst doch Prokurist in . . .

In der Glashütte.

Gut verdient, fragte ich.

Nicht schlecht. Aber weißt du, jeden Tag Zahlen, immer nur Zahlen, Paul, das war nie mein Fall.

Und wovon lebst du jetzt?

Marlis arbeitet bei Rosenthal in Marktredwitz, ist dort Sekretärin, verdient fast so viel, wie ich als Prokurist verdient habe, das reicht uns.

Kinder habt ihr keine?

Kinder? Wozu. Damit sie im nächsten Krieg totgeschossen werden?

Und was ist mit dir, Ossi, verdienst du was?

Ja, manchmal bekomme ich Honorar. Nicht viel, aber der Mensch freut sich. Ich schreibe jetzt, Gedichte, habe eine neue Form des Schreibens gefunden.

Ossi, weißt du, ich verstehe davon nicht viel, war zwar nicht dumm in der Schule, aber . . .

Du warst der Beste, Paul, hättest einen anderen Vater verdient.

Wie meinst du das, Ossi, fragte ich.

Ossi hatte meinen Vater nie gemocht, nicht weil er im KZ saß, er mochte ihn einfach nicht.

Paul, überleg doch mal, wir sind mittlerweile erwachsene Männer geworden, uns kann so leicht keiner mehr was vormachen, hast du je viel Achtung vor deinem Vater gehabt? Hast du jetzt Achtung, wo er tot ist?

Ich weiß nicht, Ossi, ich habe darüber nie nachgedacht. Vater ist schließlich Vater; über den denkt man nicht nach.

Ossi schenkte erst nach, kippte sein Glas, ehe er fortfuhr: Ich meine das so. Was ist das für ein Mensch, der im KZ sitzt, nach jedem halben Jahr nach Hause kann, unterschreibt er nur einen Wisch, und so einen Wisch hat doch kein vernünftiger Mensch damals ernst genommen.

Ich wollte ihm erwidern, aber er ließ mich nicht zu Wort kommen.

Er läßt seine Frau den Mörtel von den Wänden fressen, sein einziges Kind von der Schule fliegen, nur weil er ums Verrecken nicht unterschreiben will. Hat er was geändert, dein Vater? Überleg doch mal, Paul. Nichts hat er geändert. Deine Mutter hat er zu einer alten Frau gemacht, dich hat er degradiert, du könntest heute deinen Doktor in der Tasche haben, könntest ein gemachter Mann sein. Du wärst ein freier Mann, Paul.

Ich bin es auch so, und ohne Vaters Unterschrift. Meine Güte, Ossi. Wer nützt wem, was nützt was: fragst du, ob deine Gedichte jemandem nützen? Du schreibst einfach. Vater hat wahrscheinlich auch nie gefragt, ob es was nützt, er konnte nicht anders. Manchmal ist es einfach so, daß man nicht anders kann. Vater war ein guter Mann, das weißt du, Ossi.

Aber ich wußte auch, er war wunderlich geworden, als er wiederkam, zitierte von morgens bis abends die Bibel, meistens aus der Offenbarung des Johannes. Es war widerlich, mein Vater war widerlich geworden, ein Tyrann, und ich habe ihn von nun an nicht mehr bewundert und nicht mehr geliebt, ich haßte ihn auch nicht, er war die meiste Zeit, auch wenn er neben mir saß und aß, nicht da, er war nicht mehr mein Held, den ich bei jeder Gelegenheit hervortreten und zitieren lassen konnte, er war erbärmlich geworden, hilflos und beschränkt, ich hielt von da ab auch nichts mehr von Märtyrern, ich hielt sie für Narren, die sich nach einiger Zeit selbst verspeisen, und betrachtete meinen Vater nur noch mißtrauisch, und als ich längst im Ruhrgebiet war, Gerda und Haus erworben und eine Tochter in die Welt gesetzt hatte, schrieb mir Mutter einmal: Lieber Paul, was habe ich verbrochen, daß mir Gott so einen Mann hat aufgeladen, der immer tut von der Bibel erzählen und nicht tut das, was die Bibel erzählen tut. Du weißt, lieber Paul, ich hab immer arbeiten müssen und gern gearbeitet und dich gemacht zu einem anständigen Menschen, aber dein Vater ist nicht leicht zu ertragen als Mensch, weil er immer tut reden von Dingen, die mich nicht interessieren tun und auch nicht den Topf voll machen mit Bohnen und Fleisch.

Redest wieder, Paul. Blöd war dein Vater, verbohrt. Nur weil ihn die Katholiken in Eger geärgert haben, ist er Bibelforscher geworden. Er hätte ebenso Kommunist werden können oder Nazi.

Oder vielleicht Dichter, sagte ich.

Er sah mich an, als verstehe er nicht recht.

Ossi, bitte, wer hat denn dich geärgert, daß du Gedichte schreibst? Könntest du nicht etwas anderes machen, etwas anderes sein?

Ossi hob die Hände und ließ sie wie versteinert ganz langsam auf den Tisch zurückfallen. Wir waren der gleiche Jahrgang, ich hatte aber plötzlich den Eindruck, er sei wesentlich älter als ich, und ich fragte mich, ob das Mädchen aus Hannover, das nach Bärnau zu seinem Großvater getrampt war, five kilometers oder 500 meters to border mit ihm im Gras liegen würde.

Mit einem Mal wußte ich die Ursache meiner Unruhe. Ich wollte gar nicht zu meinem Schulkameraden, ich wollte nicht zu Ossi Espach nach Mitterteich, ich mußte noch einmal nach Bärnau, und sei es mitten in der Nacht.

Marlis trat ein.

Sie war mit uns in einer Klasse gewesen, ich weiß, wie ich als Halbwüchsiger hinter ihr her war und in der Gefangenschaft träumte, daß sie meine Frau würde, aber als ich zurückkehrte, verstand ich mich selbst nicht mehr: sie war noch schöner geworden, und sie hatte auf mich gewartet, aber ich ging ihr aus dem Weg, wo ich konnte. Das vergaß sie mir nie. Jetzt aber, als sie ins Zimmer trat, die Tür mit einem spitzen Absatz zuwarf, die Augen weit aufriß, die Arme nach wenigen Sekunden des Staunens ausbreitete, sich auf mich stürzte, mich umarmte, so heftig, daß ich um Atem rang, mich sogar flüchtig auf den Mund küßte, da erschrak ich vor ihr, denn sie gehörte zu den Frauen, vor denen ich immer Angst habe, weil ihre Zuneigung und Leidenschaft wie ein Stempel sind, den sie dem Gegenstand ihrer Zuneigung aufdrücken und ihn damit ein für allemal zu ihrem ausschließlichen Eigentum erklären.

Marlis setzte sich zu uns, und Ossi schenkte ihr unaufgefordert ein Glas bis zum Rand voll Kognak: sie nippte erst, trank dann aus ohne zu schlucken, ohne den Blick von mir zu lassen, und Ossi schenkte gleich wieder ein, voll, ich glaubte zu sehen, daß es ihm Vergnügen bereitete, ihr zu dienen. Marlis aber hing an meinem Gesicht, als ich von Dortmund erzählte und warum ich hierher nach Waldsassen, nach Mitterteich, nach Bärnau gekommen war. Ossi saß neben Marlis auf der Couch, machte sich Notizen auf einen Block, nickte vor sich hin.

Danach rauchten wir, stumm.

Und jetzt schreibt Ossi Gedichte, fragte ich.

Marlis zuckte zusammen, sah um sich, auf Ossi, auf mich, auf ihr Glas und trank es in einem Zug leer. Ossi schenkte sofort wieder nach. Das Glas voll. Mechanisch wie ein Kellner.

Ja, Ossi schreibt jetzt Gedichte, sagte Marlis leise. Er hat es geschafft, er hat ein mathematisches System entwickelt.

Ihre Finger umklammerten das Glas.

Das verstehe ich nicht, Marlis, das mußt du mir erklären.

Es war mir völlig gleichgültig, was Ossi entwickelt hatte und was er tat, ich wußte nur: Ich muß noch einmal nach Bärnau, ich wußte nicht, was ich in Bärnau wollte, vielleicht das Mädchen sprechen, vielleicht Beierl eine vergessene Frage stellen, aber ich mußte hin, sollte es darüber Mitternacht werden oder früher Morgen.

Ossi wird dir sein System erklären, sagte Marlis. Sie hatte sich erhoben, entschuldigte sich, daß sie in der Küche zu tun habe. Ich sah ihr zerstreut nach.

Das System ist ganz einfach, sagte in diesem Augenblick Ossi. Schau mal, wir haben doch zehn Zahlen, eigentlich neun, nein, die Null zählt auch, mit diesen zehn Zahlen läßt sich alles machen, eins und eins zusammenzählen und die kompliziertesten Rechnungen ausführen; schau, wir haben

25 Buchstaben, eigentlich 26 oder 28, und mit denen schreiben wir Romane, wir haben in der Musik sieben Töne, eigentlich zwölf, damit läßt sich alles machen, Schnulzen und Symphonien und schau, wir haben 489 Autokennzeichen, damit läßt sich auch alles machen. Da ist einmal das Kennzeichen der Stadt, dann die Buchstaben dahinter, die sich endlos kombinieren lassen ... Das ist eigentlich mein ganzes System. Einfach, nicht? Man muß nur draufkommen, das ist alles. Wie in einer Reparaturwerkstatt: Gewußt wo!

Ossi sah mich an, in Wirklichkeit aber durch mich hindurch. Er war so abwesend, daß meine Mutter, hätte sie ihn gesehen, tatsächlich zu der Überzeugung kommen mußte, Ossi sei nicht recht im Kopf.

Bei seinen letzten Worten war Marlis eingetreten. Sie trat hinter ihren Mann und legte die Hände auf seine Schultern.

Im Herbst, sagte sie zu mir, kommt ein Buch von Ossi, es ist schon überall angekündigt, in Zeitungen und Zeitschriften, und eine Menge Vorbestellungen sind eingegangen; ich glaube, das Buch wird ein Erfolg und Ossi hat wirklich etwas revolutioniert.

Mit dem Shell-Atlas, sagte ich. Wie heißt denn das Buch?
Mathematische Lyrik, sagte Marlis.
Ein schöner Titel, sagte ich.

Nicht wahr, das sagst du auch. Sie warf Ossi einen triumphierenden Blick zu. Ossi war erst dagegen, er meinte, das klingt zu kalt, zu unpersönlich, aber er hat sich von mir überzeugen lassen. Schließlich ist seine Methode ja wissenschaftlich.

Ich prostete den beiden zu, trank, im Grunde genommen verstand ich gar nichts, ich hielt es auch für überflüssig, Ossis System zu verstehen, mich interessierte mehr, was man in diesem Augenblick über mich im Betrieb erzählte, ob mein Ersatzmann, der von der Ausplanung in die Verplanung geholt werden mußte, auch die richtigen Knöpfe zur richtigen Zeit drückte, mich interessierte, was das Mädchen in Bärnau trieb, jetzt, zu dieser Minute, und was Beierl wirklich vergessen hatte. Was kümmerte mich Ossis System. Ich war in einem gepflegten Haus und vielleicht sogar bei einem wirklichen Revolutionär. Wer weiß, wer kann das sagen, den Leuten schaut man immer nur vor den Kopf, nicht in den Kopf.

Es fehlte eigentlich nur die Polizei zu Ossis Revolution.

Ossi stand auf und brachte eine Mappe, schlug sie auf, blätterte darin, Marlis legte ihre Hände auf meine Knie und sagte: Paul, wie kannst du nur in so einer schrecklichen Stadt wie Dortmund wohnen. Ossi las mir aus der Mappe ein Gedicht vor, ich verstand nicht viel davon, aber es klang nicht übel. Kein Hund konnte so bellen und keine Stimme so sprechen.

Schön, sagte ich, Ossi, sehr schön. Aber was heißt das?

Ossi wollte antworten, aber Marlis fiel ihm ins Wort: Siehst du, Paul, das habe ich mich anfangs auch gefragt. Aber du mußt mal die Kommentare zu seinen Gedichten im Rundfunk hören, die langen Artikel in den Zeitungen lesen, dann begreifst du erst, was Ossi da schafft, was er wirklich ist, was für ein Genie er ist.

Ossi stand auf und legte mir ein paar Blätter vor.

Fein waren Ossis Buchstaben auf das Papier gesetzt, gleichmäßig, er war schon immer ein Pedant, ich betastete das Papier: wie Filz, so weich. Marlis erklärte, sie ließen es sich aus Straßburg kommen: nirgendwo gebe es so griffiges, so geplattetes Papier.

Nehmt's mir nicht übel, sagte ich, ich versteh davon nicht viel, ich les halt nur immer in der Wochenendausgabe der Zeitung die Wochenendgeschichte und natürlich zwischendrin mal ein Buch, immer so Zeug, wo auch etwas passiert, aber so etwas, was du schreibst, weißt du, das versteh ich halt nicht.

Papperlapapp, Paul, sagte Marlis. Hör dir nächste Woche im Bayerischen Rundfunk die Halbstundensendung über Ossi an, über seine Gedichte, warte mal, der Vortrag heißt ... Sie blätterte in der HÖRZU ... da stehts: Die kompositorische Revolution. Untersuchungen über ein Phänomen unserer Zeit, über Ossi Espach von K. Wildförster. Das ist ein Kulturkritiker, der kann was, der war mal hier, den ganzen Tag hat er mit uns gequatscht, der Mann ist umwerfend. Der sitzt dir eine ganze Stunde ohne was zu sagen gegenüber, dann springt er auf, zeigt auf Ossi und sagt: Sie sind ein Dichter. Und saufen kann der Kerl, ich sag dir, sagenhaft. Und der findet auch noch das Klo nach vier Flaschen Kognak.

Marlis hing an meinem Gesicht, als hätte sie noch nie ein menschliches Gesicht gesehen, mein Unbehagen stieg in dem Maße, wie ihre Augen mich fixierten.

Sie sagte: Und dann hab ich den Wildförster gefragt, woher er denn wissen wolle, ob Ossi ein Dichter ist oder nicht. Aber da hat er nur gelacht und gesagt, man wisse eben, daß der ein Stümper ist und der ein Genie, daß Shakespeare ein Dichter ist und Remarque nicht, darüber zu sprechen lohnt nicht.

Ach so, sagte ich, nur um etwas zu sagen. Marlis hätte mich vielleicht für dumm gehalten, das wollte ich auch nicht. Aber ich verstand kein Wort, es war mir neu, daß Remarque kein Dichter war, ich hatte »Im Westen nichts Neues« gelesen, Lissi hatte es gelesen, Gerda auch, und wir drei waren uns einig, daß dieses Buch uns umgekrempelt hatte, aber wenn Marlis jetzt sagte, dieser Kulturkritiker vom Bayrischen Rundfunk behaupte das Gegenteil, mußte was dran sein. Ich nahm mir zerstreut und auch verlegen die Blätter vor, Bütten aus Straßburg, die Ossi vor mich hinblätterte, der, seit seine Frau neben ihm auf der Couch saß, kein Wort gesprochen hatte, nur seine Frau ab und zu ansah, ihr das Glas vollschenkte. Ich versuchte zu lesen, aber was ich las, war nicht anders als das, was ich vorher von Ossi gehört hatte.

Ich ertrug es nicht länger, hatte das Gefühl, das ein Mensch haben muß, der aufgefordert wird, ein Fotoalbum zu besehen, in dem ihm kein Gesicht bekannt ist. Ich stand auf und sagte, sie mögen es mir nicht verübeln, aber ich müsse nach Hause: Mutter wartet, ihr wißt ja, wie Mutter ist, außerdem habe ich morgen eine lange Tour vor mir.

Ossi blieb vor seinen Blättern sitzen, er gab mir abwesend die Hand und sagte, ich solle bald wiederkommen. Ich versprach es.

Marlis begleitete mich aus der Wohnung. Sie faßte mich am Arm, fest, schmerzhaft, wir stiegen nebeneinander die Treppe hinunter, im Hausflur unten legte sie beide Hände auf meine Schultern und sagte, ich sähe besser aus, als sie gedacht habe, und als ich die Haustür öffnen wollte, fiel sie mir um den Hals, preßte ihre Lippen auf die meinen, sie hing an mir, schwer, ließ sich nicht wegschieben, ich schob sie auch nicht weg, obgleich mein Unbehagen eher größer als geringer geworden war; sie saugte wie eine Verdurstende aus meinem Mund, stöhnte so, als habe sie Schmerzen, und bettelte dann: Bleib doch noch.

Sie lehnte an mir wie ein Klotz, ja, wie ein Klotz, und ich hatte Mühe sie zu halten, ich mußte mich mit einem Arm an der Wand stützen, ich schob sie dann sachte so, daß sie senkrecht stand und allein.

Wenigstens einen Tag, wiederholte sie. Ossi denkt nur an sich, er sieht mich überhaupt nicht.

Das mußt du mit Ossi ausmachen, sagte ich und ging endgültig zur Tür. Da drehte sie sich um und klatschte mir eine Ohrfeige ins Gesicht, die wirklich klatschte, im Hausflur – ein renoviertes Gewölbe – widerklatschte. Sie trat dicht vor mich hin und sagte leise: Du Schuft. Du ordinärer Schuft, du warst schon immer ordinär, und deine ganze Familie, die der Teufel holen soll, war schuftig und ordinär. Ganz langsam sagte sie das.

Ich stand auf der Straße.

Den Heimatbrunnen in Mitterteich strahlten Scheinwerfer an. Ich startete, die Schatten fielen lang und zerflossen. Ich verfluchte meine Unruhe, aber die unruhigen acht Finger und zwei Daumen trommelten unablässig das Lenkrad.

Aber als ich durch die Vorstadt von Bärnau lief – ich hatte den Wagen auf dem Marktplatz geparkt –, mich ein Hund wütend ankläffte, Leute auf Bänken vor den Häusern saßen, wußte ich, daß es nicht das Mädchen war, das ich hier suchte.

Es war etwas anderes, nur wußte ich nicht was.

Ich kam mir vor wie ein Dieb, der sich irgendwo einschleichen will, um etwas zu holen, das er zwar braucht, nicht aber nötig hat.

Aber ich wollte nichts stehlen, ich brauchte nichts, ich hatte nichts nötig.

Gegenüber dem früheren Zollhaus, wo der Berg anzusteigen beginnt, setzte ich mich zwischen Büschen auf einen noch warmen Sägebock, wartete und wußte nicht auf was. Gut, daß ich den Hund zu Hause gelassen hatte, er hätte die

Büsche geöffnet, die Nacht zum Tag gebellt.

Es war Viertel nach zehn geworden, die Straße lag ruhig, ab und zu spazierten Leute vorbei, wahrscheinlich Urlauber, denn die Menschen hier gingen, das wußte ich, früh zu Bett: sie hatten – anders als früher – einen weiten Anfahrtweg zur Arbeit, bis nach Mitterteich, bis nach Weiden.

Die Straßenbeleuchtung war milchig. Das frühere Zollhaus hatte einen neuen Anstrich, der es ziviler machte, es nicht so amtlich aussehen ließ.

Ich zuckte zusammen. Ich spürte mein Zucken im Nacken und in den Schultern, glaubte mich ertappt und beobachtet, aber um mich war Nacht, vor mir das frühere Zollhaus, die milchige Straßenbeleuchtung. Ich stand auf, schlich mehr als ich ging die Straße entlang, die früher nach Tachau ins Tschechische führte, ich schlich an Beierls Haus vorbei.

Unten war das Haus dunkel, in einem Erker brannte noch Licht. Ich tappte weiter, drehte mich mehrmals um. Als das Licht in der Mansarde verlosch, machte ich kehrt. Ich überkletterte den Staketenzaun vor einem Nachbarhaus, lief über ein Stoppelfeld bis zur Rückseite von Beierls Haus, schlich durch das angelehnte Törchen in den Obstgarten. Da setzte ich mich auf eine Heubocke und wartete. Die Uhr schlug von der Stadt her die halbe Stunde.

Wie zur Antwort pfiff aus Richtung Tirschenreuth eine Lokomotive.

Ich muß jetzt was tun, dachte ich. Jetzt, nicht morgen. So billig darf Beierl nicht wegkommen. Vielleicht sollte ich eine Pistole haben und die Scheiben zerschießen, vielleicht sollte ich eine Handgranate haben, sie in den Kamin werfen, vielleicht sollte ich das Haus anzünden oder in die Küche gehen, den Wasserhahn aufdrehen, vielleicht sollte ich die Wege mit stinkendem Fischmehl bestreuen und draufpinkeln, vielleicht sollte ich Windharfen in den Bäumen anbringen, die immer Heil Heil heulten, zieht der Wind hindurch, vielleicht sollte ich . . .

Das Haus lag als dunkle Masse vor mir, beschützt von der Nacht. Ich saß da und ballte die Hände, grub mir die Nägel ins Fleisch, ich hörte mich stöhnen, mit den Zähnen knirschen. Ich sprang auf, wollte schreien, schrie nicht, da stolperte ich über einen Weidenkorb, fiel längs, rappelte mich hoch und griff etwas Kaltes.

Es war eine Heckenschere.

Ich löste die Sperre am Griff, die Messer öffneten sich, ich drückte mehrmals hintereinander, ich öffnete mehrmals hintereinander, ganz gemächlich und rasend schnell.

Die Schere gab mir ein kaltes Gefühl von Sicherheit, ich hielt mich an ihr fest, meine Unruhe, meine Wut, meine Ohnmacht verloren sich, ich schlich auf das Haus zu, blieb einen Moment stehen und horchte, es war still. Dann begann ich Beierls Malven abzuschneiden. Eine nach der anderen, wie nach Plan.

Von der Rückfront arbeitete ich mich an die Giebelseite vor, die Malven klatschten wie zu Straßensperren gefällte Bäume über die Wege. Auch die zwei besonders hohen und fast armdicken Malven links und rechts der Haustür schnitt ich mühsam ab, legte sie dann über kreuz auf die Stufen vor der Haustür, warf die Schere dazu, hastete davon.

Die Stadt schlief, sogar die Hunde.

Ich blieb, außer Atem, stehen, und glaubte einen Augenblick lang einen raschen, leichten Schritt zu hören, der jetzt verhielt. Ich wagte nicht mich umzudrehen, ich sah nichts, ich bückte mich, hantierte an meinen Schuhen.

Das hörte ich das Mädchen über meinen Rücken hinweg sagen: Wie alt sind eigentlich die Bäume oben am Kreuzweg?

Ich erhob mich, sah sie an. Sie trug kurze Hosen und einen Pulli, ihr Haar fiel bis über die Brust.

Ich weiß es nicht, sagte ich. Vielleicht zweihundert Jahre, vielleicht dreihundert.

Wie kann man das genau feststellen, fragte sie.

Genau? Man muß die Jahresringe zählen.

Dann komm, sagte sie. Dann werden wir einen Baum umsägen. Komm, bevor es Tag wird.

Sie griff nach mir wie selbstverständlich, zog mich zum früheren Zollhaus, vor Beierls Gartenzaun.

Wart eine Minute!

Ich stand mitten auf der Straße, die Grillen waren verstummt, und auch die Heuschrecken, irgendwo ließ eine Lokomotive Dampf ab, und nun bellte doch ein Hund.

Sie kam zurück, drückte mir zwei doppelseitig geschliffene

Äxte in die Hand, dazu eine Bauchsäge von etwa zwei Metern Länge.

Wir hasteten den Steinberg hoch, sprachen nichts, ich hörte nur unseren Atem pfeifen, die Äxte in meiner Hand klirrten, die Säge unter meinem Arm bog sich auf meinen Bauch zu, weg von meinem Bauch.

Am Kreuzweg blieben wir vor dem ersten Baum stehen, die weiten Äste fielen bis auf den Boden, bis auf unser Haar.

Den nehmen wir nicht, sagte sie. Diesen da, den dritten, der ist besser, der ist dicker, der ist älter.

Dann standen wir vor dem Baum. Der Baum war ungeheuer. Wir klopften den Baum mit flachen Händen ab, schmiegten uns an den Stamm, wir streckten unsere Arme aus, unsere Fingerspitzen berührten sich gerade noch, solch einen Umfang hatte der Baum. Ein Ahorn.

Und den wollen wir umsägen, fragte ich.

Den killen wir, rief sie, und wenn wir beide dabei verrecken.

Das geht nicht mit zwei Äxten und einer Baumsäge, sagte ich. Wir brauchen Keile und einen Schlegel, wir müssen den Stamm ansägen und treiben, die Krone ist zu breit, der sitzt wie ein Felsen fest, der fällt nicht.

Alles da, was du brauchst, meldete Christl. Sie warf mir Holzkeile und Schlegel vor die Füße.

Paß auf, Mädchen, sagte ich, wir sägen den Stamm ein, bis die Säge klemmt. Dann treiben wir ihn immer weiter.

Wir sägten handbreit ein. Sie zog gut die Säge durch, dann hackte ich den Stamm ein. Die Nacht war hell geworden, die Axtschläge hallten wie dumpfe Schüsse, dann sägten wir den Stamm tiefer ein, ich hackte wieder ein Stück tiefer aus, die Axtschläge hallten wie dumpfe Schüsse. Wir sägten, ich hackte, wir sägten, ich hackte, Christl zog die Säge durch wie ein gelernter Holzfäller, wir sägten, sie hackte, wir sägten, bis die Säge klemmte. Dann begannen wir an einer anderen Seite zu sägen, zu hacken, und jeder Schlag sprang uns tausendfach lauter durch Nacht und Wald oben von der Grenze her wieder an, ich meinte, die ganze Oberpfalz und Franken müßten aufwachen, so laut waren die Schläge.

Einmal war das Mädchen so erschöpft, daß es die Säge los ließ, ins Gras vornüber kippte und stöhnte: Ich kann nicht mehr, ich bin fertig. Aber als ich mich neben sie setzen wollte – auch ich war am Ende meiner Kraft – schubste sie mich weg und schrie: Los! Nur weiter. Wir müssen fertig werden, bis es Tag wird.

Manchmal glaubte ich, der Durst werde mich umbringen, aber das Mädchen zog die Säge auf der anderen Seite des Stammes so heftig und kraftvoll zu sich heran, daß mir keine Zeit blieb, mich nach etwas Trinkbarem umzusehen. Wie eine Besessene arbeitete das Mädchen, ich sah es hinter dem dicken Stamm kaum, aber ich hörte seinen Atem, und manchmal berührte er heiß mein Gesicht.

Wir hatten den Stamm auf allen Seiten so weit eingesägt, bis die Säge klemmte, es war unmöglich geworden, irgendwo weiterzusägen, schließlich saß die Säge endgültig fest.

Der Baum stand, als hätte ihn nie eine Säge berührt, er wollte und wollte nicht fallen, er ächzte nicht einmal, ich suchte mir die Holzkeile zusammen, trieb einen Keil neben den anderen, einen Keil über den anderen, der Baum begann zu knarren, bis in die Krone.

Dann spreißelte er.

Das Mädchen sprang mich an, schlag seine Arme um meinen Hals, entriß mir den Schlegel, mit dem ich die Keile trieb, und schrie: Hör auf, er fällt! Er fällt.

Dann fiel der Baum.

Die langen und dicken Äste der Krone rissen das Marterl um. Maria mit dem Jesuskind.

Im Osten, wo die tschechische Grenze war, hellte sich die Nacht auf.

Ich sah auf meine Uhr, es war zehn nach vier geworden.

Das Mädchen setzte sich auf den Stamm und sah zu mir hoch: Ist es hell genug geworden?

Es ist fast Tag, sagte ich.

Dann fang an zu zählen.

Ich setzte mich neben den Baumstumpf und ließ meine Finger über den noch warmen Stock gleiten, ich spürte Wärme, die zähe Feuchtigkeit des Holzes, nicht aber die Ringe, nur die Maserung, die unsere Säge gefressen hatte, nicht die Jahresringe.

Der Baum war hohl.

Das Mädchen sammelte enttäuscht Äxte, Keile und Säge zusammen, trug alles zum Roggenfeld nebenan. Als sie zurückkam, warfen wir uns nebeneinander auf den Bauch, unsere Zungen leckten das feuchte Gras ab, Christl warf sich über mich, sie leckte mein Gesicht, sie keuchte: Du schmeckst schrecklich. Aber der Baum ist umgefallen.

Da war es Tag geworden.

Komm, sagte sie, du gehst diesen Weg, dann kommst du bei der Kirche auf den Markt, ich geh hier lang.

Sie stellte sich auf den Stamm, balancierte eine zeitlang darauf herum, sprang herunter und sagte: Wieviel Menschen mögen wohl den Baum bewundert haben, dabei ist er hohl. So ein Betrug.

Ich blieb so lange auf dem Stamm sitzen, bis ich sie aus den Augen verlor. Christl drehte sich kein einziges Mal nach mir um. Ich hastete, stolperte mehr als ich lief, den von ihr gewiesenen Feldweg zur Stadt und bei der Kirche kam ich auf den Markt, ich schloß meinen Wagen auf und ließ mich schwer in die Polster fallen, die Scheiben ringsum waren beschlagen, ich ließ einen Moment den Scheibenwischer pendeln, damit ich wenigstens nach vorn Sicht hatte.

Die Stadt lag noch wie ausgestorben, dabei war es Tag geworden. Irgendwo schlug ein Tor, irgendwo krähte ein Hahn, bellte ein Hund. Ich war so fertig, daß mir die Hände zitterten, als ich eine Zigarette anzündete. Ich fuhr los. Die ersten Heu- oder Getreidewagen wurden durch Hoftore auf die Straße geschoben, Bauern sahen mir verwundert nach.

Hinter der Biegung zum Bahnhof bremste ich scharf.

Das Mädchen stand mitten auf der Straße. Es hatte die blaue Lufthansatasche auf der rechten Schulter hängen, seine Haare fielen über die Brust, es trug das Kleid von vorgestern.

Das Mädchen sagte: Fahr! Fahr irgendwohin. Nur weg.

Ich fuhr. Der Morgen versprach einen heißen Tag.

Kurz vor Tirschenreuth, bevor ich die Hauptstraße, die von Weiden kam, einbog, hielt ich an.

Ich sah das Mädchen an, wieder weg, in den Wald hinein.

Als ich zurückkam gestern, begann sie stockend – Christl sprach wie im Schlaf –, du weißt schon, als wir oben auf den Getreidebocken gelegen haben, als ich zurückkam, stand Großvater im Flur und fragte mich barsch: Wo warst du?

Ich sagte: Irgendwo.

Und er lamentierte: Er war da!

Wer war da, fragte ich, wer?

Da schrie er: Auf den ich dreißig Jahre gewartet habe. Er war da. Er hat einen schwarzen Zwergpudel mitgebracht. Er hat mit mir gesprochen, so, als ob ich ihm was schuldig bin. Großvater sprach in dem Moment hochdeutsch. Ich wußte gar nicht, daß er hochdeutsch sprechen kann. Dann sprudelte es aus ihm heraus, er war aufgeregt, er sprach abgehackt und sagte immer wieder: Er war da, er war da.

Großmutter kam aus der Küche gelaufen und redete ihm gut zu: Der Pospischiel kann dir nichts mehr tun, es ist alles verjährt. Großmutter kicherte, es ging mir durch und durch. Aber Großvater hörte gar nicht, was sie sagte. Er hetzte von Wand zu Wand. Mit stieren blinden Augen. Er sprach mich an, obwohl er mich nicht wahrnahm: Du hast ihn auch gesehen, du hast mit seinem Hund gespielt. Er wird wieder kommen, ich kenne diese Sorte. Dann sank er auf einen Sessel nieder, schloß die Augen. Seine Nase stand lächerlich lebendig in dem kalkigen Gesicht. Nach einer Weile hörte ich ihn flüstern: Er kann mir nichts mehr tun, absolut nichts mehr. Er holte tief Atem. Es gibt Gesetze, daß er mir nichts mehr kann. Er öffnete die Augen, sah mich, lächelte nun: Eher knickt droben am Kreuzweg ein Baum um. Ich sage dir, Großvater hat ganz fein und heiter ausgesehen, wie ich ihn verließ.

Christl und ich starrten auf das Wurzelwerk des Windbruchs vor uns.

Ich werde nicht wiederkommen, sagte ich zu dem Mädchen. Du kannst deinen Großvater beruhigen, ich werde nicht mehr kommen.

Ich weiß, sagte das Mädchen. Aber es ist schade. Es genügt, wenn er glaubt, daß du jederzeit wiederkommen kannst.

Und du bist einfach weggelaufen?

Ich habe einen Zettel geschrieben, meine Sachen gepackt, den Zettel innen an die Haustür geheftet. Ich habe auf den Zettel geschrieben: Droben am Kreuzweg ist ein Baum umgeknickt, aber nicht mit Gottes Hilfe.

Und was hast du jetzt davon, fragte ich.

Was ich davon habe? Großvater soll noch einmal 30 Jahre auf dich warten, es wird ihm guttun. Er wird am Gartenzaun stehen und die Touristen betrachten, die zur Grenze laufen, er wird Ausschau halten nach dir.

Die Nase hast du von ihm, sagte ich.

Sie griff sich betroffen ins Gesicht. Das sah so unbeschreiblich aus, daß ich lachen mußte. Schließlich lachte auch sie, wir lachten, lachten, die Tränen liefen uns über die Backen, sie ließ sich auf mich fallen, lachte sich, weinte sich auf mir aus. Allmählich beruhigte sie sich; ich fuhr an, den Arm um sie gelegt.

Vor der Stiftskirche in Waldsassen hielt ich. Was mach ich jetzt mit dir, sagte ich.

Die Stadt war im Aufbruch, die Sirene der Porzellanfabrik schwoll an, vor dem Amtsgericht hielt der erste Reisebus. Bauernfuhrwerke holperten über den Markt stadtauswärts, Pferde, Traktoren.

Früher gaben die Kirchen Asyl, sagte das Mädchen und nickte zum Portal der Stiftskirche hinüber.

Jetzt brauchen die Pfarrer selber Asyl, sagte ich: In einer Stunde siehst du vor Touristen die Kirche nicht mehr.

Ich fuhr in eine Seitenstraße der Johannisstraße, wies auf ein Haus: Da wohnt meine Mutter. Du gehst hinter den Gärten her, am Zaun steht ein kleiner Stall, Backstein, Holzschindeln auf dem Dach, er ist offen und voll Stroh, da legst du dich hin. Ich wecke dich, wenn ich fahre.

Das Mädchen stieg aus, hängte seine Lufthansatasche um und lief den Weg, den ich ihm gewiesen hatte.

Ich fuhr vor Mutters Haus.

Meine Mutter saß im Nachthemd in der Küche, den Hund auf ihrem Schoß. Der sprang mich an, gebärdete sich, als sei ich mehrere Tage weggeblieben. Dann schnupperte er mich ab, winselte.

Mutter streichelte, als sie mich sah, ihr Nachthemd glatt, stand auf und setzte den Pfeifkessel auf die Elektroplatte, mahlte Kaffee, schnitt Käsekuchen in schmale Streifen, deckte den Tisch, stellte sich dann mit überschränkten Armen vor mich hin und seufzte. Die ganze Nacht hab ich kein Auge zugemacht, und unruhig war das Hunderl, hat immer an der Tür gesessen, wenn er ein Auto hat gehört.

Hast gesoffen, Paul?

Ich schüttelte den Kopf.

Der Kessel pfiff, sie hob ab und filterte den Kaffee. Ich saß und starrte auf das Bild meines Vaters, unter dem der Teller aus Innsbruck hing.

Hast mit dem Ossi gesoffen? Gelt, der kann saufen, und immer Kognak. Aber das Saufen kommt denen billiger, die tun im Großhandel einkaufen.

Es roch nach Kaffee. Sie schenkte mir ein.

Wenn's dich erwischt hätten die Polizisten. Der Babette, du kennst sie doch, der Babette haben sie den Führerschein abgenommen. Die war auf einer goldenen Hochzeit, hat gar nicht viel getrunken, aber das Tüterl hat sich halt verfärbt. Besoffen tut die Babette nicht gewesen sein.

Der Käsekuchen war warm, Mutter hatte ihn in der Ofenröhre aufgewärmt. Der Hund schnarchte auf meinen Beinen.

Ich leg mich noch vier Stunden hin, sagte ich, dann fahr ich, und Mutter sah mich an, als könne sie nicht glauben, was ich gesagt hatte. Sie setzte sich mir gegenüber, stützte die Arme auf, sah mich an. Sie schlürfte ihren Kaffee. Schlürfen gilt ihr als vornehm, schlürfen tun die feinen Leute.

Kannst doch nicht schlafen jetzt, wo doch kommen bist zum Reden mit mir über den Beierl und über das, was wird.

Mutter, ich muß morgen im Werk sein, länger als drei Tage kann ich nicht wegbleiben.

Sie setzte die Tasse ab, erschrak. Mein Gott, Paul, wenn sie dich kündigen täten. Dann mußt schon fahren, hast ja Familie. Daß du aber auch kommen tust ohne Urlaub.

Sie ging ins Schlafzimmer, kehrte wenig später wieder zurück.

Dann tu ich dir halt noch ein paar Schachteln Zigaretten holen und der Gerda geb ich zwei Kissenbezüge mit und der Elisabeth tu ich ein paar Taschentücher einpacken, hab halt nix anderes, mußt es Gerda sagen, obwohl mir's jetzt schon ein bisserl besser geht, weil ich doch Mieter hab im Haus, und da krieg ich 35 Mark zu meiner Rente zu, aber glaubst nicht, was man immer reparieren muß an so einem Haus. Wenn du halt da wärst. Immer muß ich anderen Leut gute Worte geben und eine Brotzeit, das tut ins Geld gehen.

Sie ging noch einmal ins Schlafzimmer, kam diesmal mit einer abgegriffenen braunen Ledertasche zurück. Ein uraltes Stück, ich erinnerte mich, daß sie mit dieser Tasche vor dreißig Jahren in Eger sonntags auszugehen pflegte. Vater hatte sie selbst genäht, bestes Boxcalf. Mutter war auf diese Tasche stolz gewesen, sie trug darin aber nur die Hausschlüssel und ein paar Taschentücher.

Paul, sagte sie, das wollte ich dir halt schon immer zeigen. Wenn ich mal sterben tu, sollt ihr keine Unkosten haben, ihr tut noch Geld bekommen nach meinem Tod.

Sie packte die Tasche aus. Blaue, rote und grüne Büchlein und Hefte sortierte sie auf den Tisch, abgegriffene Papiere, verblaßte Farben.

Das Buch da ist für den Verbrennungsverein, da tut ihr über fünfhundert Mark rausbekommen, wenn ich sterbe, und braucht gar nichts zu machen, die Männer tun von Selb kommen mit dem Sarg und fahren gleich mit mir ins Krematorium, auch wenn du nicht so schnell kannst kommen wie ich sterben, die vom Krematorium machen alles, da braucht man bloß telefonieren, das tut schon praktisch sein. Und das andere Buch ist von der Krankenkasse, da tust auch achthundert Mark rausbekommen, mußt aber schon selber hingehen zur Krankenkasse, die tun nicht ins Haus kommen, und das Buch hier ist für meine Rente, da tust auch was rausbekommen, aber da mußt gehen auf die Post, und hier das Buch ist für die Sterbekasse, und da tust auch über vierhundert Mark rauskriegen, aber ich glaub, die tun ins Haus kommen, mußt nur telefonieren, daß ich tot bin, dann kommen die ganz schnell und zahlen das Geld aus. Weißt Paul, ich tu halt immer alles schön beisammen haben, und die Tasche steht im Kleiderschrank unter den alten Koffern, wo ich das große Gurkenglas hab, dahinter. Und im Wäscheschrank in dem Fach, wo ich meine Unterröcke hab liegen, heb ich immer mein Geld auf, aber im Haus hab ich nie viel, weil doch so viel gestohlen wird heutzutage. Und das ist der Block, wo ich immer die Miete eintragen tu. Weißt Paul, wenn ich mal nicht mehr bin, dann könnten die da oben in der Wohnung sagen, sie hätten bezahlt, und dabei haben sie nicht bezahlt, da mußt aufpassen, weißt, sind schon anständige Leut da oben in der Wohnung, aber bescheißen tun sie gern, das sind welche von drüben, weißt ja, was Vater immer gesagt hat: die tun aus der Kirche kommen und haben das Messer in der Hand.

Sie packte ihre Büchlein und Hefte wieder in die alte Tasche zurück, schnappte den Verschluß zu, als ob sie endgültig etwas verschließe, dann streichelte sie mehrmals das Leder und sagte: Die hat der Vater noch selber gemacht. Ja mei Paul, wenn das der Vater wissen tät. Und das Haus, Paul, das tut dir gehören, der Rechtsanwalt Lindner drüben in der Mähringer Straße hat das alles notariell gemacht, und der tut dir auch helfen, wenn du dich nicht auskennen solltest. Du kannst mit dem Haus machen, was du willst, aber weißt, ein Haus ist in der jetzigen Zeit schon was wert, wo doch alles teurer wird und das Geld immer weniger wert tut sein. Die Milch ist wieder teurer geworden, und jetzt soll das Licht teurer werden, auch das Wasser, wo es doch Wasser müßte umsonst geben. Zeiten sind das, und immer für die kleinen Leut tun die Zeiten sein.

Mutter trug die Tasche ins Schlafzimmer zurück, und ich mußte sie begleiten, damit ich wüßte, wo ich die Tasche finde. Sie zeigte mir ihre Unterröcke im Wäscheschrank und das Geld, sie hatte zwei Hundertmarkscheine hinter den Unterröcken, sie sagte: Weißt, ganz ohne Geld tu ich nie sein.

Als wir wieder in die Küche zurückgekehrt waren, legte sie mir einen Zwanzigmarkschein auf den Tisch vor meine Kaffeetasse und meinte, das wäre für das Benzin, weil ich sie doch nach Bärnau gefahren habe.

Tu's nur nehmen das Geld, du mußt es sauer verdienen und hast Familie. Aber weißt, es ist schon ein Kreuz, jetzt hab ich halt den Beierl doch nicht gesehen, und wenn ich den Hammer Georg wieder treffen tu auf dem Markt in Tirschenreuth, und er mich fragt: na, Gretl, hast dem Beierl eins ausgewischt, werd ich sagen müssen, ja mei, Hammer Georg, mein Paul ist dagewesen und hat dem Beierl keins ausgewischt, ja mei, werd ich sagen müssen, Hammer Georg, ich hab den Beierl gar nicht vor die Augen gekriegt, weil ich hab plötzlich Angst gekriegt vor dem Beierl sein Gesicht.

Mutter, sagte ich, sei vernünftig, hier gibt es nichts mehr auszuwischen, die Zeit ist vorbei. Es hat keinen Zweck mehr, etwas gegen die Zeit zu unternehmen, versteh bitte, die Zeit ist zu weit weg, das Leben geht ohne diese Zeit weiter.

Sie sah mich an, sie streichelte den Hund, ohne vielleicht zu wissen, daß sie den Hund streichelte.

Redest wieder, Paul. Das Leben tut immer gewesen sein, wie's war. Kannst denn vergessen, daß dein Vater nicht daheim ist gewesen sieben Jahre, und kannst vergessen, daß alle sind wieder obenauf, die gejagt haben und geschunden?

Der Hund legte sich auf die Couch, den Kopf auf die Armlehne, er sah mich mit seinen Knopfaugen an, als wolle er mir Vorwürfe machen, weil ich letzte Nacht nicht nach Hause gekommen war.

Da sagte meine Mutter: Weißt, Paul, ich hab mich nie nix gekümmert um Politik, das ist was für studierte Leut, aber ich tu halt meinen, es war nicht recht, daß Vater ist gewesen bei den Bibelforschern, ich hab immer müssen arbeiten fürs Essen und du als Bub hast schon müssen arbeiten, und hinter dir hergelaufen sind die anderen Kinder und geschrien haben sie: Alter Tschusch, dreckiger Tschusch, nur weil du nicht bist gegangen zu den Henlein und später nicht zu der Hitlerjugend. Und deine Großmutter ist eine ganz Stramme gewesen, tust es noch wissen, wie sie hat geredet. Jetzt ist sie tot und hat mir das Haus überschrieben, aber war's denn recht von deiner Großmutter, daß wir mußten im Ziegenstall schlafen und die Soldaten haben geschlafen in Betten, und wir mußten liegen zwischen den Ziegen, und die Soldaten haben geschlafen auf weißen Kissen. Wo ich doch ihre Tochter bin gewesen und du der einzige Enkel und die Soldaten doch Fremde waren. Die Zeit, Mutter, die Zeit, sagte ich und überlegte krampfhaft, wie ich dieser alten Frau, die meine Mutter ist, etwas erklären konnte, das ich mir selbst nie erklärt habe. Ich suchte nach Worten, aber sie trat vor mich hin und fragte: Sind denn heute alle Leut wie die, wo wir getroffen haben in Flossenbürg? Du kommst doch mehr rum in der Weltgeschichte und bist immer zusammen mit anderen Leuten. Sind denn alle so?

Nein, sagte ich, sie sind nicht alle so.

Ja aber, rief sie plötzlich, der Hund schreckte hoch, wo tut denn dann die Gerechtigkeit für die kleinen Leut sein? Wo denn? Wenn nicht alle so sind wie die Leut in Flossenbürg. Sind wir denn für nix durch den Wald gehetzt in der Nacht, und ist denn umsonst, daß dein Vater ist gesessen in so einem

Lager, wo die Leute sind geschunden worden, die nix haben verbrochen, und dein Vater hat Prügel gekriegt und hat die Straßen bauen müssen, ohne daß sie ihm was dafür haben bezahlt, und wir nicht gewußt haben, wo dein Vater ist, nicht gewußt haben, daß er in so einem Lager sitzen tut und ist erst wiedergekommen nach dem Krieg, weil die Amerikaner sind gekommen, und ist denn ganz umsonst, daß er Wasser gehabt hat in den Beinen und in der Brust und hat gehabt eine verkrüppelte rechte Hand und hat nicht mehr arbeiten können, ist denn alles umsonst gewesen, Paul, daß wir haben Hunger leiden müssen und die anderen Leute haben uns verspottet?

Ja, sagte ich, alles umsonst. Ich setzte mich auf die Couch und streichelte den Hund. Mutter, umsonst, daß ich zu dir gefahren bin, zu Beierl nach Bärnau. Es war alles umsonst, Mutter, es hat sich nichts verändert, und es wird sich nichts verändern. Mutter, wir fallen nicht ins Gewicht.

Die alte Frau tat mir leid. Aber ich war sterbensmüde, war es überdrüssig, sie murmeln zu hören: Nix kann man machen mehr in der Zeit, alles tut umsonst gewesen sein. Geh mir weg, Paul, wenn das eine Gerechtigkeit sein tut, ich weiß nicht, was dann gerecht sein tut. Ich hab nicht gemocht, daß der Vater ist gewesen bei den Bibelforschern, aber gewußt hat der Vater schon, was gerecht sein tut, und die alle wissen's nicht.

Ich stand, mich räkelnd, auf. Mutter, laß es endlich gut sein. Du solltest deine Rente genießen und dir noch ein paar schöne Jahre machen. Dir tut keiner was, hast keine Sorgen, hast das Haus, ich bin versorgt, hab auch ein Haus.

Ich sah auf die Uhr, es lohnte nicht mehr, mich schlafen zu legen. Ich sagte es ihr, da meinte sie, sie könne dann wenigstens meinen Wagen waschen, was mir nicht recht war, aber warum sollte ich ihr den Wunsch abschlagen, sie wäscht nun mal gern, ob Autos oder Vorhänge, Treppen oder Hemden. Vielleicht sollte sie mehr zu tun haben das Jahr über, damit sie weniger über die Gerechtigkeit der kleinen Leute nachdenkt, und nicht darüber, was umsonst, was nicht umsonst war.

Wir traten vor die Tür.

Ich schaute eine Weile zu, wie rasch ihr die Wäsche von der Hand ging.

Der Hund schnüffelte hinten im Garten am Stall herum. Er begann plötzlich an der Tür zu kratzen. Mutter unterbrach die Wagenwäsche.

Was hat denn das Hunderl! Ist doch nix im Stall. Na, komm her, sei ein braves Hunderl. Ziegen hat Frauchen nicht mehr.

Das fehlte noch, dachte ich. Meine Mutter wollte zum Stall, aber ich kam ihr zuvor, rief den Hund, schickte ihn zu meiner Mutter zurück. Ich betrat den Stall. Das Mädchen saß auf einem Holzbock, schlenkerte die Beine und sagte: Wann fahren wir? Ich ersticke hier drinnen.

In einer Stunde. Schleich dich hier raus, wenn ich mit meiner Mutter ins Haus gehe, warte vor der Stadt, bei Bad Kondrau. Hast du Hunger?

Geistreiche Frage, schnaufte sie.

Ich bring was mit.

Ich kehrte um. Mutter hatte den Wagen ausgesaugt, ich lederte die Scheiben ab, sie klopfte die Decke aus, auf der immer der Hund schlief, sie breitete die Decke wieder auf den Rücksitz und kratzte eine Mulde, in der sich der Hund besser ringeln konnte.

Als ich die Küche betrat, lagen die fertigen Butterbrote schon in einem Plastikbeutel, sie filterte frischen Kaffee in eine Thermosflasche, stellte eine zweite Thermosflasche mit frischem Wasser für den Hund dazu, packte für Gerda zwei Kissenbezüge ein und Taschentücher für Lissi. Mir legte sie zehn Packungen Zigaretten vor.

Tu nicht so viel rauchen, sagte sie.

Ich trug alles in den Wagen, verstaute die Zigaretten im Handschuhfach, ich ließ den Hund auf den Rücksitz springen, Mutter beugte sich in den Wagen über den Hund, streichelte ihn, dann gab sie mir die Hand, sah dabei aber auf die beiden Türme der Stiftskirche. Als ich einstieg, sagte sie leise: Sehnsucht werd ich halt schon ein bisserl haben nach dem Hunderl.

Dann ging sie ins Haus.

Ich fuhr los. Ich empfand keinen Schmerz, als ich Mutter verließ. Mir war plötzlich, als sei eine Last von mir genommen worden, als dürfe ich nun freier atmen. Ich fuhr durch dieses Nest, das sich Stadt nennt, in dem es viele Sudetenländer gab und Touristen, die Stiftskirche und die Klosterbibliothek, in der es geschnitzte Figuren gab, doppelgesichtige, auf deren Schultern die schweren Bücherregale ruhten.

Am Stadtausgang tankte ich noch einmal voll, der Tankwart sah mein Kennzeichen und fragte mich, ob denn nun Borussia in der neuen Spielzeit wieder deutscher Meister werde. Ich zuckte die Schultern, mir war das egal, er jedoch war darüber verwundert, daß mir so etwas egal sein konnte, wo ich doch aus Dortmund kam. Ich zahlte, überzeugt, daß der Tankwart mich für einen ausgewachsenen Idioten hielt.

Sie stand auf der Höhe hinter Bad Kondrau am Straßenrand, umgezogen, sie trug Shorts und einen viel zu engen Pulli, aber unter dem Pulli trug sie wenigstens einen Büstenhalter, der Verschluß drückte sich hinten durch den Stoff. Das beruhigte mich.

Sie öffnete das Handschuhfach, sah die Zigaretten, nickte, blickte hinter sich, nickte dem Hund zu, bemerkte den Plastikbeutel. Sie nahm sich zwei Schnitten heraus und begann zu essen. Der Hund hatte sich um das Mädchen nicht gekümmert, er lag und schlief.

Hab vielleicht einen Hunger, sagte das Mädchen.

Ist ja genug da, sagte ich.

Als sie sich satt gegessen hatte, saß sie steif neben mir, schloß die Augen, und wenig später war sie eingeschlafen. Wenn ich eine Kurve nahm – und das Fichtelgebirge hat viele, scharfe Kurven –, kippte ihr Kopf nach links, nach rechts. Ich hielt unterwegs einmal, sie öffnete halb die Augen, sah mich unter schweren Lidern an und murmelte: Mach mit mir was du willst, aber laß mich schlafen.

Ich zog sie etwas nach unten, schob ihr ein Kissen hinter den Rücken, ein Kissen legte ich zwischen Rückenlehne und Tür, sie ließ ihren Kopf darauf fallen, schlief sofort weiter.

Ich fuhr nicht besonders schnell, ich hatte Zeit, wenngleich es späte Nacht werden würde, bis ich Dortmund erreichte.

Mir kamen nun die letzten Tage wie ein böser Traum vor, ein komischer, ein kindischer Traum. Meine Mutter und der Hammer Georg, Kreuzweg und Steinberg, der gefällte Baum, die gekappten Malven und Beierl, alles war Erfindung, glaubte ich nun zu wissen. Diese Gewißheit erfüllte mich mit einer närrischen Freude. Ich schaute zur Seite. Das Mädchen neben mir, die festen und braunen Beine, die festen Brüste im zu engen Pulli: das allein ist wahr, dachte ich, alles andere gehört einer Zeit an, die nicht wahr ist, niemals wahr werden wird – nie wahr gewesen ist.

Und was tut mit der Gerechtigkeit sein für die kleinen Leut, hörte ich mich plötzlich laut sagen.

Das Mädchen schrak empor, ich weiß nicht, war es meine Stimme oder deshalb, weil ich kurz vor Coburg auf die Schnellstraße nach Maroldsweisach scharf links abbiegen mußte. Christl sah verstört um sich, mich verschlafen an, nach hinten auf den Hund. Der aber lag und schlief und hörte und sah nichts. Der ist glücklich, dachte ich, der schläft, frißt und alles andere ist ihm gleich. Das Mädchen schwitzte, es sagte laut: Wie lange habe ich geschlafen?

Zwei Stunden.

Wenigstens etwas. Du, ich muß mich waschen, du mußt einmal halten, wo Wasser ist.

Jaja, sagte ich, wart noch ein wenig.

Zehn Kilometer hinter Coburg, an der großen Kreuzung, bog ich in einen Feldweg ein, fuhr noch ein paar hundert Meter, hielt dann. Wir stiegen aus, der Hund hinter uns her. Christl sah mich an. Du hast ein gutes Gedächtnis, sagte sie. Nicht ich, sagte ich, sondern das da. Ich zeigte an mir herunter.

Sie lachte und ihre Hand schnappte im Spaß danach.

Nebeneinander liefen wir über die gemähte Wiese zum Bach hinunter. Im Lauf noch zog Christl den Pullover über den Kopf, sie war vor mir unten am Ufer, nestelte schon an ihrem Büstenhalter, fingerte am Reißverschluß ihrer Shorts, als ich erst verschnaufend neben ihr stand. Nackt sprang sie in den Bach, sie rief mir zu, ich solle doch ebenfalls baden, und ich fand nichts dabei, neben ihr im Wasser zu stehen.

Das Wasser reichte mir bis kurz unter die Knie, wir standen uns gegenüber und bespritzten uns, der Hund bellte uns vom Ufer aus wie verrückt an. Als ich ihn aber in den Bach holen wollte, lief er weg.

Wir setzten uns in den Bach. Die Kiesel stachen. Wir patschten mit beiden Händen auf das Wasser, und das Mädchen kicherte und rief: Haut den Lukas. Unversehens sprang sie auf und versuchte mich unter Wasser zu drücken, ich hielt sie fest, sie bog mich nach hinten, warf sich auf mich, über uns strömte das Wasser, sie hatte die Augen geschlossen, ich biß ihre Brüste, sie schrie auf, ihr Mund blieb halb offen, von ihren Lippen tropfte der Bach, grünes Wasser, durchsichtig. Ich wälzte mich zur Seite, da umklammerte sie von hinten meine Hüften, ihre Brüste bedrängten meinen Rücken, und dazwischen staute sich das Wasser. Sie lachte, lachte, und als ich mich befreit hatte, kniete sie vor mir, breitete ihre Arme aus und bog ihren Oberkörper leicht nach hinten, das Wasser schoß zwischen ihren Schenkeln hindurch, und ich kroch auf sie zu, ich war durstig, trank das Wasser an ihrem Ypsilonwald in mich hinein, und sie wand sich, lachend, und faßte beidhändig meine Haare, riß meinen Kopf hin und her und zu sich und zwischen ihre Schenkel, und dann stürzte sie über mich kopfüber ins Wasser, und ich senkte mich auf sie herab, und sie umklammerte mich, und die Kiesel kitzelten. Wir ließen die Strömung um uns und über uns strömen, das kalte Wasser war warm geworden, und wo unsere Körper aufeinanderklatschten, gluckste es wie eine starke Quelle.

Wir lagen dann unter dem Baum, der eine Ulme war, die Sonne trocknete uns, der Hund lag im Schatten und schlappte die Zunge, schnappte ab und zu nach Fliegen.

Ich bürstete ihr Haar, das ihr bis über die Brust fiel, ich bürstete sacht über ihre Brust, sie zitterte, aber sie sah geradeaus, in die Richtung, wo das Schild zu vermuten war: Five kilometers to border.

Dann preßte sie sich an mich, legte ihren Kopf an meine Brust und sagte: Du mußt jetzt aber schlafen. Ein müder Mann am Steuer ist nichts.

Ja, sagte ich, wenn ich kann.

Du wirst können, sagte sie, halb sitzend. Sie schlüpfte in die Shorts, griff nach ihrem Büstenhalter, sie stand über mir, schaute auf mich herunter, lachte, der Schatten ihres Körpers kreuzte mehrmals mein Gesicht. Sie setzte sich dann neben mich, warf mir meinen Slip zu und meinte, die Bauern hier wären furchtbar neugierig. Gehorsam zog ich meinen Slip an und ließ mich in das Gras zurückfallen. Sie hatte eine Ähre gefunden, kitzelte mit den Granen meine Beine und meinen Bauch, und als ich ihr sagte, daß ich so bestimmt nicht einschlafen werde, steckte sie die Ähre in ihr Haar.

Der Schlaf überfiel mich wie ein Schlag, ich weiß noch, daß ich überlegte, ob die Granen nun von Roggen, Weizen oder Gerste waren. Aber ich konnte es schon nicht mehr zu Ende denken.

Hundegebell weckte mich. Ich richtete mich auf, schlaftrunken, mir war so übel, als hätte mir jemand über den Kopf gehauen. Ich sah zwei Schatten über mir, der Hund kläffte und die beiden Schatten wuchsen.

Ich wischte übers Gesicht, der Schweiß troff mir über die Brauen, und ich hörte eine Stimme: Sie sind aber leichtsinnig, so in der Sonne zu liegen, können sich ja einen Sonnenstich holen.

Ich war noch immer benommen, als ich aufstand, das Gebell des Stinkers, der nun sah, daß ich mich bewegte, wurde schwächer, hörte schließlich ganz auf. Vor mir standen zwei Männer, Bundesgrenzschutz. Sie lachten mich an.

Jaja, sagte ich, aber bevor ich einschlief, lag ich im Schatten.

Und an Ihrem Wagen, sagte einer der beiden, stehen beide Türen auf, und der Schlüssel steckt.

Und wie verabredet der andere: Da braucht nur einer zu kommen, sich reinsetzen, abfahren.

Ich habe ja den Hund, sagte ich.

Sie lachten. Der Hund? Der hat erst gebellt, als wir Ihnen längst eins über den Schädel hätten hauen können.

Ich zog mich an, ich lachte den Bundesgrenzschutzsoldaten zu, wunderte mich ein wenig, daß sie five kilometers to border patrouillierten, nicht direkt an der Grenze. Ich kletterte mit ihnen die Böschung hinauf zu meinem Wagen, der Hund hatte sich beruhigt, wenn er auch manchmal noch knurrte, er mochte keine Uniformen, auch den Postboten und den Polizisten, die in meiner Siedlung wohnen, kläfft er an, sogar der Kaminkehrer war ihm ein Greuel; der erst recht.

Am Wagen bot ich den beiden Grenzschutzsoldaten Zigaretten an, sie nahmen, rauchten, und ich meinte, es wäre kein Vergnügen, bei der Hitze mit einem Gewehr und in Uniform herumzulaufen.

Aber sie erzählten mir etwas von Pflicht, die jeder tun

müsse, der eine im Büro, der andere in der Fabrik.

Jaja, sagte ich.

Und Sie fahren heute noch nach Dortmund zurück?

Heute noch.

Autobahn?

Nein, über die Hohe Rhön und durch das Sauerland.

Da müssen Sie aber das Pedal noch ganz schön durchtreten.

Ich sah auf die Uhr, es war kurz nach drei.

Na, bis es dunkel wird, werde ich wohl zu Hause sein, sagte ich, wenn nicht wieder in der Rhön die amerikanischen Kolonnen die Straßen verstopfen.

Ja, sagte einer der Grenzwächter, da ist es besonders schlimm, da haben die sich eingenistet. Ich fahre im Urlaub immer an die See, ich wohne in Coburg, wissen Sie, da fahre ich lieber Autobahn, dann habe ich mit den Amis nichs zu tun.

Ist auch das beste, sagte ich.

Der Hund lag schon auf dem Rücksitz, noch bevor ich einstieg. In diesem Augenblick fiel mir das Mädchen ein.

Einen Moment stand ich wie gelähmt, ich sah mich um, einer der Grenzsoldaten fragte mich: Suchen Sie was?

Nein nein. Schöne Gegend hier.

Ja, schöne Gegend, sagte der andere. Wenn die Grenze nicht wäre, könnte die Gegend noch schöner sein.

Grenze? Ach die, die stört mich eigentlich nicht, sagte ich.

Sie sahen mich an, sie sahen sich an.

Ich nickte den beiden zu. Ich wußte mit einem Male, daß das Mädchen fort war, endgültig, nie mehr irgendwo am Straßenrand stehen und winken wird.

Auf der Hauptstraße erst bemerkte ich den Zettel, der an den Lichtknopf geheftet war. Ich hielt an, las.

Gute Reise. Denk an den Baum. Großvater wird noch einmal 30 Jahre warten.

Sie hatte eine große energische Schrift.

10

Im dunklen Wohnzimmer saß Gerda, breitbeinig in einem
Sessel, den Morgenmantel übergeworfen. Sie hatte den Kra-
gen des Mantels hochgestülpt, als friere sie. Dabei war die
Nacht unerträglich schwül. Sie rauchte, hatte, wie es schien,
nur Augen für den roten Punkt, der stetig auf sie zukam.
Ich trat an ihr vorbei zum Fenster, droben am Ruhr-
schnellweg rotierte bläulich der Mercedesstern, und vom
Fernsehturm griff in beruhigender Gleichmäßigkeit der
Scheinwerfer über unsere Siedlung. Ich war wieder zu
Hause.
Ich fragte: War etwas los?
Gerda zog an ihrer Zigarette. Sie stieß Rauchkringel in die
Luft, die aber sofort zerflossen. Wie ein Räuchermännchen
zum Karneval, dachte ich wütend. Ich hatte nun mal was
gegen Kringel, weiß der Teufel warum.
Sie hatte, seit ich ins Zimmer getreten war, noch kein Wort
gesprochen. Gerda saß schon im Sessel, als ich ins Wohn-
zimmer trat, breitbeinig erst, dann mit übergeschlagenen
Beinen, den Kragen des Morgenmantels hochgestülpt.
Gerda drückte ihre Zigarette aus, stand auf. Der Hund hob
witternd den Kopf, sah mich an, ich nickte ihm zu, er legte
seinen Kopf wieder auf die Lehne. Gerda trat hinter mich,
der Scheinwerfer vom Fernsehturm streifte kurz über unsere
Gesichter, sie sagte: Es ist ein Brief gekommen. Er liegt in
der Küche.
Ich drehte mich um, sah Gerda ins Gesicht. Sie schloß halb
die Lider, aber sie beobachtete mich, auch wenn es so aussah,
als sehe sie an mir vorbei.
Ich ging in die Küche. Es hatte heute abend Fisch gegeben,
der Geruch hing an den Wänden, in den Vorhängen, ich
nahm den Umschlag vom Tisch, grün, unpersönlich, amtlich,
in Hast aufgeschlitzt, der Firmenaufdruck meines Werkes
klebte links unten weiß. Ich machte im Wohnzimmer Licht,
der Hund, sah ich, wedelte mit dem Schwanzstummel, ich
begriff, was er wollte, kehrte noch einmal um, füllte seine
Freßschale mit Wasser, der Hund soff und sprang gleich

wieder auf seine Couchecke, legte den Kopf auf die Lehne, drehte seine Knopfaugen so auf Gerda und mich, daß das Weiße zu sehen war.

Dann ließ ich mich in einen Sessel fallen. Ich holte das Schreiben aus dem Umschlag, spielte den Brief in meinen Fingern ein wenig hin und her, faltete endlich das Schreiben auseinander, Gerda lehnte weiter am Fenster, sah angestrengt hinaus auf den Mercedesstern, den Scheinwerfer des Fernsehturms, dann mit einer halben Drehung auf mich.

So lies doch endlich, sagte sie. Es klang, als lachte sie in sich hinein.

Ich war froh, daß sie überhaupt etwas sagte.

Na und, sagte ich. Es wird die Jahresabrechnung sein. Ich wußte, die Jahresabrechnung war zwar im Juli fällig, sie kam aber stets im blauen Umschlag ins Haus.

Gerda lachte kurz auf.

Abrechnung allerdings. Aber du weißt ja immer alles vorher. Ich las.

Es war die Kündigung.

Ganz einfach: Es war meine Kündigung. Das Werk wollte mit mir nichts mehr zu tun haben.

Ich las mehrmals, drehte den steifen Brief, wie man eine Zigarette dreht, zwischen Zeige- und Mittelfinger, Gerda betrachtete mich.

Ich wollte sagen: Na und? Ich sagte es nicht. Ich sah auf, in Gerdas Gesicht. Ihre Augen vergrößerten sich zusehends.

Was ich in den Händen hielt, war meine Kündigung. Allmählich begann ich zu begreifen, sprach das Wort langsam vor mich hin: Kün-di-gung. Ich blickte auf den Hund, der mich mit unwiderstehlichen Knopfaugen anguckte. Ich widerstand dem Hund und begann, Gerda zu widerstehen, denn ich hielt etwas in der Hand, das nur mich anging: Meine Kündigung. Darauf hatte Gerda keinen Einfluß.

Und auf einmal war mir klar, warum mich dieses Kündigungsschreiben nicht besonders überraschte: Weil ich im Verlauf der letzten drei Tage mit so einem Schreiben gerechnet hatte. Zwar hatte ich mir eingeredet, mir kann keiner, ich bin speziell für eine spezielle Warte auf einem speziellen Werk vor einem speziellen Schaltpult ausgebildet, ich war immer speziell eingesetzt und speziell verplant worden, aber jetzt hielt ich meine Kündigung in der Hand, das Werk hatte mir gekündigt, weil ich drei Tage der Arbeit fernblieb, mich selbst ausgeplant hatte, speziell.

Das Werk reagierte prompt, es hatte die drei Tage nicht einmal abgewartet.

Ein Computer mußte auf Knopfdruck hin die Kündigung ausgespuckt haben, ein gefüttertes und zu fütterndes Zahlensilo, das mich weder kannte noch an mir Interesse haben konnte, denn die Werksleitung kannte mich, sie war ohne Zweifel an mir interessiert, mußte wissen, daß ich drei Jahre lang zuverlässig gewesen war, eifrig, lernbegierig, zu allen freundlich, aufmerksam nach oben, hilfsbereit und kameradschaftlich zu meinesgleichen.

Nun hielt ich die Kündigung in meinen Händen, prompt, wie ausgespuckt. Wie bei Fahrkartenautomaten auf Bahnhöfen: Zwanzig Pfennig oben rein, unten erscheint die Bahnsteigkarte.

Ich ging auf Gerda zu. Sie wandte sich ab, sah über die Schulter auf mich, wie auf etwas Widerliches. Ich stellte mich vor das geöffnete Fenster und fächelte mir mit dem Kündigungsschreiben Kühlung zu. Ich bring das schon in Ordnung, muß ein Irrtum sein, sagte ich. Aber ich wußte, es war kein Irrtum. Ein Computer der Verwaltung irrt sich nicht, er ist unbestechlich, wird nicht von Gefühlen und nicht von Ansichten beherrscht.

Glaubst du auch jetzt noch, du bist unersetzlich? Hast es doch jetzt amtlich. Du bist ersetzlich. Auch in deinem ach wie sozialen Betrieb stehen dreißig vor der Tür, wenn einem gekündigt wird, und warten darauf, deine Stelle einzunehmen.

Solche Kündigungen, sagte ich, werden ganz automatisch ausgeschrieben und verschickt, auch wenn mal einer seinen Krankenschein zu spät im Betriebsbüro abliefert, das muß nichts bedeuten.

Sie sah mich an, als wollte sie sagen: Du Idiot!

Ich geh morgen früh gleich zum Direktor und zum Betriebsrat. Sie wissen doch, warum ich weggefahren bin.

Mit tonloser Stimme sagte Gerda: Bei uns im Kaufhaus haben sie vier Kassiererinnen entlassen, ohne Grund. Der Grund ist einfach: Es wird nicht mehr so viel verdient, also braucht der Arbeiter überhaupt nichts zu verdienen.

Dann schrie sie: Du Dummkopf! Was hast du jetzt davon! Du hast ein Gesicht gesehen und darüber deine Arbeit verloren. Ein glänzendes Geschäft.

Ich wollte ihr zornig erwidern, da stand Lissi in der Tür. Der Hund sprang sie an, sie hob ihn auf den Arm, Lissi sah von Gerda zu mir, sie hatte verschlafene Augen, die im Licht blinzelten. Der Nachtanzug machte ihre Figur lachhaft staksig. Sie schluckte und versuchte dann zu lächeln: 'n Abend, Papa, hast mir was Schönes mitgebracht?

Ich holte die Päckchen aus dem Flur, wo ich den Koffer abgestellt hatte. Lissi betrachtete die Taschentücher, sie freute sich, dabei hatte sie schon eine Schublade voll.

Fein, sagte sie, Taschentücher kann man nicht genug haben. Und wie geht es Großmutter? Fährt sie immer noch mit dem Fahrrad in den Wald?

Ja, sagte ich, sie wird uns Beeren schicken und Pilze.

Gerda sah einmal kurz auf ihr Paket, rührte es aber nicht an, sie stand jetzt mit über der Brust verschränkten Armen vor dem Fenster, manchmal zuckte der Scheinwerfer über ihren Kopf. Ihr Gesicht färbte sich blau ein, huschte der Mercedesstern über ihr Gesicht, ihre Augen wurden grün.

Und hast du den Mann getroffen, fragte Lissi.

Ich habe ihn gesprochen, sagte ich.

Und wie ist er, fragte sie gespannt.

Gott, wie ist er. Wie alle Leute dort. Nicht unsympathisch.

Da lachte Gerda lauthals.

Ja, hast du denn geglaubt, du armer Irrer, schrie Gerda, der Beierl wird mit einem Wolfsgesicht herumlaufen, die Zähne fletschen oder ein Messer zwischen den Zähnen haben? Du hast die Zeit doch mitgemacht, du müßtest es doch besser wissen, daß solche Leute die Freundlichkeit in Person sind. Wie sagt ihr da unten? Hinterfozzig. Ja, hinterfozzig sind sie, es gibt keinen besseren Ausdruck. Ich hinge mich auf, wenn ich da unten wohnen müßte. Und jetzt hast du ihn gesehen, den Beierl. Was ist jetzt? Du bist wieder da, hast Geld verfahren, Zeit verschwendet, deine Arbeit aufs Spiel gesetzt und hast Lissi Taschentücher mitgebracht. Ein gutes Geschäft.

Und die Kissenbezüge, schrie ich zurück.

Schreit nicht so, sagte Lissi. Ihr Gesicht war ganz blaß und klein. Sie verließ ohne ein Wort das Zimmer. Den Hund nahm sie mit.

Ich sah ihr nach, sie erinnerte mich schmerzhaft an das Mädchen Christl aus Hannover, mit dem ich den Baum am Kreuzweg auf dem Steinberg umgesägt hatte, mitten in der Nacht, und der Baum war hohl und bestimmt über dreihundert Jahre alt. Ein Betrug, hatte das Mädchen gesagt.

Gerda ging mit raschen bösen Schritten auf die Tür zu, die Hand schon auf der Klinke blieb sie stehen, kehrte noch einmal um, nahm das Paket mit den Kissenbezügen, das ihr Mutter schickte, sie warf mir einen Blick zu und das Paket vor die Füße und sagte ruhig: Da hast du's, häng dir die Kissenbezüge an die Wand oder in die Garage, als ewige Erinnerung an deine Reise zu den Hinterfozzigen, wo man sich Gesichter ansieht wie Bilder auf einer Gemäldeausstellung.

Dann war es still. Die Uhr auf dem Wohnzimmerschrank schlug zwei. Ich trat vor das Haus, an Schlaf war nicht zu denken, obwohl ich zum Umfallen müde war.

Ich lehnte mich auf das Gartentor und sah auf die Stadt, die niemand ganz zu überblicken vermochte. Denn diese Stadt ist endlos, nicht einmal vom Café auf dem Fernsehturm aus überblickt man sie vollständig, aber wer einen Teil meiner Stadt kennt, kennt die anderen hundert Stadtteile.

Ich dachte an das Mädchen Christl mehr als an den Betrieb und an meine Kündigung; ich war sicher, das werde sich in Ordnung bringen lassen: man feuert keinen Menschen, weil er drei Tage unentschuldigt ferngeblieben ist: schließlich war die Stromversorgung nicht zusammengebrochen, auch wenn jeder von uns für ein ganzes Jahr ausgeplant war, und was waren schließlich drei Tage: *die* Freiheit, denke ich, darf jeder von uns für sich beanspruchen.

Obendrein wußte jeder im Betrieb, weshalb ich fehlte: sie werden mittlerweile begriffen haben, daß ich fahren mußte, werden sich in meine Lage versetzt haben und begreifen, daß unbegreifliche Dinge erst begriffen werden können, wenn man mit ihnen in unmittelbare Berührung kommt.

Gelassener schlurfte ich durch den Garten. Das Gras begann feucht zu werden, an der Hüttenunion kippten sie glühende

Schlacke auf den Schlackenberg, der Himmel über Dortmund färbte sich gelb.

Gerda und Lissi hatten vergessen, die Liegestühle in die Garage zu tragen, auch die Tischtennisplatte war nicht schräg gestellt, obwohl ich immer predige: kippt sie wenigstens um, sonst verzieht sie sich. Die Platte war nicht billig.

Wenn man schon drei Tage nicht zu Hause ist.

Ich fühlte einmal in die Stachelbeersträucher, aber Gerda schien sie abgeleert zu haben, auch in den Johannisbeersträuchern fühlte ich keine Trauben.

Ich lief quer durch den Garten in das Haus zurück, legte mich angekleidet auf die Couch. Durch die geöffneten Fenster kam so etwas wie Kühlung, trotzdem schwitzte ich.

Am anderen Morgen, noch ehe Gerda und Lissi wach waren, fuhr ich hinauf zum Schnee. Ich mußte Känguruh sprechen. Er arbeitete diese Woche auf Mittagsschicht, war also mit Sicherheit in seinem Häuschen.

Ich parkte den Wagen auf der Hauptstraße, schlitterte den steilen Weg hinunter.

Erst meinte ich, ich hätte mich verlaufen, die Umgebung war mir so fremd. Ich hielt ratlos an und sah mich um.

Suchst du was Bestimmtes, hörte ich in diesem Augenblick hinter meinem Rücken.

Känguruh stand neben mir.

Fred, sagte ich, hab ich mich verlaufen? Bin ich einen Weg zu früh abgebogen? Ich such dein Häuschen. Verdammt, wo ist dein Häuschen?

Da steht es doch! Dadada... Fred stieß mich in den Rücken. Er wies auf das gelb getünchte Haus direkt vor mir.

Jetzt erst bemerkte ich die abgeschnittenen Malven.

Die Malven lagen über dem Weg wie zu Straßensperren gefällte Bäume.

Fred, schrie ich. Fred! Um Gottes willen, was ist passiert?

Der wischte eine unbestimmte Handbewegung über Garten und Stadt, wollte sprechen, aber er brachte nur einen gurgelnden Laut heraus.

Ich betrat den Garten, unter meinen Schuhen knickten die Stengel der Malven, die den Boden glitschig machten.

Ich hob einen Stengel auf. Der Stengel bog sich in meiner Hand wie eine Rute.

Tau troff von den Blüten. Die Blüten waren schon bis über die Hälfte des Stengels aufgeplatzt.

Känguruhs Haus stand nackt und gelb gekälkt.

Ich drehte mich Fred zu. Fred lehnte am Torpfosten und sah über die Stadt; die Sonne stieg auf.

Ich trat neben ihn, legte meine Hand auf seine Schulter.

Wann ist denn das passiert?

Heute nacht. Und ich habe nichts gemerkt, nichts gehört, nichts.

Und du hast keine Ahnung, wer das gewesen sein könnte?

Ahnung? Paul, ich weiß: sie sind hinter mir her.

Ich wollte eine ärgerliche Antwort geben, weil ich annahm, Fred werde wieder seine Parolen abziehen. Aber Fred weinte, er schneuzte sich durch die Finger, wischte sich über Schnurrbart und Augen, hob dann eine Malve auf, zupfte vom Stengel einzeln die Blüten ab, warf die Blüten auf den Weg, knickte den Stengel zu einer Handvoll zusammen. Ich tat, als sehe ich nicht, wie es um ihn stand. Ich schwieg: was hätte ich auch sagen können. Mit abgewandtem Gesicht äußerte ich endlich, als er sich etwas beruhigt zu haben schien:

Fred, du solltest die Polizei anrufen, vielleicht können die Spuren finden, vielleicht könnten die nachforschen.

Hör doch auf. Wer regt sich schon über die abgeschnittenen Malven eines alten Kommunisten auf. Ich bin doch Freiwild, ich bin doch Angeklagter ohne Zeugen geworden. Da hast du unseren Staat. Nackt wie die Wände meines Hauses. Die Belastungszeugen werden nachgeliefert, wenn du verurteilt bist.

Jetzt bist du ungerecht, Fred.

Aber er winkte ab, ging in das Haus und kam mit einer breiten Harke zurück, er rechte die gekappten Malven zusammen, trug sie unter dem Arm in den Obstgarten, er mußte sechs Mal gehen, ich stand dabei und sah zu, wie er lief und ins Schwitzen geriet. Im Obstgarten schichtete er die Malven zu einem Haufen. Dann versuchte er, den Haufen anzuzünden. Aber die Malven waren zu grün, feucht. Als er sah, daß alle Versuche, sie zum Brennen zu bringen, nichts nützten, holte er einen Kanister aus dem Haus und goß Benzin über den Haufen.

Dann trat er zurück und warf ein Zündholz hinein. Eine Flamme schoß hoch, übermannshoch. Die Stengel bogen sich, es zischte und knackte und knallte. Die grünen Stengel färbten sich schwarz.

Es war ein schönes Feuer.

Wir beide standen davor und bewunderten das Feuer.

Komm, sagte Fred, wenn das abgebrannt ist, bleibt nur so viel übrig, wie dein Hund scheißen kann. Ein kleines Häufchen. Komm mit ins Haus, ich mach uns einen Kaffee.

Im Haus sagte er: Wenn es Halbstarke gewesen wären, ich könnte das ja noch verstehen. Aber es waren keine Halbstarken.

Und was vermutest du?

Es waren welche, die gegen drüben sind, sagte er. Er sagte es mit Überzeugung.

Fred, stieß ich hervor: Jetzt ist es aber genug!

Ich war wütend über mich, über Fred und seine bornierten Parolen, die er nie korrigieren wird, er klammert sich daran.

Dann geh doch, verdammt noch mal, nach drüben, schrie ich, geh doch!

Fred goß uns Kaffee ein.

Er hob die Tasse an den Mund und sagte einfach: Hier bin ich geboren. Hier bin ich zu Hause, in Dortmund. Ich will hier leben, nicht drüben oder irgendwo. Paul, ist für mich hier kein Platz?

II

Das Werk lag in der Frühsonne vor mir.

Die Glaswand im Koloß blendete die Augen. Sie schmerzten. Nur die Warte, die nach Norden vorsprang, lag dunkel, fast schwarz in soviel Licht. Der Verwaltungsbau flimmerte, das Portierhaus, die Waschräume und die Werkstätten, der Rasenmäher flimmerte, den ein Gärtner über den Rasen schob. Der Gärtner flimmerte.

Ich riß mir das Hemd auf, ließ die Fenster des Wagens geöffnet, meine nackten Füße in den Sandalen brannten, über dem hohen Kamin, der doppelt so hoch wie der Koloß selbst war, schlug die Hitze zusammen.

Überall waren Wände aus Hitze, gegen die ich stieß.

Schon als ich von Känguruh oben am Schnee wegfuhr, begann die Stadt zu flimmern, der Fernsehturm stand nicht mehr fest, er bog, reckte, streckte sich, buchtete mal nach rechts, mal nach links aus. Das Theater, das Stadthaus glichen einer unscharfen Fotografie. Es war nicht mehr die Stadt, die ich kannte und im Laufe der Jahre auch irgendwie liebgewann, ich sah plötzlich die Stadt als ein zum Einsturz verurteiltes Gebilde, das langsam von der Hitze unterhöhlt, ausgehöhlt wird und unweigerlich zusammenbricht. Die Straßen wellten, die Häuser bogen sich, die Puppen in den Schaufenstern der Kleppingstraße schmolzen, die Kleider versengten. Ich dachte einen Moment, ob das wohl alles mit Känguruhs verflimmerter Ordnung zu tun hatte, aber da fuhr ich schon in den Borsigplatz ein.

Der Taumel hatte am lodernden Malvenhaufen in Känguruhs Garten begonnen, setzte sich in Känguruhs Haus fort, als mir Fred bei gutem Kaffee erzählte, im Werk gebe es seit drei Tagen nur ein Gesprächsthema, nämlich mich und meinen Ausbruch aus der Verplanung.

Sie sagen, erzählte Känguruh, das Werk werde nie dulden, daß auch nur einer aus der vorgeschriebenen Ordnung ausbricht, denn das Werk hat eine Ordnung geschaffen, die der Allgemeinheit dient, und an der Ordnung für die Allgemeinheit profitiert der einzelne. Deshalb darf der einzelne nicht aus der Ordnung ausbrechen, weil er sie sonst für die Allgemeinheit in Unordnung bringt.

Känguruh wußte alles und alles genau. Das war es, was ihn mir so unheimlich machte. Würde Känguruh weniger wissen und weniger genau, wer weiß, vielleicht könnte er mir noch sympathischer, noch menschlicher werden, denn Känguruh wußte erschreckend viel von Dingen und Zusammenhängen, aber Känguruh wußte erschreckend wenig von Menschen, die einfachsten Reaktionen der Kollegen im Werk blieben ihm unverständlich, er hatte dafür nur ein Kopfschütteln, und deshalb war mir Känguruh manchmal so unheimlich. Seine Malven allerdings hatte ich bewundert, sie waren menschlich.

Ich hörte seine Worte, aber sie sagten mir nichts, sah seinen Kopf in der schiefen Schulter liegen, seinen Schnurrbart zittern, der eine gespaltene Lippe überwucherte, und die gespaltene Lippe hatten ihm Stiefel zertreten.

Aber sonderbar: während ich ihn so betrachtete, verstand ich ihn plötzlich, wenngleich mich seine Parolen immer noch ärgerten. Ich verstand Känguruh, daß man alles in der Welt und vor den Vertretern dieser Welt beweisen mußte, mochten sie nun Minister sein oder Betriebsräte, Direktoren oder ehemalige Henleinleute, demokratische Staatsanwälte und Richter, ich verstand Känguruh, obwohl mich seine Parolen mehr und mehr ärgerten, verstand, daß nur sein kann, was beweisbar war.

Känguruh wußte, aber er konnte nicht beweisen, daß die Stiefel, die seine Oberlippe zertreten hatten, auch die Stiefel waren, die sein Bein brachen. Solange der Beweis fehlte, haben niemals Stiefel ein Bein zerbrochen und wenn die Stiefel dennoch zu beweisen wären, hätten die Stiefel auf Befehl zugetreten. Ein Befehl ist in unserem Lande nicht strafbar, Befehle entspringen einer Ausnahmesituation, Ausnahmesituationen sind Notstände, Notstände aber befreien von persönlicher Haftung. Befehle in unserem Land garantieren Ordnung, ohne Ordnung aber ist es unmöglich zu regieren, zu gehorchen, zu verreisen, zu lieben, zu zeugen, zu protestieren, sich zu arrangieren, zu entlassen, zu beschimpfen, die Belegschaft zu reduzieren, Tausende freizusetzen, arbeitslos zu stempeln, ohne Ordnung wären wir ein Muster ohne Wert, nur ein Stück von einem Stück.

Ich stand vor dem Werk, und das Werk stand so in der Stadt, wie Gerda gestern im Sessel gesessen hatte. Ich stieg aus, wischte mir den Schweiß von Gesicht und Hals, schleppte mich auf das Portierhaus zu. Die dreihundert Meter bis dahin blieb ich oft stehen, sah mich um, versuchte die Autos auf dem Parkplatz zu zählen, aber sie verschmolzen zu einer Farbfläche, so daß mir die Augen übergingen, ich zwei und zwei nicht mehr zusammenzuzählen vermochte.

Ich sah einen Bach, in dem Bach kniete ein Mädchen, und ich trank, wo sich an den Schenkeln des Mädchens die Strömung staute.

Flüchtig dachte ich daran, ob das Mädchen heil nach Hannover gekommen war, aber ich wußte nicht einmal, ob es nach Hannover zurück wollte, vielleicht war das Mädchen nach Frankreich getrampt, nach Holland, weiß der Teufel wohin.

Das machte mich einen Moment traurig. Ich liebte das Mädchen. Es hätte meine Tochter sein können, aber es war gut, daß es nicht meine Tochter war. Unvorstellbar, daß meine eigene Tochter mit mir nachts einen Baum umsägte.

Der Baum war innen hohl, ein Betrug, aber dreihundert Jahre alt. Wer mochte den Baum gepflanzt haben, ein Mann? Eine Frau? Wie mag er oder sie ausgesehen haben, wovon mögen sie sich ernährt haben, wer mag über sie geherrscht haben, wen mögen sie beherrscht haben, wie mögen sie gelebt und geliebt haben? Ein Baum ist ein Baum, aber ein Baum ist mehr als ein Baum, er hat Jahresringe, und die Ringe verengen sich, je älter er wird.

Dann stand ich vor dem Portier.

Er telefonierte.

Ich habe noch keinen Portier gesehen, der nicht gerade telefoniert.

Der Portier sah mich an, hob die Hand.

Ich wartete.

Der Invalide mähte den Rasen, der eigentlich schon gemäht war. Der Zweitakter tuckerte und stank, bis zu mir herüber. Der Gärtner, der kein Gärtner, sondern Invalide war, dem das Werk aus Menschlichkeit für über 30 Jahre treu geleisteter Dienste einen Mäher gab und Gras zum Mähen, hob eine Flasche an den Mund. In der Flasche war keine Milch. Milch ist weiß, auch über hundert Meter hinweg.

Der Portier telefonierte lange. Es war heißer geworden, stechender, die Nacht hatte weder Kühlung noch Regen gebracht, und die kommende Nacht wird nicht aus Gewohnheit und Ordnung ausbrechen. Der Portier telefonierte immer noch, er lachte mich an, drückte während des Sprechens und Lachens automatisch Tasten, die irgendwo im Werk automatisch etwas auslösen werden, denn das Werk ist ein modernes Werk, ein Werk von morgen, in unserem Werk beginnt die Automation schon beim Portier. Dann kamen die Umgeschulten, Geschulten, Weitergeschulten.

Endlich legte der Portier auf. Er öffnete nicht das Fenster, wie er es bei einem beliebigen Besucher getan hätte: er drückte auf seinem vierfarbigen Pult einen Knopf, und der erlaubte ihm, das wußte ich, vor das Haus zu treten, denn während seiner Abwesenheit vom Telefonpult wird der Knopf, den er gedrückt hatte alles für ihn erledigen, er hatte mit diesem Knopfdruck seine Automatik, die er sonst bediente, automatisiert. Der Portier trat vor die Tür, sah mich von oben herab an, er stand drei Stufen höher, schüttelte den Kopf, nicht etwa empört, schaute über mich hinweg auf den invaliden Mäher und sagte dann: Mensch, Pospischiel, daß du wieder da bist. Was glaubst du, was wegen dir schon telefoniert worden ist. Er trat eine Stufe herab und neigte sich zu mir. Paul, ich glaube, die wollen dir was. Ich hab alle Gespräche mit angehört.

Der Block E-Werk zweihundert Meter vor mir begann zu schmelzen, vor meinen Augen sich zu verbiegen, er schwankte, brach nach links und rechts aus. Wie wenn Känguruh versucht, eine gerade Linie zu gehen, dachte ich.

Wo willst du denn jetzt hin, Paul? Deine Sachen holen? Würde ich an deiner Stelle nicht tun. Der Portier stand jetzt vor mir, er war kleiner als ich. Zum Arbeitsgericht mußt du gehen und klagen. Die Bonzen da drinnen können nicht so mir nichts dir nichts mit dir umspringen, bei uns herrscht schließlich noch eine Gerechtigkeit.

Ich überlegte die ganze Zeit, wie der Portier auf Frühschicht hieß, aber mir fiel sein Name nicht ein, ich wußte nur, er wohnt in meiner Siedlung, nicht weit hinter Brundert. Er fuhr einen Käfer Baujahr 53, mit viertem oder achtem Motor, selbst ausgesägtem Heckfenster. Ich wollte an ihm vorbei.

Der Portier trat einen Schritt vor.

Weißt du, Paul, sagte er und berührte meine Schulter, ich an deiner Stelle ließe mir das nicht gefallen, ich würde es ihnen zeigen, und wenn du doch nicht dein Recht kriegen solltest, dann scheiß ihnen einen Haufen auf das Schaltpult. Jawohl, das würde ich an deiner Stelle tun.

Es war unerträglich heiß, aber der Portier trug eine Jacke, er hatte sogar eine Krawatte umgebunden.

Ich bin schon gekündigt, sagte ich beiläufig und halb im Gehen.

Da sah mich der Portier an, als sei ich ein Fremder.

Nach einigen Schritten drehte ich mich um. Der Portier sah mir nach, als hätte er einen völlig Fremden das Betriebsgelände ohne Erlaubnis betreten lassen. Ich war allein auf dem weiten Hof.

Der Invalide winkte mir. Ich ging auf ihn zu, er stellte den Mäher ab, schlurfte mir entgegen, aber vor dem geharkten Weg machte er halt und wartete auf der Rasenkante. Er hob mir die Coca-Cola-Flasche entgegen, fragte, ob ich einen Schluck nehmen wolle.

Ich schüttelte den Kopf. Er kippte den Rest auf den Rasen, setzte die leere Flasche an den Kantenstein, sagte dann: Paul, die da drinnen wollen dir was. Er wies auf den Verwaltungsbau. Du darfst dir das nicht bieten lassen, Paul, mußt ihnen die Zähne zeigen.

Ich nickte, ich überlegte, wie er wohl hieß, wo er wohnte, da fiel mir ein, daß er in Obereving zu Hause war. Er hatte mir einmal erzählt, daß er jeden Sonntag mit seiner Frau und seinem Spitz auf die Autobahnbrücke nach Brechten wandert; sie nehmen sich Klappstühle mit und schauen stundenlang auf das vierspurige Band der Autobahn. Was glaubst du, hatte er berichtet, was das aufregend ist. Einen Unfall haben wir auch gesehen, der war nicht von Pappe.

Paul, du mußt ihnen klarmachen, daß man einen Arbeiter nicht einfach beiseite schieben kann. Du bist genau so ein

Mensch wie die da drinnen, und er wies wieder auf den Verwaltungsbau.

Ich nickte. Ich sagte: Ich bin schon gekündigt.

Da sah mich der Invalide an, seine Augen waren leer. Endlich senkte er den Blick, er betrachtete eingehend den Mäher und meinte, mehr zu sich als zu mir: Dann wollen wir mal wieder.

Er sagte es so, als hätte ich ihn von der Arbeit abgehalten. Aber er brachte es nicht fertig, ohne ein Wort davonzugehen. Er schob den Mäher zu mir heran, wies auf den Motor und versetzte ihm einen Fußtritt.

Weißt du, Paul, ich predige schon über ein Jahr, die sollen endlich einen Elektromäher anschaffen. Strom hat das Werk doch umsonst, warum muß dann ein Benzinmäher angeschafft werden, sonst sparen die sogar an der Wasserspülung. Und dann, diese Zweitakter stinken wie die Pest, und wenn mal die Mischung nicht stimmt, dann kannst du kurbeln bis zum Umfallen, und das Biest springt doch nicht an. Er zog den Anlasser, der Motor sprang sofort an. Eilig schob er den Mäher über den Rasen, der mir sowieso englisch kurz vorkam. Als er etwa fünfzig Meter von mir entfernt war, drehte er sich noch einmal um, aber seine Augen waren leer: vielleicht sah er mich gar nicht.

Im Koloß drückte ich den Leuchtknopf an der Aufzugstür. Ich ließ mich im Fahrstuhl nach oben tragen, wischte mir immer wieder mit einem Taschentuch die Stirn, den Hals; das Taschentuch war schon so naß, daß es den Schweiß nicht mehr aufsog. Im Flur vor der Pendeltür zur Warte blieb ich stehen, ich hörte das Summen aus dem Turbinenraum, der Boden zitterte, es durchzitterte mich leicht.

Ich trat in die Warte.

In der Warte war es unerträglich heiß, anscheinend war die Klimaanlage ausgefallen. Das wunderte mich: in den drei Jahren, in denen ich hier saß, war das noch nie passiert. Wie konnten es die Kollegen nur aushalten. Die Kollegen aber saßen da in ihren Blaumännern, und alle sechs drehten sich nach mir um, als ich die Tür hinter mir zufallen ließ.

Ich hatte bei meinem Eintritt nichts gesagt, nicht gegrüßt, war nur in die Mitte der Warte getreten, meine Schritte verschluckte das Summen der Generatoren. Sechs Gesichter sahen mich an. Ich sah Brundert neben Franz sitzen, sie waren noch nie auf einer Schicht zusammengewesen, solange ich hier auf der Warte sitze.

Ich stand inmitten des Raumes, die riesige Glaswand vor mir, ich sagte laut: Ist der Plan geändert? Da sitzen ja welche zusammen, die gar nicht zusammensitzen dürfen.

Die Kollegen sahen sich an, aber sie sagten nichts.

Holthusen war es, der schließlich erklärte: Brundert ist für dich auf diese Schicht gekommen, weil du ausgeplant worden bist.

Brundert also; aber irgend jemand mußte schließlich meinen Platz einnehmen. Ich überlegte nur kurz, ob er den Plattenspieler zurückgebracht hatte, als seine Stuttgarter Freunde an die See gefahren waren. Ich hatte den Plattenspieler nicht gesehen, aber das heißt nichts, ich habe von meiner Wohnung sowieso noch nichts gesehen, seit ich aus Bayern zurück bin.

Brundert war der erste, der sein Gesicht wieder dem Schaltpult zuwandte, dann folgten die anderen Gesichter, eines nach dem andern, Franz war der letzte, er sagte: Setz dich, Paul, du schwitzt ja. Mensch, ist dir nicht gut? Dabei hat es sich heute nacht doch ganz schön abgekühlt. Er schob mir einen Stuhl heran.

Da saß ich also wieder auf der Warte. Ich war nur drei Tage fort, aber die Warte war mir fremd geworden, so, als betrete ich sie zum ersten Mal; die beiden Schaltpulte gaben mir unverständliche Signale, die sechs Kollegen führten mir unverständliche Handgriffe aus, und der Ausdruck ihrer Gesichter war unkenntlich, und ich saß auf einem heißen Stuhl und knetete meine Finger. Nur Franz sah mich ab und zu an, von unten herauf mit offenem Mund, und neben Franz saß Brundert, der für mich eingeplant worden war.

Ich beobachtete, daß Franz mehrmals zum Reden ansetzte und doch den Mund nicht auftat. Ich sah ihn unverwandt an. Da räusperte er sich, wie ertappt.

Paul, sie wollen dir was. Jeder, der hier reinkommt, erzählt es. Sie wollen an dir ein Exempel statuieren, sagen sie. Du mußt ihnen jetzt die Zähne zeigen.

Was heute mit dir passiert, sagte Holthusen, der aufgestanden war und einen Block holte, kann morgen uns allen passieren. Franz hat recht, du mußt ihnen jetzt die Zähne zeigen.

Ein anderer schrie hinter meinem Rücken: Die Saubande da oben. Immer toben sie an den kleinen Leuten ihren Machtrausch aus.

Ich sagte: Ich bin schon gekündigt!

Da drehten mir alle sechs ihre Gesichter zu. Sie sahen mich an, als sei ich ein Fremder.

Ich erschrak, wollte es nicht glauben, sah den sechs Kollegen nacheinander ins Gesicht.

Ich ließ sie nicht aus den Augen, bis ich die Tür zur Warte erreicht hatte. Ich lief an dem Fahrstuhl vorbei die Treppen hinunter, zwei, drei Stufen auf einmal, aus dem Koloß, blieb taumelig vor der Tür stehen. Ich nahm das Verwaltungsgebäude gegenüber wahr und wußte: Ich muß da hinein. Ich muß es trotz der Hitze schaffen.

Ich erreichte das Verwaltungsgebäude, schob die Glastür auf, trat ein, ließ mich auf den Marmorrand des Springbrunnens in der Vorhalle fallen, zwischen zwei hohe Gummibäume.

Der Schweiß troff mir über Rücken und Bauch, sammelte sich im Hosenbund, der Hosenbund juckte den Bauch, ich kratzte Bund und Bauch. Ein Angestellter betrat pfeifend die Halle; bevor er die Glastür erreichte, bemerkte er mich und kehrte wieder um, er fragte: Fehlt Ihnen etwas?

Ich verneinte.

Sie sehen aber schlecht aus. Soll ich einen Arzt holen?

Ich verneinte.

Sagen Sie mal, Sie sind doch der Pospischiel? Paul Pospischiel?

Ich bejahte. Der Angestellte blickte sich um. Er setzte einen Fuß auf den Marmorrand.

Wissen Sie eigentlich schon, daß man Ihnen was am Zeug flicken will? Ich hab was läuten hören. Pospischiel, lassen Sie sich das nicht bieten, schließlich sind Sie Spezialist. Mit Spezialisten kann man nicht so umspringen wie mit Gewöhnlichen.

Ich sagte: Ich bin schon gekündigt. Ich stand auf, ging langsam, meine Schritte zählend, um den Brunnen herum. Als ich die Stelle erreichte, an der ich gesessen hatte, war der andere verschwunden.

Ich wollte lachen, aber ich konnte nicht.

Es war unmenschlich heiß, am liebsten hätte ich mich in das Wasser des Brunnens geworfen. Ich stolperte zum Aufzug, überlegte es mir anders, drehte um, ging links bis zum Ende des Ganges, öffnete die Tür, an der das Schild hing: Eintreten ohne anzuklopfen.

Bachmeier sah von seiner Zeitung auf, erstaunt, vielleicht sogar erschrocken, er erhob sich und schritt langsam auf mich zu, lachte dann, lachte, sagte: Mensch, Paul! Bist du wieder da? Junge Junge, im Werk ist eine Aufregung wegen dir. Aber ich hab dich in Schutz genommen. Wenn der Paul den Mann sehen muß, hab ich gesagt, dann muß er ihn sehen, soviel Freiheit muß es in einem modernen Betrieb geben. Und ich hab gesagt, wenn der Pospischiel sagt, er in drei Tagen wieder hier, dann ist er in drei Tagen wieder hier. Der Pospischiel hält sein Wort, sag ich, der ist ein ordentlicher Arbeiter.

Gib mir ein Glas Wasser, murmelte ich.

Ich fiel auf einen Stuhl, alles drehte sich vor mir, ich drehte mich mit. Drehte mich mit.

Bachmeier brachte mir eine eiskalte Coca, und ich stürzte das Gesöff hinunter und rülpste anschließend wie ein Schwein. Aber die Hitze um mich und in mir ließ nicht nach. Ich schwitzte, alles klebte an mir, und in meinem Kopf dröhnte es, als säße ich im Generatorenraum.

Denen hab ich es gegeben, prahlte Bachmeier, hab gesagt, daß ich keine Kündigung unterschreiben werde. Schließlich bist du ein Spezieller und kein Gewöhnlicher.

Ich schrie Bachmeier an: Mensch, hör auf, hör bloß auf. Freiheit, wenn ich das Wort schon höre. Heute Überstunden machen, morgen Kurzarbeit, übermorgen auf die Straße fliegen, stempeln gehen, das ist unsere Freiheit. Der Gerichtsvollzieher kann uns die Möbel auf die Straße setzen, wir dürfen mit Hilfe des Staates in ein Obdachlosenasyl ziehen, wenn wir die Miete nicht mehr bezahlen können, das alles ist unsere Freiheit, und die Gewerkschaft und die SPD hat mitgeholfen, daß wir so frei sind. Mensch . . . Bachmeier, du Idiot!

Ich sprang auf, ballte die Fäuste, der Schweiß lief.

Bachmeier sah mich von unten einen Moment schief an, ehe

er sagte: Jedenfalls habe ich mich widersetzt. Du bleibst! Das wäre ja noch schöner. Du, ein Spezieller, kein Gewöhnlicher. Schließlich haben wir da auch was mitzureden.

Ich ging zur Tür und sagte: Ich bin schon gekündigt.

Der Betriebsrat Bachmeier, den ich sehr mochte, schnellte herum. Aber ich schlug die Tür hinter mir zu, ehe er mir ein Gesicht zeigen konnte, dessen Ausdruck mir inzwischen bekannt war: leer und staunend. Ich lief zum Fahrstuhl, drückte den Knopf, wartete.

Es dauerte eine Ewigkeit bis zum dritten Stock, ich klopfte an die Tür zum Sekretariat.

Das Mädchen, das sonst Miniröcke trägt, trug einen weißen Perlonkittel. Mein Gott, dachte ich, bei der Hitze, das Mädchen muß verrückt sein. Das Mädchen bat mich, wie man einen Kranken bittet, Platz zu nehmen und zu warten, der Direktor sei nur eben in die Wasseraufbereitung, da funktioniere seit Tagen eine Elektropumpe nicht richtig, dauernd müßten sie Dieselpumpen einsetzen, und Dieselpumpen seien auf die Dauer zu teuer.

Das Mädchen bot mir eine Zigarette an, ich rauchte in tiefen Zügen, während es sich wieder an die Schreibmaschine setzte, einen Bogen einspannte und Tasten schlug. Als es die Seite wechselte, drehte es sich nach mir um und flüsterte wichtig: Herr Pospischiel, es ist was gegen Sie im Gange, seien Sie auf der Hut, besorgen Sie sich einen Krankenschein für die letzten drei Tage. Dann kann Ihnen keiner was. Ich hab was von Kündigung gehört. Wo gibt's denn so was. Haben Sie wenigstens den Mann gefunden?

Ich nickte.

Und gesprochen?

Ich nickte.

Und wie war er?

Ich hob die Schultern.

Sympathisch? Unsympathisch?

Ich hob die Schultern.

Sehen Sie, Herr Pospischiel, Sie hätten gar nicht zu fahren brauchen. Aber daß man Ihnen nun was am Zeug flicken will . . .

Sie schrieb weiter, und ich sagte mechanisch hinter ihrem Rücken: Ich bin schon gekündigt.

Aber das Geräusch der Schreibmaschine zerhämmerte meine Worte.

Ich wollte sie, lauter, wiederholen, in diesem Augenblick trat Direktor Jägersberg in das Sekretariat, klein, freundlich wie immer, er sah mich sitzen, wurde ganz steif vor Staunen, ich stand auf und wollte auf ihn zugehen, aber er kam mir zuvor und streckte mir ungezwungen die Hand entgegen: Kommen Sie, Sie Ausreißer.

Ich folgte ihm in sein Büro, er bot mir Platz und Zigaretten an, ich hatte plötzlich den Eindruck, es werde desto heißer und stickiger zugleich, je mehr Räume ich betrete. Und dieser freundliche Mensch mir gegenüber trug Jackett, weißes Hemd und Krawatte und der Hemdkragen war geschlossen, und seine Krawatte nicht gelockert.

Jägersberg sagte: Na, Gott sei Dank, daß Sie wieder da sind. Er ging einmal um den Schreibtisch, entnahm dem Einbauschrank eine Akte, setzte sich und blätterte in der Akte, so ausgiebig, als habe er mich vergessen. So nebenbei sagte er dann: Übrigens im Betrieb war Ihretwegen in den letzten Tagen vielleicht was los, alle paar Minuten tanzte einer an und bestand auf Ihrer Entlassung.

Er schloß die Akte und blickte auf.

Ich habe zwar Ihren Schritt nicht gebilligt, aber daß Sie gefahren sind, imponiert mir, irgendwie. Ich habe nämlich etwas übrig für Menschen, die sich über Verbote hinwegsetzen. Wie gesagt, ich habe mich Ihrer Kündigung widersetzt, schließlich sind Sie ein Spezieller, kein Gewöhnlicher.

Ich tat einen tiefen Zug aus der Zigarette.

Desto besser, sagte ich, dann ist dieser Brief sicher ein Irrläufer.

Ich stand auf und holte das Kündigungsschreiben aus der Gesäßtasche, es war feucht und unansehnlich geworden. Aber es tat seine Wirkung.

Jägersberg sprang auf, wir standen uns mit ausgestreckten Armen gegenüber, ich reichte ihm das Schreiben, er nahm es, aber ich ging ihm nicht entgegen, und er mir nicht, der Schreibtisch stand zwischen uns.

Das ist unmöglich, keuchte Jägersberg. Er hob den Hörer des Telefons ab, drückte fuchtig eine Taste, schrie mehrmals Hallo Hallo, stürmte an mir vorbei. Ich legte den Hörer, den

Jägersberg achtlos auf den Schreibtisch geworfen hatte, wieder auf die Gabel, und als ich ins Sekretariat zurückkehrte, war Jägersberg schon fort. Das Mädchen an der Schreibmaschine saß steif und stierte auf den halbbeschriebenen Bogen, es drehte sich nicht um, als ich Auf Wiedersehen sagte und noch eine Sekunde an der Tür stehenblieb.

Mir war plötzlich zumute, als schlendere ich durch ein Irrenhaus; niemand redete so, wie ich zu hören gewohnt war, alle sahen mich an, wie man vielleicht einen Fremden ansieht, alle sprachen zu mir wie zu einem Kranken, auf dessen Zustand Rücksicht genommen werden muß.

Ich setzte mich unten in der gläsernen Vorhalle wieder auf die Marmorumrandung des Brunnens, zwischen die beiden Gummibäume, ließ meine Hände im Wasser spielen, und plötzlich sah ich einen Bach vor mir, five kilometers to border, sah das Mädchen, zwischen dessen Schenkeln sich die Strömung teilte, und ich überlegte, was geworden wäre, wenn ich ihren Weggang nicht verschlafen hätte.

Ob Christl schon in Hannover war?

Ob sie nach Hannover gewollt hatte? Vielleicht hatte sie einen neuen Mann gefunden, dem sie eine zweite Hose zu leihen bereit war.

Ich raffte mich schließlich auf, abermals über den Platz zu gehen, drang in den Koloß ein und betrat die Warte, ohne zu wissen, was ich hier noch verloren hatte.

Brundert rief Holthusen die Stundenwerte zu, Holthusen rief zurück. Dann hob Holthusen den Hörer ab und gab die Werte durchs Telefon, gleich darauf tickte der IBM-Schreiber, und die Werte erschienen auf einer Walze schwarz auf weiß.

Die sechs nahmen mich gar nicht zur Kenntnis.

Mir war es recht.

Ich zog mir den Stuhl des Meisters heran, setzte mich, trat mich vom Fußboden ab und ließ mich an das große Fenster rollen.

Alles war, wie es immer gewesen ist.

Aber als die sechs weiterhin ihre arbeitslose Arbeit verrichteten, vor sich hin dösten, Knöpfe drückten, durch das Glas auf die Stadt starrten, Knöpfe drückten, vor sich hin dösten, wurde ich doch unruhig, denn sie mußten ja wissen, daß ich da war, ich, ein Spezieller wie sie; ich hatte wie sie umgeschult, war geschult, das Werk hatte in mich investiert, es konnte auf mich nicht verzichten, ich war wer, brauchte nur die Knöpfchen auf dem Pult außer Kraft zu setzen, damit sie begriffen, daß sie mit mir nicht umspringen konnten wie mit einem gewöhnlichen Knöpfedrücker.

Ich bin wer.

Ich stieß mich mit einem Ruck von der Glaswand ab, sah je drei vor zwei Schaltpulten sitzen, sie schraken nicht auf vor meiner Kehrtwendung, sie saßen leblos vor den zweimal 227 Knöpfen und dem doppelten Manitu, sechs Köpfe hingen aus Blaumännern, saßen und starrten, ohne zu starren, vor sich hin, und ich fragte mich, als ich sie so sitzen und hängen sah, ob ich drei Jahre auch so gesessen hatte. Sie klebten in ihren Stühlen wie rückgratlose Puppen hinter der Wand eines Kasperltheaters.

Ich rollte den breiten Gang zwischen den beiden Schaltpulten am IBM-Schreiber vorbei, las von der Walze die letzten Zahlen, kehrte an der gegenüberliegenden Glaswand um, die den Blick ins Generatorenhaus öffnet, ich stand auf, ging langsam zwischen Schaltpult links und Armaturenwand rechts entlang, dann am Schaltpult rechts und der Armaturenwand links vorbei, klopfte Manitu II ab, hustete, sang Tralala, summte einen Schlager, aber die sechs Köpfe baumelten aus Blaumännern, kippten vor und zurück und rührten sich doch nicht, nur Franz hatte, so glaubte ich zu bemerken, sich eine Sekunde anders bewegt.

Dann setzte ich mich wieder auf meinen Stuhl. Kaum aber saß ich, sprang ich schon wieder auf und trat mit drei langen Schritten hinter die linke Armaturenwand.

Keiner der sechs hatte sich gerührt.

Dann stand ich atemlos hinter der Wand, ein schmaler Gang, in dem wir unsere Aktentaschen mit Butterbroten oder andere Dinge abstellten, die in der Warte abzustellen laut Anschlag verboten war. Links eine glatte Wand, rechts die Wand mit Kabeln, Kabeln ... Kabeln. In verwirrender Anordnung für den, der nie am Schaltpult gesessen hat. Aber ich wußte ungefähr, woher die einzelnen Kabel kamen, wohin sie führten, wußte ungefähr ihre Funktion und glaubte auch zu wissen, was es auslöste, wenn sie nicht mehr funktionierten.

Als ich mir die Kabel, die wahnsinnige Verwirrung von Kabel und Kabel ansah, wußte ich plötzlich, was ich wollte: Sie sollen, sie müssen meine Macht erfahren, sie sollen, müssen zur Kenntnis nehmen, daß ich spezieller Spezialer bin, dem man nicht so ohne weiteres kündigen darf, schließlich bin ich kein gewöhnlicher Arbeitnehmer, auch wenn ich für 12 Monate verplant werde.

Ich setzte mich auf den Fußboden, betrachtete die vielen Kabel, die in die Armaturen und die 227 Knöpfchen mündeten.

Das Kabel hier, armdick, rauh isoliert, mußte, davon war ich überzeugt, in den großen Manitu führen. Dann gab es Kabel, nähnadeldünn, und fingerdicke, daumendicke, geradeausführende, waagrechte, senkrechte, schräge, schiefe, gebogene, verschlungene, rauhe, glatte, rote, blaue, grüne und violette, da gab es logisch scheinende und unlogisch scheinende, da gab es in Schellen geschlagene und frei hängende, geruchlose und stinkende, schöne und häßliche, warme und kalte.

Ich begann bei den häßlichen und stinkenden Därmen, sie waren violett isoliert.

Ich griff auf gut Glück in die Höhe, über Kopfhöhe, ein Kabel, zog daran, es war fest, ich zog daran, es war noch fester, zog daran, es war immer noch fest, ich geriet langsam in Wut, kniete mich auf, riß mit beiden Händen an dem Kabel, es blieb fest, aber auch ich blieb fest, ich wollte es wissen, wollte am Werk ein Exempel statuieren, damit sie endlich einmal wußten, daß ich weiß, was sie an mir haben, an einem spezialisierten Speziellen. Ich hing mein ganzes Körpergewicht an das Kabel.

Das Kabel gab langsam nach. Ich schwitzte, vermochte kaum aus den Augen zu sehen, so tropfte der Schweiß durch meine Brauen über die Lider, aber nach einer Minute ungefähr hatte ich es geschafft. Ich hielt das Ende des Kabels in beiden Händen.

Dann horchte ich angestrengt durch die Wand in die Warte. Ich vernahm keinen Laut. Nur der Boden vibrierte von den stampfenden Generatoren, die sechs dösten wahrscheinlich weiter vor sich hin, mit gesenkten Köpfen, hin und her, vor und zurück, bemalte Luftballons im wechselnden Wind.

Dann griff ich ein fingerdickes Kabel, das mußte ein sehr wichtiges Kabel sein, denn es war rot. Ich riß daran und schrie vor Überraschung auf, weil ich das Ende sofort in der Hand hielt. Es hatte sechs Adern. Ich setzte mich, horchte hinüber, aber es tat sich nichts, nichts, absolut nichts, nur das Summen aus dem Generatorenraum wuchs für einen Augenblick an, wahrscheinlich war jemand in die Warte getreten. Mit einem Ruck riß ich aus der Wand ein blaues Kabel,

dann ein grünes Kabel,

dann ein weißes Kabel,

dann ein schwarzes Kabel,

dann ein dickes Kabel,

dann ein lächerliches dünnes Kabel

und horchte immer wieder durch die Wand nach draußen in die Warte, aber kein Laut drang zu mir, es war absolut still, und ich stierte wie benommen auf die gekillten Kabelenden um mich herum. Ich begann zu zählen: aus den abgerissenen Kabeln waren 170 Adern geworden, ich zählte noch einmal, ich hatte mich nicht verzählt, und in der Warte hatte niemand etwas bemerkt, und es störte und erstaunte mich, und ich glaubte, die Hitze habe sie alle in einen Schlaf fallen lassen, während dem sie in ihrem eigenen Schweiß ertrunken waren. Ich stand auf, dehnte mich ausgiebig, ich streckte die Hand nach dem elften Kabel aus. Ich riß das Kabel, rauh, gelb, aus seiner Verankerung, es war ungewöhnlich fest in den Laschen, ich hing meinen ganzen Körper daran, es wollte nicht nachgeben, ich war wütend, wütend auf mich selbst und meine Schwäche, denn ich war plötzlich davon überzeugt, dieses Kabel löse aus, was die zehn ausgerissenen Kabel nicht ausgelöst hatten: den völligen Zusammenbruch der Kontrolle über 160 000 Kilowatt. Die letzten drei Jahre zusammengenommen hatte ich nicht so viel und so schwer gearbeitet wie in diesen wenigen Minuten, aber ich wollte es ihnen zeigen, beweisen, daß man mich nicht so ohne weiteres abschieben kann.

Ich zog und zog, ich turnte am Kabel wie ein Affe im Zoo auf seinem Ast, das Kabel bewegte sich keinen Millimeter, langsam ließ ich mich zu Boden gleiten, verzweifelt und am Ende meiner Kräfte, da hörte ich hinter mir Lachen und eine Stimme, die spottete: Ich kann dir eine Schere leihen!

Ich wälzte mich auf dem Fußboden, sah auf, über mir stand einer der drei, die auf der Warte Meister werden wollten. Ich kannte ihn, aber er wohnte nicht in unserer Siedlung, vielleicht nach Osten raus, in Wieckede oder Brakel.

Er hob mich auf und setzte mich, wie einen Volltrunkenen, auf die Beine, sah dann flüchtig auf die Kabel, die um mich lagen wie geköpfte Schlangen, er lachte, lachte. Er schob die Kabelenden, die mich einsperrten, lachend zur Seite, legte seinen Arm um meine Schultern, führte mich zum Eingang der Warte, lachte, lachte und sagte dann: Paul, du dummes Schwein! Du bist jetzt drei Jahre hier und weißt nicht einmal, daß die Kabel gar nicht so wichtig sind, wie sie aussehen. Mensch, reiß sie doch alle raus, komm, ich geb dir sogar eine Schere, damit du es leichter hast. Aber wenn du sie alle aus der Wand gerissen hast, wenn es keine Kabel mehr zum Schaltpult gibt, dann leuchtet doch das blaue Licht auf, du Idiot, die vollautomatische Anlage fängt zu arbeiten an und ersetzt automatisch die ausgefallene Automatik. Ich hätte dich für klüger gehalten, Paul.

Ich sah den Mann stier an. Ich war mir nicht sicher, ob er mich nur verarschen oder verhindern wollte, was ich vorhatte.

Ich ließ mich abführen.

Die sechs an den beiden Schaltpulten drehten sich langsam, einer nach dem anderen, zu mir um. Sie lachten. Franz bleckte seine Ersatzzähne, Holthusen stand auf und begann die fällig gewordenen Stundenwerte in die Kladden einzutragen, die der IBM-Schreiber längst errechnet hatte, exakter, schneller. Der andere setzte mich fürsorglich in den beräderten Sessel des Meisters.

Ich ließ es mit mir geschehen, ich saß nur da und sah den sechs zu. Brundert, der meinen mir zustehenden Stuhl neben Franz eingenommen hatte, äugte auf den großen Manitu.

Sie drückten aufleuchtende Tasten, Knöpfe, rollten sich auf ihren Stühlen hin und her, sie lachten, sie riefen: Anziehen! Anziehen! Sie schrieben in Kladden und gaben sich gegenseitig Werte, die ich entwertet zu haben glaubte, indem ich die Kabel herausriß, sie bewegten sich wie die Affen im Zoo, aber sie sprachen wie ernsthafte und ernst zu nehmende Leute, die sauer und heiß und langweilig ihr Geld verdienten, sie rollten sich geschäftig hin und her und durcheinander und erzählten sich Witze. Die Witze waren alt, mehrmals abgekocht.

Ich schrie.

Aber sie hörten mich nicht.

Sie lachten.

Sich und mich an.

12

Der Kollege, der Meister werden wollte, führte mich die Treppen hinunter, behutsam, wie man einen Schwerkranken führt, auf den Hof, über den Hof zum Verwaltungsbau, er nahm seinen Arm keine Sekunde von meinen Schultern. Als wir eintraten, die Glastüren aufschlugen, stand unvermittelt der Direktor vor uns, klein, freundlich, quirlig, er sagte: Pospischiel, es stimmt, das mit Ihrer Kündigung. Kommen Sie mit in mein Büro.

Ich ließ den anderen stehen und folgte Jägersberg. Im Büro nahm er eine Akte, blätterte, brummelte beim Blättern dauernd vor sich hin.

Ja, Pospischiel, die Verwaltung ist im Recht. Selbstverständlich ist die Verwaltung im Recht, Pospischiel.

Aber ich habe doch nur, versuchte ich zu erklären.

Jägersberg winkte ab, er ließ mich nicht aussprechen, mich nicht erklären, er sah nur kurz auf, blätterte dann wieder und sagte, nebenbei, wie man über das Wetter spricht: Pospischiel, Sie sind jetzt drei Jahre bei uns, haben sich nie etwas zuschulden kommen lassen. Alle Achtung. Also Pospischiel, wenn ich mir so Ihre Papiere durchsehe, ich verstehe Sie nicht mehr. Da haben Sie bei uns eine gute Arbeit, Lebensstellung und lassen plötzlich alles liegen und stehen und jagen einem Phantom nach.

Einem Gesicht, Herr Direktor, nur einem Gesicht, sagte ich.

Wo ist da der Unterschied? Er sah mich an, ernst, nicht freundlich, keineswegs quirlig. Pospischiel, Menschenskind, haben Sie was erreicht? Haben Sie etwas korrigieren können? Nun sagen Sie schon: Hat Ihnen diese Reise was genützt? Sie wissen es selbst: nichts. Tja, was soll ich mit Ihnen tun?

Jägersberg stand auf und sah aus dem Fenster.

Ich starrte auf seinen Rücken, auf die Falten seines Halses, wollte etwas sagen, aber es schien mir besser, ihn nicht zu stören, denn ich hatte den Eindruck, er spreche mehr zu sich als zu mir.

Ich kann nichts tun, Pospischiel, kann nur empfehlen oder

nicht empfehlen. Ich habe empfohlen, Ihre Kündigung rückgängig zu machen. Ich habe Sie gelobt. Aber die Verwaltung hat dafür kein Verständnis. Verständnis? Wofür, fragte ich. Jägersberg drehte sich langsam um und trat vor mich hin. Mann, Pospischiel, verstehen Sie doch endlich. Dieses Werk ist 1960 entstanden. Es hat keine Vergangenheit, kennt den Krieg nicht einmal vom Hörensagen. Es ist für die Zukunft gebaut. Wer darin arbeitet, wirkt an der Zukunft mit. Was interessiert es da, was einmal war.

Der Direktor sah traurig aus.

Ich war überzeugt, daß ihm meine Kündigung leid tat, ich war überzeugt, daß er sie mißbilligte, daß er mich ungern verlor; ich hatte im letzten Winter einmal seinen Wagen aus dem Straßengraben gezogen, als er auf Neuschnee ins Schleudern gekommen war, ich hatte mir dabei meinen Anzug versaut. Er hatte anstandslos die Reinigungskosten bezahlt.

Aber die Verwaltung, Herr Direktor, stammelte ich, das sind doch auch Menschen, die Verwaltung ist doch keine Maschine. Haben denn diese Menschen keine Vergangenheit? Wie soll ich mich ausdrücken, ich meine, diese Menschen, die verwalten, die leben doch auch nicht erst seit heute . . .

Stimmt, antwortete er hastig, aber eine Verwaltung kann sich nun mal nicht erlauben, auf das Rücksicht zu nehmen, was einmal war, eine Verwaltung hat andere Aufgaben, die hat für Ordnung hier und heute zu sorgen, für ordnungsgemäßen Ablauf, dafür ist sie da.

Jaja, sagte ich, jaja. Wenn mein Vater noch leben würde, wäre er wahrscheinlich ein Subjekt, weil er im KZ saß, für die Verwaltung also ein Vorbestrafter ist. Oder?

Jägersberg sah mich erschrocken an.

Na, Pospischiel, so hart möchte ich das nicht sagen. Aber er verriet nicht, wie er es sagen würde. Er schloß meine Akte, verbindlich lächelnd: Und nun gehen Sie, Sie hören wieder von mir. Ich habe die Hoffnung noch nicht aufgegeben, daß dieser Verwaltungsbeschluß aufgehoben wird, oder ich finde eine Klausel, die für beide Seiten annehmbar ist.

Ich ging durch das Portierhaus auf den Parkplatz, ich blieb zwischen den Autos stehen. Der Invalide mähte noch immer irgendwo Rasen, ich hörte den Zweitakter tuckern, irgendwo.

Ich fuhr in die Stadt. Einen Augenblick dachte ich daran, beim Arbeitsdirektor vorbeizufahren, aber was sollte ich da, auch er wird nichts anderes sagen können, als daß er nichts tun kann.

Lissi flegelte im Liegestuhl, die Staffelei über ihrem Bauch, sie hatte ein neues Bild begonnen: roter Himmel, grünes Wasser. Der Hund begrüßte mich stürmisch, quer in der Schnauze hielt er einen von Lissis Pinseln. Was wird das, Lissi, fragte ich.

Weiß noch nicht. Ich habe heute nacht einen Traum gehabt. Vielleicht kann ich den Traum festhalten. Es war ein schöner Traum, Papa.

Ich wußte gar nicht, daß du träumst, sagte ich und sah ihr ins Gesicht. Nein, Lissi ähnelte dem Mädchen aus Hannover nicht im geringsten. Ich überlegte einen Moment, ob Lissi sich auch mit einem fremden Mann unter eine Ulme legen würde. Es war ein unbehaglicher Gedanke.

Und du, fragte sie, wie war es bei dir? Ach herrje, Mutti war heute überhaupt nicht ansprechbar.

Ich war im Werk, sagte ich. Du, ich habe auch einen Traum gehabt.

Lissi hob die Staffelei von ihrem Bauch, setzte sich auf und sah mich gespannt an. Der Hund winselte, er legte mir den Pinsel auf die Füße, Lissi nahm den Pinsel und warf ihn in die Sträucher, der Hund rannte fort.

Ich war in einem Werk. Das Werk wird verwaltet. Die Verwaltung hat mir gekündigt. Und nun will das Werk die Kündigung ungeschehen machen, weiß aber nicht, wie es das anfangen soll.

Das soll einer verstehen, Papa. Wenn dein Direktor sagt, du bleibst, dann bleibst du. Hat denn dein Direktor nichts zu sagen?

Der Direktor wird auch verwaltet. Er wird so verwaltet, wie ich verplant werde.

Lissi spielte mit Gräsern. Ich merkte ihr an, daß sie überlegte, was ich eben gesagt hatte.

Endlich sah sie auf: Papa, wie war es da unten?

Gott ja, wie war es. Wie es immer ist. Du kennst ja Großmutter.

Und die anderen? Wie waren die anderen, fragte sie.

Die waren, wie sie immer sind.

Und wie sind sie immer?

Das weiß ich nicht.

Und wie war dein Eindruck von den Leuten im Werk heute, fragte sie.

Im Werk, fragte ich verblüfft zurück. Naja, sie waren, wie sie immer sind.

Und wie sind sie immer, fragte sie.

Das weiß ich nicht.

Lissi sprang auf. Komisch, rief sie, und ich hatte den Eindruck, sie finde es ganz und gar nicht komisch, ich dachte immer, die Menschen da unten an der Grenze sind hinter dem Mond geblieben. Jetzt aber sagst du, daß die Leute hier im Werk auch zurückgeblieben sind.

Habe ich das gesagt, fragte ich.

Da unten an der Grenze, rief sie wieder, pflügen die Bauern noch mit Ochsen im Geschirr, aber ihr hier habt doch Computer.

Ja, hörte ich mich sagen; Lissi kam mir plötzlich sehr klug vor. So habe ich es noch nicht gesehen, Lissi, wie du es siehst.

Und wie siehst du es, Papa?

Ich weiß es nicht, sagte ich. Was hätte ich ihr antworten sollen.

Wir gingen nebeneinander ins Haus.

Lissi richtete mir ein paar Butterbrote, goß kalte Milch in ein Glas.

Wir saßen in der Küche und sahen aneinander vorbei.

Es war nach zwölf geworden. Ich war müde, hätte mich gern schlafen gelegt. Aber da war diese ständige Unruhe in mir. Ich wartete auf etwas, von dem ich doch wußte, daß es nicht geschehen würde. Wahrscheinlich finde ich morgen einen Brief im Kasten, einen grünen Briefumschlag, unten links die Anschrift der Firma, ich werde den Umschlag öffnen und sehen, daß mir die Arbeitspapiere zugestellt worden sind, lese zwei unleserliche Unterschriften, die mir für die Zukunft alles Gute wünschen; dann werde ich zum Arbeitsamt gehen und Arbeitslosenunterstützung beantragen, ich werde vier Wochen Sperre aufgebrummt bekommen, weil das Arbeitsverhältnis durch mein Verschulden fristlos aufge-

kündigt worden war, dann werde ich mich auf den Weg
machen, und eine neue Arbeit suchen, werde die Zeitungen
von hinten nach vorn lesen müssen, Stellenangebote aus-
schneiden, jeden Morgen um sieben oder gar schon um sechs
an irgendeinem Werkstor stehen, damit ich auch der erste
bin, der eingelassen wird, hinter dem Werkstor wird man in
einem Büro meine Papiere prüfen, wird lesen, daß mir
fristlos gekündigt worden ist, wird daraufhin bedauernd die
Schultern zucken, denn in diesen angespannten Zeiten kann
es sich kein Betrieb erlauben, Leute einzustellen, auf die
kein Verlaß ist, Leute, die sich eines Tages einfach in ihr
Auto setzen, einem Gesicht nachjagen, das für den Betrieb
ohne Interesse bleibt, keinen Profit, keine Dividende
abwirft.

So wird mein Tagesablauf künftig sein: bin ich denn eine
Ausnahme?

Gerda wird mich jeden Tag mißtrauisch beäugen, Lissi wird,
auch wenn sie es nicht sagt, mich nach einer gewissen Zeit,
nach Wochen oder vielleicht erst nach Monaten, für einen
Faulenzer halten, der sich vom Geld seiner Frau über die
Runden frißt, denn ein Mensch, der nicht arbeitet, ist kein
Mensch. Mit dem stimmt etwas nicht, und wenn das lange so
weiter geht, nennt man ihn einen zweifelhaften Charakter,
und die sind immer verdächtig, und wer erst einmal
verdächtig ist, wird auch zwangsläufig schuldig, wer aber
schuldig ist, wird im Handumdrehen kriminell. Nicht der
Betrieb hat an ihm kriminell gehandelt, er hat den Betrieb
sträflich behandelt, der Betrieb ist ohne Fehl, der achtet nur
auf Ordnung. Nicht der Betrieb ist schlecht, sondern der
einzelne Arbeiter.

Da fragte Lissi plötzlich: Sag mal, Papa, bereust du eigentlich, daß du zu Großmutter gefahren bist? Ich meine, so
Hals über Kopf.

Bereuen? Warum denn?

Ich dachte nur, wenn du deine Arbeit nicht mehr bekommst,
würde es dir leid tun.

Ich dachte einen Augenblick über ihre Frage nach. Ich
zuckte die Achseln. Vielleicht war es gut, daß ich gefahren
bin, ich weiß es heute noch nicht, aber es hat nichts damit zu
tun, ob ich meine Arbeit behalte oder verliere. Ich kann es

dir nicht erklären, Lissi.

Du brauchst nichts zu erklären, ich verstehe das auch so. Sie räumte den Tisch ab. Ich sah ihr schweigend zu. Sie spürte wohl meinen Blick, denn sie unterbrach einmal ihren Gang in die Küche, um mich eingehend zu mustern: Jetzt bist du so anders als früher.

Anders? Lissi, wie denn? Wie war ich denn früher?

Ich weiß nicht, Papa, ich kann dir das nicht so erklären.

Ich habe Sorgen, sagte ich, mehr zu mir als zu meiner Tochter.

Lissi lief wieder in den Garten.

Ich ging ins Wohnzimmer, ins Schlafzimmer, ins Badezimmer, in Lissis Zimmer, aber in keinem der Zimmer hielt es mich.

Ich nahm vom Bücherregal in Lissis Zimmer die gerahmte Fotografie meiner Mutter, betrachtete das Bild lange, eigentlich war es eine Gruppenaufnahme aus Innsbruck. Meine Mutter hakte sich da bei zwei Frauen ein, sie lachte zwischen zwei ernsten Gesichtern, und plötzlich hörte ich sie sagen: Aber Paul, es muß doch eine Gerechtigkeit sein für die kleinen Leut.

Ich stellte Mutters Bild auf das Regal zurück, auf der Rückseite war eine Widmung für Lissi: meiner lieben Elisabeth Grüße aus Innsbruck. Die Tiroler sind lustig.

Dann sah ich Lissi eine Weile im Garten zu, wie sie den Pinsel über die Leinwand zog, rot in grün, ich prüfte die Sträucher, die ich in der vergangenen Nacht abgefühlt hatte. Vereinzelt fanden sich noch Beeren.

Über Bochum dunkelte der Himmel ein. Aber es war schwer zu sagen, ob es Wetterwolken oder chemische Schwaden waren.

Die Sonne stand steil, die Bäume in unserem Garten – sie wuchsen den dritten Sommer – warfen kurze Schatten auf den Rasen. Ich setzte mich nieder, kreuzte die Beine über einem der Schatten, betrachtete gedankenlos den Rasen.

Lissi malte, der Hund umkreiste Lissi, wartete, daß sie vielleicht den Pinsel fallen ließ. Manchmal fluchte sie leise vor sich hin, wahrscheinlich trockneten die Farben, bevor sie auf der Leinwand klebten.

Aus der nahen Badeanstalt drang Geschrei, Kreischen,

Radiomusik herüber. Unsere Siedlung lag in der Hitze wie tot.

Und doch war an dieser flirrenden Ruhe etwas, das mir den Schweiß aus allen Poren trieb, mir den Atem verschlug, es konnte unmöglich allein an der Hitze liegen, es roch wie nach Kartoffelfeuer, scharf, beißend, und dabei war es Juli, ich setzte mich ein paar Zentimeter nach links, der Schatten war gewandert.

Kartoffelfeuer im Juli? Das war unmöglich. Mit der Siedlung stimmte etwas nicht.

Am Eingang unserer Siedlung, wo die Straße zum Schnee führt, hielt der Bus, der von Hombruch kam. Gerda nimmt immer diesen Bus, arbeitet sie halbtags, aber es berührte mich nicht, daß sie jeden Augenblick kommen mußte, ich sah auf von meinem Schatten und dem Schatten des Baumes, Gerda entgegen, sie trug einen weißen Rock, eine rotweiß gestreifte Bluse, eine rote Handtasche und Cordsandalen, Gerda ist immer in Schale, verstand sich zu kleiden, machte etwas aus sich, machte was her: Gerda konnte sich sehen lassen.

Trotzdem: Als ich Gerda die Straße entlang kommen sah, wünschte ich mir, das Mädchen aus Hannover möchte die Straße entlang kommen, nicht so tipptopp wie Gerda, dafür mit einer Lufthansatasche, blau, in der sich alles fand, was ein Mädchen für vier Wochen braucht. Aber es war Gerda, die da kam, nicht das Mädchen Christl.

Ich blieb im Garten sitzen, Lissi malte weiter, sie hob nur lässig den Arm, als sie ihre Mutter so daherschreiten sah, ja, Gerda lief nicht, Gerda schritt, flink, selbstbewußt, an der Hecke vorbei auf das Haus zu, sie blickte kurz auf das Auto, das ich nicht in die Garage gestellt hatte, und über das Dach des Wagens flüchtig nach mir oder über mich weg, aber ich blieb im Schatten sitzen, hob nicht einmal den Arm wie Lissi. Der Hund lief Gerda nach. Als er aber sah, daß Gerda die Haustür öffnete, trottete er wieder in den Garten, im Garten war es ihm trotz der Hitze interessanter, da gab es Pinsel, die man wegtragen durfte, Stöckchen, die man zutragen durfte, auf der Straße Leute, die man anbellen durfte, und oft beneidete ich den Hund, er bellte und jaulte, wann er wollte, und bekam doch sein Futter. Und wenn Gerda auf mich und den Hund wütend war, dann schrie sie: Wenn ich wieder auf die Welt komme, werde ich Hund beim Pospischiel.

Ich habe ihr da nie wiedersprochen.

Es bedrückte mich nicht, daß Gerda gekommen, in das Haus getreten war, das Haus mit ihrer Person erfüllte, die restliche Familie bald auffordern würde, gleich ihr das Haus zu füllen. Gerda war auf einmal für mich weit weg.

Gerda ließ mich kalt, und ich wußte nicht warum, sie ließ mich kalt, ich glaubte in diesem Augenblick, daß meine Mutter mich verstehen würde.

Mutter und Gerda hatten sich nie besonders verstanden. Mutter war aus Eger gebürtig, und Gerda stammte aus dem Ruhrgebiet. Gerda nannte die da unten hinterfozzig, und Mutter fand die hierzulande großkotzig. Aber das war nicht der Grund. Es waren nicht allein die 600 Kilometer, die zwischen Dortmund und Waldsassen lagen, dazwischen lagen mehr Kilometer, dazwischen lagen überhaupt keine Kilometer, dazwischen lagen Alter, Herkunft, Denkungsart zweier Frauen, die die gleiche Sprache redeten, aber mit dem gleichen Wort etwas anderes meinten. Für Gerda wuchs der Hafer für Haferflocken zum Frühstück, für Mutter wuchs der Hafer für Pferde, die schwer im Geschirr zogen.

Gerda trat in den Garten, übersah mich und fragte Lissi: Hast du schon was gegessen?

Hab ich, sagte Lissi.

Warst du auch einkaufen?

War ich, sagte Lissi.

Hast du den Hund gebadet?

Hab ich, sagte Lissi.

Dann ging Gerda wieder ins Haus.

Ich hatte auf einmal das Gefühl, ich säße abermals auf der Warte, hinter Glas, unsichtbar und schweigend.

Der Hund legte sich zwischen meine Beine, schnaufte, ich kraulte seinen Hals. Der Hund liebt mich.

Das war immerhin beruhigend.

Man müßte etwas tun, dachte ich, man darf nicht so sitzen und den Hund kraulen, man muß etwas tun, die Ruhe über und in der Siedlung schläfert ein, der Staub und der Gestank über der Stadt betäuben.

Man muß etwas tun.

Ich muß etwas tun.

Ich erhob mich aus dem schmalen Schatten des dünnen Apfelbaumes, vier Äpfel hingen an vier Ästen, nächstes Jahr werden es vielleicht acht Äpfel sein oder zwölf. Ich schlurfte an Lissi vorbei, Lissi hob den Arm, wie sie ihn bei Gerdas Heimkehr gehoben hatte, sie fragte: Wohin gehst du? Komm bald wieder. Ich antwortete nicht. Der Hund sprang mich an, ich sah auf ihn herunter, er bettelte mich mit seinen Knopfaugen an. Ich nahm ihn mit, ließ ihn auf den Rücksitz springen. Ich ließ den Motor an, wartete, rollte beide Fenster herunter, ich wartete, ich wußte nicht, wohin ich wollte, ich wartete, ich ließ die Kupplung spielen, wartete, ließ den Wagen ruckweise vorkriechen, wartete, ich drückte einmal kurz auf die Hupe, wartete, dann wendete ich den Wagen, wartete, stand in der Richtung, aus der Gerda gekommen war, wartete, Lissi kam aus dem Garten gelaufen, Gerda trat vors Haus, sie standen nebeneinander, sie sahen mich an, wie man vielleicht einen Fahrer ansieht, der es wagt, seinen Wagen in fremder Leute Garageneinfahrt zu wenden, ich wartete, da riefen Gerda und Lissi, dann fuhr ich.

Ich fuhr zum Schnee.

Känguruh saß auf der Bank vor dem Eingang zum Haus, er zog mit einer vergessenen Malve Kreise in den Weg, er sah auf, warf den Strunk fort und sagte: Gut, daß du kommst, Paul. Irgendwas müssen wir tun.

Ja, Fred, ja. Aber irgendwas ist nicht genug.

Es wird sich was finden, sagte Fred. Wir gingen ins Haus.

Wir standen am Tresen einer Kneipe Ecke Mallinkrodtstraße. Draußen ging ein Unwetter nieder, Graupelkörner, so groß wie Taubeneier, hagelten auf Asphalt und parkende Autos. Ich trank beruhigt mein Bier, denn ich hatte meinen Wagen unter einer breitkronigen Plantane abgestellt, dem Auto konnte nicht viel passieren.

In wenigen Minuten wurden Fahrbahn und Bürgersteige weiß. Ich glaubte, als ich durch das Fenster in die leere endlose Straße sah, noch nie so ein Unwetter erlebt zu haben. Der Hund lag auf meinen Schuhen, er zitterte jedesmal, wuchtete der Donner an die Kneipenfenster, jaulte leise auf. Manchmal klang es so, als durchbreche ein Düsenjäger die Schallmauer in geringer Höhe.

Wir meinten, jeden Moment müßten die Fensterscheiben zerspringen, der Wirt zapfte für uns kein Bier mehr, er rannte aufgeregt durch sein Lokal, faßte da und da hin, jammerte, denn er war nicht gegen Unwetter versichert.

Ich hob den Hund hoch, er legte seinen Kopf auf meine Schulter, er war zufrieden, ihm konnte nichts mehr passieren, er war geborgen.

Jetzt wären meine Malven sowieso kaputt, sagte Känguruh. Er trank sein viertes Glas Bier, schluckte in langen Zügen, der Schaum trocknete in seinem Schnurrbart, der seine gespaltene Oberlippe verdeckte.

Es war nicht viel Betrieb in der Brunnen-Kneipe, und die wenigen Gäste waren zufällig gekommen, vor dem aufziehenden Unwetter geflüchtet. Sie rauchten, tranken und sahen wie wir auf die Straße, auf der weder Menschen noch fahrende Autos zu sehen waren, nur weiße Taubeneier schossen vom Himmel, mit einer Wucht, daß sie erst einen Meter hoch aufsprangen, ehe sie liegen blieben und schmolzen. Nach wenigen Minuten überfluteten die zu Wasser geschmolzenen Taubeneier die Mallinkrodtstraße. Einen Augenblick dachte ich an Gerda und Lissi. Ob sie wohl Angst hatten? Sonderbar: Ich dachte nicht in Angst an Frau und Tochter, sie saßen in einem festen Haus, und ich dachte nicht weiter an Garten und Haus, ich überlegte, ob in Bärnau, Mitterteich und Waldsassen auch so ein Unwetter niederging, denn dann wären auch Beierls Malven zerstört, meine nächtliche Arbeit umsonst gewesen.

Unvermittelt, wie das Unwetter hereingebrochen war, endete es: wie abgeschnitten. Plötzlich war wieder Sonne und Geschäftigkeit.

Känguruh trank sein Bier aus und sagte: Jetzt wären meine Malven sowieso kaputt. Die hätten sich die Arbeit gar nicht zu machen brauchen.

Ich zahlte, für Fred mit.

Wir verließen die Wirtschaft, die Straßen dampften, aus dem Asphalt stiegen Nebel. Ich sah nach meinem Auto, fühlte die Karosserie ab. Ein abgebrochener Ast lag über dem Kofferraum, der Lack war etwas verkratzt. Sonst nichts. Wir standen unter der Platane, der Hund biß in weiße Taubeneier, die noch nicht geschmolzen waren, spuckte sie wieder aus, biß nach einem neuen Ei, ich blickte Känguruh an, und der sagte: Paul, kannst du mir sagen, warum wir in die Stadt gefahren sind?

Ich wußte es nicht oder nicht mehr.

Wir standen unter der Platane und sahen uns an, und ich schämte mich. Ich sagte: Fred, laß uns nach Hause fahren.

Fahr ruhig, sagte er. Ich geh in meine Wohnung zum Borsigplatz. Vielleicht steht der Keller unter Wasser. Der Borsigplatz lag nicht weit entfernt.

Ich sah Fred nach. Sein Kopf lag nach links auf der Schulter, das Bein schleppte er nach, die Arme baumelten um seinen Körper, als gehörten sie ihm nicht, als trage er etwas, das zwar notwendig war, trotz allem aber eine Last blieb.

Die Stadt belebte sich langsam wieder, Polizisten und Passanten bemühten sich, Äste von der Fahrbahn zu ziehen, Männer befühlten und beäugten ihre Autos, viele Autos waren so zerbeult, als wären sie in einen schweren Unfall verwickelt worden.

Die Sonne stach, mein Hund leckte das verdunstende Wasser vom Bürgersteig.

Känguruh war längst verschwunden, als ich in meinen Wagen stieg.

Wohin fahre ich jetzt? Ich wußte es nicht, wußte nur, daß ich auf keinen Fall nach Hause fahren wollte, ich scheute Fragen und Blicke.

Ich fuhr planlos durch die Stadt.

Ich hielt bei Rot, fuhr bei Grün, geriet in Straßen, die ich vorher nie befahren hatte, landete im Hafengebiet, steuerte in das westliche Industrieviertel, gelangte an die Stadtgrenze von Bochum, kehrte um, fand mich am Westentor wieder, umkreiste den Körnerplatz, gegenüber der Unionbrauerei blieb ich bei Grün halten, hörte Hupen, Schimpfen, fuhr, gleichgültig, weiter durch die Schützenstraße, bog in die Bornstraße, später in die Münsterstraße ein, ich fuhr und wußte nicht, warum ich fuhr, ich wollte überall und überall zugleich hin, nur nicht nach Hause, nur nicht nach Hause, ich war bereit, mit allen Menschen zu sprechen, nur nicht mit Gerda. Am Stadthaus parkte ich schließlich den Wagen, den Hund nahm ich mit. Ich überquerte den Alten Markt, um den Bläserbrunnen hatten sich junge Leute, darunter auch einige Langhaarige angesammelt, ich trottete an der Reinoldikirche vorbei, gegenüber, auf der rechten Seite der Kleppingstraße, sah ich eine Gastwirtschaft. Die Gildenstube.

Ich hatte keinen Appetit auf Bier, aber die Hitze und die Stadt und die Menschen in der Stadt waren mir über. Ich mußte einfach irgendwo bleiben, irgendwo zur Ruhe kommen.

Die Pendeltüren der Gildenstube waren nach innen festgeklemmt. Ich überflog am Eingang die außen unter Glas in einem Kasten ausgehängte Speisekarte, teuer kam das Essen nicht, aber ich hatte keinen Hunger.

In der Nähe der Tür sah ich vier junge Leute, die auf wackligen Hockern um ein Faß saßen, das ihnen als Tisch diente, auf dem Faß große Gläser mit Coca-Cola, in den Gläsern klirrte Eis.

Ich ging an ihnen vorbei, der Rücken und die Haare eines Mädchens erinnerten mich an das Mädchen aus Hannover, aber es glichen sich wahrscheinlich viele Rücken, viele Haare. Ich setzte mich an einen Ecktisch, unter den sirrenden Ventilator, der Hund sprang neben mich auf die Bank und legte sich lang an meinen Schenkel.

Ich bestellte ein Bier und doch etwas zu essen, eine Bockwurst mit Kartoffelsalat, ich wartete, saß gedankenlos und spielte meine Finger ineinander, auseinander, ich betrachtete die blaßgelb gescheuerte Tischplatte, spielte mit den Bierdeckeln, baute Häuschen, blies sie wieder ein.

Ich sah auf und direkt in die Augen Christls.

Sie lächelte, über die Köpfe der anderen jungen Leute hinweg, mich an.

Der Ober brachte das Essen, nahm mir einen Bierdeckel aus der Hand, stellte das Bierglas darauf. Dabei sah ich ununterbrochen in die Augen Christls, aber sie tat weder erschrocken noch erstaunt. Alles, was ich denken konnte, war: Sie ist noch nicht nach Hannover gefahren.

Ich sah auf mein Glas nieder, der Schaum trocknete langsam ein, und ich wunderte mich, daß der Hund an ihr vorbeigelaufen war, ohne sie zu erkennen und freudig zu begrüßen.

Aber der Hund schnaufte nur und ließ es sich wohl sein an meiner Seite, er schlief, die Pfoten bewegten sich wie im Lauf.

Der Ober stellte einen braunen Pott mit Senf neben meinen Teller, der Hund schaute einmal auf, schlief weiter, während ich aß.

Und jedesmal, wenn ich mir ein Stück Wurst abschnitt und es in den Mund schob, sah ich hoch, auf die Gruppe junger Leute um das Bierfaß, das ihnen als Tisch diente. Sie sprachen erregt miteinander, ich hörte das Wort Teufel, das Wort Schweinerei, ich schob mir Stück für Stück in den Mund, manchmal mit so viel Senf, daß meine Augen tränten, aber immer sah ich das Mädchen klar vor mir.

Da starrten die Augen des Mädchens wieder auf mich, es kaute an seiner Oberlippe, einen gelben Pulli trug es und einen Glockenrock, rot. Du meine Güte, was alles in so eine Lufthansatasche paßte. Ich hatte mir seine Augen noch nie richtig angesehen, jedenfalls blieb mir deren Farbe fremd, aber jetzt forschte ich nur in seinen Augen, eine Minute, zwei Minuten, vielleicht mehr, vielleicht weniger; sein Gesicht blieb eine verschwommene Scheibe.

Ich rief den unfreundlichen Ober und bezahlte. Der Hund sprang von der Bank, wartete unter dem Tisch. Ich stopfte das Wechselgeld in die hintere Hosentasche, ging langsam durch das Lokal.

Das Mädchen sah geradeaus, an mir vorbei auf die Stelle, wo ich gesessen hatte.

Ich trat auf die Straße. Was tun? Ich ging unschlüssig weiter. Den Ostenhellweg entlang, kehrte um. Den Westenhellweg entlang, betrachtete mir die Schaufenster eines Herrenkonfektionsgeschäfts, nicht weit war eine Großbaustelle.

Ja, was tun? Was mußte ich tun. Und warum wollte, mußte ich etwas tun?

Ich schlenderte zurück, überquerte wieder den Alten Markt, um den Bläserbrunnen drängten sich die jungen Leute – mir schien, neue Gruppen waren zu ihnen getreten –, ihre Finger spielten im Wasser, einige spritzten sich voll. Plötzlich lief der Hund an mir vorbei auf den Brunnen zu, ich rief, rief laut seinen Namen, am Brunnen sprang er jaulend ein Mädchen an.

Das Mädchen war nicht Christl.

Ich stand mitten auf dem Alten Markt, ich rief nicht mehr, sah nur auf den freudig tanzenden Hund, auf das Mädchen, auf den das Mädchen umtanzenden Hund.

Da schrie das Mädchen den Hund an und wies ihn von sich.

Der Hund stand starr, trottete dann auf mich zu.

Das Mädchen war nicht Christl, nicht das am Brunnen, also auch nicht das in der Gildenstube, ich hatte mich getäuscht, die Sonne und meine Phantasie hatten mir einen Streich gespielt.

Ich nahm ihn auf den Arm.

Die Parkuhr war abgelaufen, ein Strafzettel klemmte zwischen Scheibenwischer und Windschutzscheibe.

Ich werde nach Hause fahren, dachte ich, irgendwo muß man sein, sonst ist man nirgendwo.

13

Anderntags beschäftigte ich mich den ganzen Vormittag im Garten. Das Gewitter war spurlos über Haus und Garten weggezogen. Ich mähte den Rasen, der noch nicht gemäht werden mußte, stützte Äste, die nicht gestützt werden mußten, harkte Wege, die erst geharkt worden waren, fegte die Garage aus, klopfte Nägel in Staketen, die sich nicht gelokkert hatten, ich wusch das Auto, badete den Hund, gegen Mittag versuchte ich an meine Mutter einen Brief zu schreiben, und schrieb doch nicht, ich wartete auf den Postboten, und dann ging der Postbote mit einem nichtssagenden Kopfnicken an mir vorbei, wartete auf einen schwarzen Mercedes, der vom Werk kommen mußte, und es fuhren viele Mercedes am Haus vorbei, und ich wartete Stunde um Stunde, wußte am Ende gar nicht mehr, auf wen ich warten sollte oder was mir zu warten befahl. Lange lehnte ich über dem Tor zur Straße, aus der Badeanstalt drang ohne Ende Geschrei, und manchmal schrak ich zusammen, wenn ein Düsenjäger die Schallmauer durchbrach; der Bäcker- und Milchwagen fuhren bimmelnd durch die Siedlung, aber wir brauchten weder Brot noch Milch.

Schließlich entschloß ich mich, in die Stadt zu fahren, obwohl ich nicht wußte, was ich dort sollte, aber ich fühlte mich lieber in der Stadt überflüssig als hier in dem beengten Haus und dem umzäunten Garten. Als ich das Schwingtor hob, den Wagen aus der Garage fahren wollte, stand Gerda neben mir und fragte: Wohin fährst du denn?

Ich zuckte zusammen. Es war nicht die Zeit, zu der Gerda sonst nach Hause kommt.

Wo ich hin will, fragte ich zurück. Ich weiß es nicht. Ach ja, in die Stadt will ich.

Und was willst du in der Stadt, fragte sie. Ihre Stimme war müde, nicht aggressiv.

Nur so, sagte ich, sah an ihr vorbei. Gestern hatten wir weder Worte noch Blicke gewechselt, als ich heimkam.

Komm ins Haus, sagte Gerda, und sie ging vor mir her und sah sich nach jedem zweiten Schritt um, ob ich ihr auch folgte. Und ich folgte ihr, in die Stadt konnte ich immer noch fahren.

Sie hantierte in der Küche, geschäftig, lautlos, sie hatte das und das zu tun, sie ging und kam, und immer trug sie etwas in die Küche oder hinaus.

Ich stützte den Kopf auf beide Arme und verfolgte meine Frau mit den Augen; sie schwieg lange, dann aber sagte sie: Komm drüber weg, Paul. Die Bande ist doch nicht wert, daß man sich wegen der aufregt.

Aber die Bande bezahlt mich, sagte ich.

Dann wirst du dir eben was anderes suchen.

Etwas anderes? Gerda! Eine andere Bande?

Sie sah mich einen Moment an, die Stirn gerunzelt, dann zuckte sie die Achseln und hantierte weiter in der Küche, lautlos und flink, und ich starrte sie erstaunt an.

Es hat sich ganz schön abgekühlt, sagte Gerda, während sie begann, Kartoffeln zu schälen.

Es klingelte an der Haustür, laut, kurz. Wir sahen uns an. Lissi konnte es unmöglich sein, Lissi besaß einen Schlüssel, und vergaß sie den einmal, schlich sie sich durch den Keller in die Wohnung, die Kellertür zum Garten war selten verschlossen.

Wer kann das sein, fragte ich. Um diese Zeit.

Der Nikolaus, sagte Gerda, im Juli. Sie lachte. Öfter mal was Neues. Aber an deiner Stelle würde ich trotzdem aufmachen, dann wissen wir wenigstens, ob er einen Sack mit Nüssen bei sich hat oder einen Sack mit Sorgen.

Ich öffnete die Haustür.

Vor mir standen der Betriebsrat und der Angestellte, der mich gestern in der Halle gefragt hatte, ob er einen Arzt rufen solle.

Dürfen wir reinkommen, fragte Bachmeier. Bachmeier hatte einen Hut auf, der Angestellte trug seinen in der Hand.

Ich ging ihnen ins Wohnzimmer voraus, ich wies sie in Sessel und setzte mich zuerst, sie begannen sich Zigaretten anzuzünden. Bachmeier hustete, ich schob ihnen einen Aschenbecher hin. Bachmeier redete von der angenehmen Kühle, und der Angestellte teilte mit, endlich dürfe man wieder atmen wie seit Wochen nicht mehr. Ich saß beiden gegenüber, nickte beiden zu. Gerda lugte mit einem Auge einmal kurz durch die angelehnte Tür, und ich fragte, was mir die Ehre ihres Besuches verschaffe. Bachmeier hüstelte, der Angestellte schaute irgendwo und nirgendwo hin.

Ja, Paul, warum wir hier sind, weißt du. Bachmeier schien verlegen.

Du kannst ruhig deutsch mit mir reden, sagte ich, brauchst nicht zu stottern.

Herr Pospischiel, begann der Angestellte mit erhobener Stimme, Sie wissen, daß alle im Werk, die Sie kennen, gegen Ihre Kündigung sind, naja, und da haben wir also gegen die Verwaltung konspiriert und einen Kompromiß gefunden . . .

Er lächelte, wie von Konspirateur zu Konspirateur.

Einen Kompromiß, fragte ich, sah sie verständnislos an. Beide schienen mir verlegen.

Ja, Paul, warf Bachmeier ein. Weißt du, uns ist was eingefallen, und ich muß schon sagen, der Direktor hat da mitgedreht. Paul, du kannst ab morgen wieder arbeiten im Werk.

Und der Kompromiß, fragte ich. Die beiden sahen sich an, als erwarte jeder von andern, daß er antworte.

Wissen Sie, Herr Pospischiel, der Angestellte nahm schließlich das Gespräch wieder auf. Das ist so, Sie können morgen sofort wieder anfangen, sogar auf Ihrer alten Schicht, in Ihrer gewohnten Funktion.

Gerda stand unter der Tür, sie stierte auf die Rücken und Hinterköpfe der beiden, hielt in der einen Hand eine halbgeschälte Kartoffel, in der anderen das Schälmesser, sie blickte einmal kurz auf mich, erstaunt, ratlos, dann wieder auf die Rücken vor ihr.

In meiner gewohnten Funktion, fragte ich.

Jaja, beteuerte Bachmeier. Auf der Schicht, wo Brundert früher war, geht einer in Urlaub, und da ist es doch ganz natürlich, daß du wieder auf deine alte Schicht kommst, Paul, daß du wieder neben Franz sitzt.

Ich begriff langsam, und doch wunderte ich mich über ihren Besuch, denn es ist nicht üblich, daß das Werk zum Arbeiter in die Wohnung kommt: der Arbeiter wird ins Büro zitiert. Was sind das für neue Methoden. Und das Lied fiel mir ein: Mit uns zieht die neue Zeit . . .

Aber warum dann, sagte ich kopfschüttelnd, die ganze Auf-

regung vorher? Das hätten wir gestern billiger haben können, als ich im Werk war.

Jaja, sagte der Angestellte, aber gestern wußten wir die
Klausel noch nicht.

Klausel?

Nicht wie du denkst, Paul, erwiderte Bachmeier. Bachmeier
war bei der letzten Betriebsratswahl einstimmig gewählt
worden.

Was denke ich denn, Bachmeier? Es ist doch alles klar,
denke ich, ich komme wieder auf meine alte Schicht, in
meine alte Funktion, neben Franz . . .

Selbstverständlich kommst du, Paul.

Ich sah Bachmeier an; der sah an mir vorbei.

Nur nicht in der alten Form, ergänzte der Angestellte.

Form? Welche Form, fragte ich. Was beide daherredeten,
verwirrte mich; ich wollte endlich klar sehen. Ich beugte
mich vor. Bachmeier, sagte ich, unsicher geworden, ich höre
immer Kompromiß und Klausel. Was meint ihr eigentlich?

Das ist es ja, seufzte er, was wir dir klarmachen wollen, die
ganze Zeit wollen wir das sagen, du läßt uns ja nicht zu Wort
kommen. Du kriegst deine Arbeit, deine alte Schicht, neben
Franz am Pult . . .

Das kenn ich nun.

Lassen Sie doch Herrn Bachmeier ausreden, Herr Pospischiel, rief der Angestellte. Wenn Sie ihn immer unterbre-
chen . . .

Bachmeier unterbrach den Angestellten.

Weißt du, Paul, deine Kündigung kann die Verwaltung
nicht mehr rückgängig machen, aber im Kompromiß sieht
das so aus, daß du zwar gekündigt worden bist, nach drei
Tagen aber wieder eingestellt wirst. Verstehst du?

Na und, rief ich. Das ist doch Jacke wie Hose. Warum denn
dieser Aufwand?

So einfach, wie Sie glauben, ist das nun wieder nicht,
belehrte mich der Angestellte. Wie soll ich sagen, ja, Sie
werden zwar wieder eingestellt, aber so, als ob Sie nie im
Werk gearbeitet haben, also ein völlig Fremder sind, der sich
um Arbeit bewirbt und genommen wird.

Der Angestellte schien erleichtert. Aber ich verstand noch
immer nicht recht; irgendwo war ein Haken, das fühlte ich,

an dem man mich vielleicht aufhing, an dem ich mich selbst aufhängen würde, wenn ich nicht aufpaßte.

Bachmeier zog ein Schreiben aus seiner Tasche, er faltete es auseinander, legte es auf den Tisch und strich mehrmals mit den Handballen darüber, als müsse das Papier gebügelt werden.

Ist da ein Unterschied, fragte ich.

Unterschied, echote der Angestellte, das liegt auf der Hand. Wenn Sie eingestellt werden wie einer, der noch nie im Werk war, werden Sie auch entsprechend entlohnt . . .

Wie bitte? Ich sprang auf und schrie es. Ich sah zu Gerda hinüber, die wie ertappt unter der Tür ihre Kartoffeln zu schälen begann; Schalen fielen auf den Fußboden. Es war ein lächerliches Bild, aber mir war nicht lächerlich zumute.

Sie meinen also, wandte ich mich dem Angestellten zu, ich darf im Werk wieder arbeiten, auf meiner alten Schicht, bei meinen alten Kollegen, in meiner alten Stellung auf der Warte, aber mit dem Geld eines Anfängers?

Du sagst es, sagte Bachmeier, und der Angestellte fuhr rasch fort: Das bedeutet natürlich auch, daß alle Ihre sozialen Vergünstigungen wegfallen, die Gewinnausschüttung im Sommer, das Weihnachtsgeld im Dezember, das heißt, Sie bekommen selbstverständlich, was Ihnen zusteht, aber wie ein Anfänger; auch der Urlaub wird gekürzt, mindestens um acht Tage, auf vierzehn Tage, Sie wissen ja, wie die Bedingungen für Anfänger sind.

Das ist ja, flüsterte ich, Erpressung. Ich schrie: Nackte Erpressung.

Ja, sagte Bachmeier, wenn du es so siehst, Paul, wir wollen dir helfen, sonst nichts, nur helfen, begreif doch.

Helfen? Bachmeier, Mensch, aber das ist doch kriminell, was ihr da beide vorschlagt, das gibt es nicht, das darf es ja nicht geben.

Hör auf, Paul . . . begreif doch endlich, du bist gekündigt, und nicht einmal das Arbeitsgericht wird dir recht geben, das weißt du genau. Aber jetzt, jetzt hast du die Chance, deine Arbeit zu behalten, wenn du auch etwas weniger verdienst als bisher, aber immerhin, du brauchst nicht stempeln zu gehen, dir eine andere Arbeit zu suchen, bleibst gesichert . . . überleg doch, heute, bei den unsicheren Zeiten.

Gerda war einen Schritt vorgetreten, sie stand auf den Schalen, aber sie merkte es nicht, sie sah geradeaus auf mich, starr, ihre Augen glichen Glasaugen, so leblos glänzten sie.
Das ist also euer Kompromiß, so sieht der aus: Erpressung!
Quatsch, Paul! Hier!
Bachmeier schob mir das Schreiben zwischen meine Hände und forderte mich auf, es genau zu lesen.
Ich las das Schreiben.
Es war ein vervielfältigtes Schreiben und links unten eine gepunktete Linie, wo ich zu unterschreiben hatte. Die Unterschrift des Betriebes stand noch aus.
Der Wisch beinhaltete, daß ich aus freien Stücken zugebe, das Arbeitsverhältnis einseitig gebrochen, und mir darüber klar sei, Kontraktbruch begangen zu haben, weshalb ich mich einverstanden erkläre, daß mich das Werk zu den Bedingungen und Leistungen eines Neulings, eines nicht Umgeschulten, Geschulten, Weitergeschulten wieder einstelle, mir jedoch aus Gründen der Billigkeit meine bisherige Arbeit überlasse, mein Einverständnis vorausgesetzt, daß ich hinsichtlich Lohn, Urlaub und Sozialbezüge wie ein Anfänger eingestuft werde und keinen Anspruch darauf erhebe, verlorengegangene Vergünstigungen oder sonstwelche freiwilligen Zuwendungen des Werkes, seien sie nun finanzieller Art oder in Form von Arbeitserleichterungen, einzuklagen. Mit dieser meiner Unterschrift bestätige ich mein Einverständnis. Die Einverständniserklärung werde zu meinen Personalakten gelegt, sie sei nicht für die Öffentlichkeit und nicht für etwaige arbeitsgerichtliche Auseinandersetzungen bestimmt.
Das Datum war eingesetzt: Dortmund, den 28. Juli 1967.
Ich wippte das Schreiben in der Hand und muß wohl laut vor mich hin gesprochen haben, denn Gerda – die beiden Männer drehten sich um – schrie außer sich: Das unterschreibst du nicht! Paul! Niemals! Das sind ja Nazimethoden.
Aber Frau Pospischiel, ich bitte Sie, rief der Angestellte mit bebender Stimme, und der Betriebsrat bosselte an seinem offenen Hemd, seine Finger glitten am Reißverschluß auf und ab.
Glauben Sie mir, Frau Pospischiel, sagte Bachmeier, das ist

das beste, was wir für Ihren Mann herausschlagen konnten. Oder wollen Sie, daß er arbeitslos wird? Sie wissen doch selbst am besten, wie die Lage ist. Er kann womöglich ein ganzes Jahr nach Arbeit laufen, und dann, dann nimmt ihn vielleicht die Müllabfuhr, wo er doch kein Gewöhnlicher ist, sondern ein Spezieller.

Besser die Müllabfuhr als das unterschreiben, höhnte Gerda.

Ich lehnte mich im Sessel vor und starrte auf das Schreiben. Nach und nach begriff ich, was hier vor sich ging. Sie wollten mich einerseits als qualifizierte Fachkraft nicht verlieren, andererseits an mir aber ein Exempel statuieren, und ich überlegte, wieviel solcher Wische in wieviel Personalakten schon abgeheftet worden waren in den letzten Jahren, Vorgänge, über die niemand sprach, der eine, weil er wußte, daß er Erpressung beging, der andere, weil er sich schämte, einmal gekündigt worden zu sein.

Unterschreibe ich, haben sie mich in der Hand.

Unterschreibe ich nicht, laufe ich für wer weiß wie lange Zeit durch die Stadt: ein Muster ohne Wert auf der Suche nach Arbeit und Verdienst. Ja, gut hatten die sich das ausgeklügelt. Es war nackte Erpressung, aber die Erpressung war nicht zu beweisen, und würde ich unterschreiben und vor das Arbeitsgericht gehen, bekäme ich wahrscheinlich vom Richter noch eine Strafe aufgebrummt, weil ich wissen mußte, daß ein solches Schreiben gegen die guten Sitten verstieß und ich einen solchen Vorgang sofort hätte melden müssen.

Fein hatten sich die Herren das ausgedacht, es gehörte zu ihrem Plan, daß es für den einzelnen, wollte er leben und eine Familie ernähren, nicht mehr möglich war auszubrechen.

Ich wußte in diesem Augenblick: Meine Unterschrift besiegelte meine Existenz; ich würde Sklave sein im Betrieb, und bei irgendeiner Gelegenheit, wo ich nicht will wie sie, weil ich nicht kann, werden sie mir diesen Wisch vorhalten und sagen: Was wollen Sie eigentlich? Und unterschreibe ich nicht, werde ich Sklave außerhalb des Betriebes sein und mich einer Freiheit erfreuen, die mir erlaubt, jeden Tag auf Arbeitssuche zu gehen, erlaubt, täglich Angst zu haben.

Das also war unsere Freiheit, ist sie, war sie immer. Das Fatale an der Geschichte ist, daß wir tatsächlich glaubten, frei zu sein. Dabei haben wir nur Bewegungsfreiheit, und auch die ist an den Verdienst gebunden.

Ich stand auf. Es hatte lange gedauert, bis ich begriff, was Freiheit für uns Arbeiter heute ist, und ich begann die einstigen Sklaven von Rom zu beneiden: sie wußten immerhin noch, wer ihre Käufer und Verkäufer waren, wußten, wer sie schlug. Hier und heute war auch das ausgeschaltet, der Kauf erfolgte auf hektographiertem Papier, die Schläge teilte ein Apparat mit.

Ich unterschreibe, sagte ich.

Gerda stürzte auf mich zu, sie versuchte, mir das Schreiben aus der Hand zu reißen, schrie: Dieser Bande willst du dich ausliefern?

Ich hielt sie fest und sagte: Gerda, sei vernünftig. Wenn ich nicht unterschreibe, liefere ich mich einer anderen Bande aus. Und weißt denn du, welche Bande gemeiner ist?

Ich gab Bachmeier den unterschriebenen Wisch, der steckte ihn ein, und beide hatten es eilig fortzukommen; ich hörte, wie der Wagen ansprang und abfuhr, und dann klirrten die Fensterscheiben, ein Düsenjäger hatte die Schallmauer durchbrochen.

Ich warf mich in den Sessel, in dem Bachmeier gesessen hatte, Gerda setzte sich mir gegenüber, sie hielt das Schälmesser in der Rechten und ein winziges Stück Kartoffel in der Linken, und sie sah auf ihre nackten Füße, und ich bemerkte plötzlich, wie es Gerda schüttelte, und dann weinte sie, wie ein Kind weint, und ich konnte ihr nicht helfen, und da stand Lissi im Zimmer, über ihrem Bikini den Bademantel, und sah verständnislos auf mich und auf Gerda, denn sie hatte ihre Mutter noch nie weinen sehen.

Sie wollte reden, etwas fragen, aber ich sah, wie ihr Gesicht verschlossen wurde. Sie sah mich böse an und verließ langsam den Raum.

Ich wollte Gerda übers Haar streichen, aber sie sprang auf und schrie: Rühr mich nicht an! Du ... du ... ach ... für dich gibt es keinen Ausdruck.

Sie lief in die Küche, ich saß, wo ich saß, und starrte durch das offene Fenster auf den Fernsehturm, und ich merkte jetzt erst, wie elend mir war. Die beiden Nächte, in denen ich kaum geschlafen hatte, hingen an mir wie Blei.

Lissi betrat abermals das Zimmer, laut, herausfordernd, ich hörte sie draußen am Briefkasten klappern, dann stand sie wieder im Zimmer, in ihren Händen hielt sie einen Brief.

Von Großmutter, sagte sie.

Da stürzte Gerda herein, riß Lissi den Brief aus den Händen, zerriß ihn und warf mir die Schnipsel vor die Füße. Lissi sah mich an, nicht mehr böse. Gerda ging ohne ein Wort aus dem Zimmer. Lissi sah mich lange an, und ich zuckte mit den Schultern. Dann kniete sich meine Tochter auf den Boden und las die Schnipsel auf und begann den Brief wieder zusammenzusetzen.

Max von der Grün in der Sammlung Luchterhand

Max von der Grün:
Menschen in Deutschland
(BRD)
Sieben Porträts.
Band 94

Max von der Grün:
Zwei Briefe an Pospischiel
Roman.
Band 155

Max von der Grün:
Leben im gelobten Land
Gastarbeiterporträts
Band 174

Max von der Grün:
Stellenweise Glatteis
Roman. Bd. 181

Max von der Grün in der Sammlung Luchterhand

Max von der Grün:
Männer in zweifacher
Nacht
Roman.
Band 293

Max von der Grün:
Etwas außerhalb der
Legalität
und andere Erzählungen
Band 299

Max von der Grün:
Wie war das eigentlich?
Kindheit und Jugend im
Dritten Reich.
Mit 40 Abbildungen.
Band 345

Max von der Grün:
Klassengespräche
Aufsätze, Reden,
Kommentare.
Band 366

Max von der Grün
Späte Liebe

Luchterhand

Erzählung. Leinen.

Zwei alte Leute brechen aus der herkömmlichen Vereinsamung aus und heiraten. Eine Liebesgeschichte.
Max von der Grün erzählt diese Geschichte so selbstverständlich, als sei sie alltäglich und eine so späte Liebe von keinem Vorurteil bedroht.

Luchterhand